ちくま学芸文庫

新版 自然界における左と右 下

マーティン・ガードナー
坪井忠二 藤井昭彦 小島 弘 訳

JN089985

筑摩書房

THE NEW AMBIDEXTROUS UNIVERSE
by Martin Gardner
Copyright © 1964, 1969, 1979, 1990, 2005 by Martin Gardner

Japanese translation published by arrangement with Martin Gardner
Literary Interests through The English Agency (Japan) Ltd.

新版　自然界における左と右【目次】

上巻目次

新版　自然界における左と右　下

20　パリティ

物理学者に向かって、オズマ問題の解を教えてほしいとたずねたとしよう。一九五〇年だったら「解はありません」という答えがかえってきただろう。そして彼はこうつけ加えるだろう。惑星Xの知性体に対して、左と右の意味を伝える方法はない。何か特定の非対称なもの――たとえば、星の並び方だとか、円偏光だとか――、われわれと彼らとが共通に観測しうるものを引き合いに出さないかぎり、それを伝える方法はない。どんな実験をしても、あるいはどんな自然法則をもち出しても、左右というものを操作的に定義するものはない、と。

自然界に、何かの量があって、それがいつも一定で変化しないとき、物理学者は好んで保存則ということばを使って、不変性をいい表わす。たとえば、質量エネルギーの保存則といえば、宇宙にある全質量エネルギーの総量は一定で、決して変化しないというのである。質量はエネルギーの一形態であって（アインシュタインの有名な式 $E=mc^2$ に従う）、全体として増えもしなければ減りもしない。鏡による対称性は、この宇宙で基本的なものであって、いつもそれが保存されている――宇宙の基本法則では、左と右のどちらも優先することはない――というのが、パリティ保存の法則である。

パリティ(偶奇性)ということばを使いはじめたのは数学者である。それは、奇数と偶数とを区別するためであった。二つの整数が両方とも偶数であるか、両方とも奇数である場合には、その二つの整数は同じパリティをもつという。一方が偶数で一方が奇数ならば、パリティが反対だという。あるものごとがはっきり二つに分かれていて、その一方を偶数で表わすならば、他方を奇数で表わすことができるような排反的な関係になっているような場合についても、このことばがひろく使われるようになった。簡単な例をひくならば、こういうことである。一セント銅貨を三枚、机の上に表を上にして並べる。そこで、どんな順序でもよいから銅貨を一回に一つずつ裏返しにする。何回やってもよいが、しかし、裏返しの回数は偶数回とする。そうすると、二回だろうが、七四回だろうが、三四九六回だろうが、裏返しにする回数が偶数回であるかぎり、最終の結果は図70の四つのうちのどれかである。今度もやはり一セント銅貨を三枚、表を上にして一列に並べる。そして、どんな順序でもよいから、一回に一つずつ裏返しにする。しかし今度は、裏返しの回数を奇数回とする。そうすると、最後の結果は、図71の四つのうちのどれかになる。

前の四つは偶のパリティ、後の四つは奇のパリティをもつということができる。実際やってみてわかるとおり、裏返しの回数が偶数回ならばパリティは前と後とで変わらない。すなわち保存する。偶のパリティの組から出発して、たとえば一〇回裏返しをすると、最後の結果も、偶のパリティである。奇のパリティの組から出発して、一〇回裏返しをすると、最後の結果も奇のパリティである。しかし裏返しの回数を奇数回にすると、はじめのパリティと最後のパリティとはさかさまになる。図70と図71では、表三枚の奇のパリティは、裏返しの回数が偶数回ならば保存され、奇数回のときは保存されないことに注意してほしい。

図70　表3枚を偶数回裏返したときのパターン。

図71　表3枚を奇数回裏返したときのパターン。

トランプの札、貨幣、その他を使う手品でこの原理を使ったものが多い。たとえば、誰か一人に、貨幣を一つかみ、机の上にばらまかせる。君は後ろ向きになっている。そして彼に勝手に貨幣を裏返しさせる。ただし一回裏返すたびごとに「裏返し」「裏返し」といわせる。そして勝手なときにそれをやめ、貨幣を一枚、手でかくさせる。君は、前向きに直って、かくされているのが、表か裏かを当てるのである。

このタネは、数学者が「パリティ・チェック」というものの簡単な応用にすぎない。君が後ろ向きになる前に、表の数をかぞえて、それが偶数であるか、奇数であるかを覚えておく。さて、裏返しの回数が偶数ならば、表の数のパリティは変わらない。奇数ならば、パリティが変わる。パリティを知っていて、君が向き直ったとき出ている表の数をかぞえれば、手でかくされているのが表か裏かわかるはずだ。この手品を変えて、こうしてもよい。貨幣を二枚かくさせ、それが同じ面か反対の面かを当てることもできる。

練習問題14　さかずきを六個一列に並べる。一、二、三は上向き、四、五、六は下向きに伏せておく。任意の二つのさかずきを右手に一つ、左手に一つとって同時にそれぞれ上下をさかさまにする。(すなわち上向きのさかずきは下向きに、下向きのさかずきは上向きにする。) それからまた任意の二つについて同じことをする。勝手な回数だけそれを繰り返す。そうしたとき、最後

にみな上向きになることがありうるか。みな下向きになることがありうるか。君の解答を数学的に証明できるか。

――

パリティという考えは、次のようにすれば三次元空間における回転体に適応される。図72に実線で太く書いてある回転円柱を考えてみよう。この図形は、互いに直角な三つの座標系――図にあるようにx、y、zで示すのが慣習だが――によって与えられる。この円柱の任意の点の位置を示すには、三つの数を順序をつけて与えればよい。第一の数は、この座標系の原点を通って、x軸に垂直な面から、x軸に沿って測った長さである。第二の数は、同じようにy軸に沿って測った長さである。第三の数はz軸に沿って測った長さである。

図に点線で書いた円柱があるが、これは、円柱の点の位置を表わす三つの数のうち、z座標の数を全部プラスからマイナスに変えたとき生ずるものである。実線の円柱は、上の縁のAはA'のほうへ、矢印のように回転している。点線の円柱でも、AはA'のほうへ回転する。実線の円柱から点線にうつしたとき、柱の上下はたしかに反対になっている。しかし、円柱の両端は区別がつかないのだから、実線の円柱と点線の円柱とは（その回転を含めて）完全に重なり合うのである。要するに、zの符号をすべて反対にしても、円柱という全体は変わらないのである。

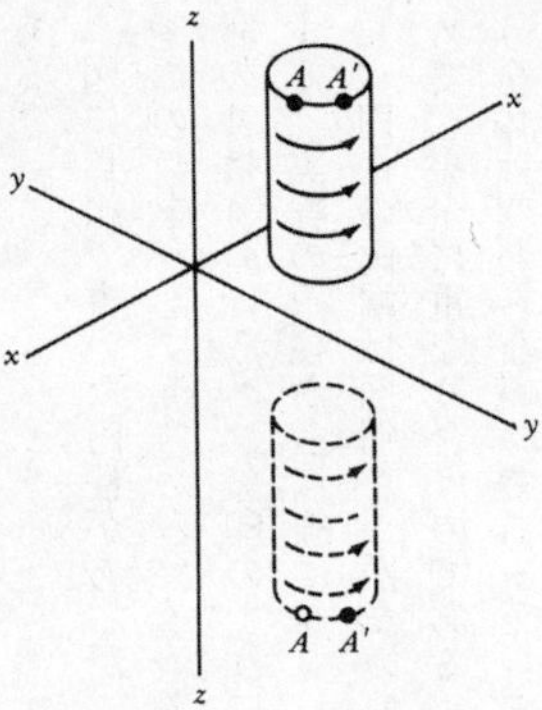

図72　回転円柱のパリティは偶。

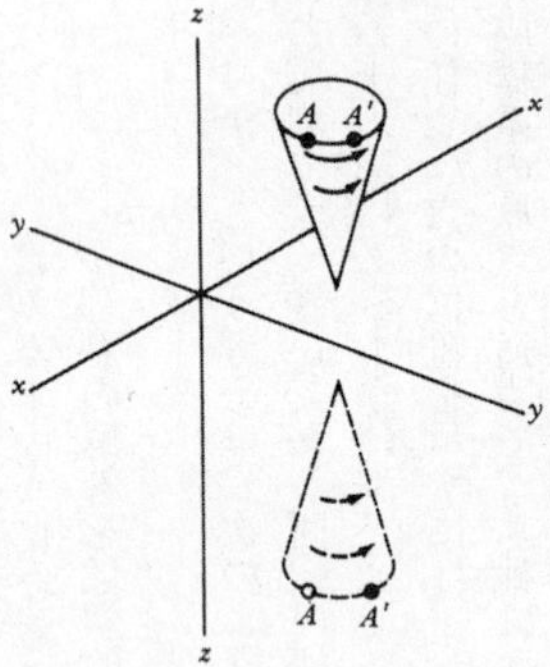

図73　回転円錐のパリティは奇。

次に、図73に実線で書いてある回転円錐を考えてみよう。下に点線で書いてあるのは、zの符号をプラスからマイナスに変えたとき生ずるものである。この実線の円錐と点線の円錐とは重なり合うだろうか。否、重なり合わない。この二つは互いに鏡像になっている。実線の円錐の上下を反対にすると、点線の円錐と点対点で一致する。しかし、そのとき、回転の向きは逆になる。回転の向きを一致させると、円錐の向きは逆になる。回転している円錐は非対称であって、向きがある。

三次元空間にあるどんな対称系も、その座標のうちの一つの符号を反対にすると、その形はもとと同じである。このことはたやすく理解される。このような系のパリティは、偶であるという。非対称の系の一つの符号を変えると、鏡像になる。このような系のパリティは、奇であるという。三つの座標は、おのおのプラスかマイナスの符号をもちうるのだから、一セント銅貨に表と裏とがあるのに似ている。系が非対称ならば、符号を奇数回変えるということは、一つ変えたのと同じ結果になる。つまり鏡像ができる。三つの軸の符号をみな変えると、鏡像になる。三は奇数だからである。一つごとに鏡像ができるのだが、鏡像の鏡像はもとへもどる。符号を偶数回変えると、左右という点では、系に変化を生じない（3章で二つのしかけ鏡について述べたが、あのとき像がもとにもどったのは座標系の二つの軸を反転したからである）。符号変化が奇数だと、鏡像になる。はじめの系が対称的でパリティが偶だと、符号変化が奇数であろうと偶数であろうと、できるものは、もちろん、もとと同じである。

素粒子を記述する波動関数に上に述べたような考えを応用すると都合がよいことは、一九二〇年代に物理学者が気づいた。波動関数の中には、x、y、z の空間座標が入っているる。その座標の一つ（あるいは三つ全部）の符号を変えたとき、その関数が変化しないでもとどおりだったら、そのパリティは偶であるという。これを表わすのに、波動関数に一つの量子数を与えて、これを+1とする。その座標の一つ（あるいは三つ全部）の符号を変えたとき、鏡像になって空間的に逆になったとすると、この関数のパリティは奇であるという。これを量子数−1によって表わす。

原子、あるいはそれ以下の階層の粒子について、理論的考察（空間自身の左右対称性）

や実験を行なった結果によると、孤立した系ではパリティはいつも保存する。たとえば、パリティが偶（+1）の粒子が二つの粒子に分裂したとする。その粒子のパリティは、二つとも偶か、二つとも奇かである。どちらにしても、二つのパリティの積は+1である。（+1の+1倍は+1、−1の−1倍も+1である。）つまり系の最後のパリティは+1で、はじめと変わらない。パリティは保存されている。パリティが偶の粒子が二つの粒子に分裂したとき、もしも一方のパリティが偶で、他方のパリティが奇であるようなことがあったとすると、最後のパリティは奇になって（+1かける−1は−1である）パリティは変化することになるが、そんなことはおこらない。

　いまわれわれが考えているのは、三次元空間における簡単な幾何図形ではない。考えているのは、複雑な量子系であることに留意しておこう。量子論においてパリティ保存ということがどんな意味をもっているか、またこれがいろいろな点でどんな有用な概念であるか、これについてここで深入りすることはあまりに専門的である。幸いなことに、この概念がもたらすところは、理解しにくくはない。一九二七年、ユージン・P・ウィグナー[原注1]が次のことを証明した。すなわち、パリティが保存するというのは、粒子の相互作用にあずかるすべての力には、左右の区別はないということによる、というのである。いいかえると、パリティが保存しないというのは、粒子の構造や相互作用を記述する基本法則に鏡像対称が成り立たないということに等しい。惑星が回転したり、玉突きのタマが衝突したりするようなマクロの世界で、鏡像対称が成立することは知られている。パリティの保存は、この鏡像対称が原子やそれ以下の世界にも及んでいることを示している。自然は完全に両手利きであるようにみえる。

しかし、だからといって、宇宙において、非対称性が決しておこらないということにはならない。真の意味は、自然が左利きでやれることは、右利きでも同様にやれるということなのである。たとえば、太陽は銀河系に対して動いているので、地球の運動の経路は、銀河系に対してらせん形になっている。これは天文学における明らかな非対称性である。しかしこの非対称性は、銀河系の進化における単なる偶然にしかすぎない。他の惑星のまわりをまわっている惑星には、逆向きのらせんを描いているものがあるにちがいない。われわれのからだをみると、心臓は左にある。しかし、ここに別段、自然法則に根本的な非対称性があるわけではない。心臓の位置などというものは、地球上の生命の進化のときに生じた偶然であるにすぎない。心臓が右にある人間というものを理論的に考えることはできるし、また前に述べたように、そういう人間が実際にいるのである。このように、左型、右型でもありうる非対称構造があるのだが、片方がきわめて少ない。パリティが保存するという法則は、その左右の鏡像や運動が、等量だけなければならないといっているのではない。どちらの型（ハンデッドネス）も存在しうる、ということを禁止する自然法則はない、といっているだけである。

物理学者は宇宙の鏡像対称をこういって説明することがある。どんな自然現象でもいいから、これを映画にとる。そのフィルムを鏡にうつして映写する。そうすれば、実際におこったものが左右逆に（反転して）見える。この逆の映画を見て、これは逆だということがわかるだろうか。一九四〇年代の物理学者の答えは、「反転していることはわからない」であった。もしもその映画の中に、文字だとか数字だとか、時計の文字盤だとかいうような人工的な非対称のものが出てきたら、逆だということはすぐわかるだろう。しかし、いまここで問題にしているのは、人間などの生物によってつくられた、人工的な非対称性などが入ってきていない自然の基礎的現象についてである。たとえば、水の表面に油の粒が落ちてくるところ、化学の反応がおこっているところなどである。一九四〇年代の物理学者だったら、フィルムが逆になっているかどうか知る方法はない、といっただろう。

たとえば、左向きの化合物から左向きの結晶が成長するところを映画にとったとする。このフィルムを逆にすれば、右向きの結晶が成長することになる。しかし、事前に何も知らされていないならば、右向きの化合物から右向きの結晶が成長するところをうつしたそのものを見ているのではないことが、わかるはずはない。またたとえば、磁針の北側を赤く塗って、その下の針金に電流を流す実験――マッハにショックを与えた実験――をして、カラー映画にとる。これを鏡で反転して見ると、赤いほうがちがったほうに動いてしまう。しかし、事前に何も知らされていなかったとすると、これは磁石の南側が赤く塗ってあるのだと思い、それで万事話がすむ。磁石にNとかSとか書いてないかぎり、あるいは、何か他の方法でそれを区別していないかぎり、磁石の実験を左右逆にした映画を見ても、逆だと判定する手がかりは何もないのである。

これらすべてのことは、オズマ問題を別のいい方でいっていることになる。もしもある実験をして、パリティが破れ、自然が右か左のどちらかに優位を与えるということになったとすると、それはとりも直さず、オズマ問題の解が求められたことになる。すなわち惑星Xの科学者に、これこれの実験をするようにいってやればよい。その実験に現われる非対称なねじれによって、左右について、共通に理解しあうことができることになる。

私はかつて「左か右か」(Left or Right?)という短編SFを書いたことがある(エスクワイア誌、一九五一年二月号)。そこでパリティの法則をこんなふうに劇的に書いた。地球がゼータ59という星から奇襲攻撃を受けて武装解除されてしまう。アラスカに工場があって、そこではヘリクソンというらせん形の小さな道具を作っていたのだが、これが破壊される。このヘリクソンは、地球の防衛になくてはならないものなのである。そしてそのストックが極端に減ってしまう。これを供給してくれるのは、いちばん近いところでも、銀河系の端までの半分くらいのところにある星である。この星には、すでに何百年も前から人間が移住している。そこで宇宙飛行士の一団がこの星に送られて、この星からヘリクソンをとってくることになる。さて、宇宙船にヘリクソンを積んでの帰途、宇宙船に流星があたって、四次元空間で何回も回転して、やっと三次元空間にもどる。そこでこの宇宙船は修理のため、ある未知の惑星に着陸する。この惑星は、銀河系の地図にも出ていない。そこで宇宙船の船長に次のような考えがひらめく。すなわち、この宇宙船が四次元空間で奇数回宙がえりをしたのなら、宇宙船全体が鏡像になっている。もしそうだとすると、積んだヘリクソンの向き方が反対になっているから役に立たない。地球へもどるまでに、はたしてそうなっているか否かを決める方法はあるだろうか。宇宙船の構造上の非対称性——たとえば航行図に書いてあることば——を調べてもだめである。なぜかというと、宇宙船が逆になっていれば、飛行士も逆になっているからである。活字も正常に見えるだろう。飛行士の脳も逆になっているからである。

この未知の惑星に人間はいない。しかし、そこにある物質、自然法則は地球の上と同じである。この宇宙船には、実験室があって、設備もととのっている。この実験室で実験して、宇宙船が逆になっているかどうかわからないだろうか。船長はそんなものはないことを承知している。自然の法則は鏡像対称である。パリティは保存する。その惑星に何か炭素生物——非対称なアミノ酸を含む生物——がいたとしても、役に立たない。アミノ酸は右向きであってはならないという自然法則はないのである。

書いてから六年たって、この話はすっかり時代おくれになってしまった。というのは、一九五七年に、パリティ保存の法則が破れてしまったのである。国立標準局（ＮＢＳ）で行なわれた実験によると、対称な原子核系が、非対称な系に変換したのである。ある種の素粒子がある種の崩壊をするときの法則に、根本的に左右の区別があることが明らかになった。困惑した例の宇宙船の船長が、この実験に必要な装置をもっていたとすると、途中で着陸した惑星の上でこの実験を行なえたであろう。そしてその結果から、宇宙船が逆になっていたかどうかがわかったであろう。この実験は、鏡像反転にならない。その実験の映画を逆まわしにして映写すると、そこに現われるのは、銀河系においては、どこにもおこりえないような実験となる。これこそオズマ問題を解く実験である。

この「華麗にして驚異的な実験」（J・ロバート・オッペンハイマーによる）については、22章でくわしく述べる。そしてそれの意味する革命的な含蓄も一部、さぐってみよう。しかし、それよりもまず、反粒子といわれているものをよく知らなければならない。また反物質という奇妙な仮想的な物質をよく知らなければならない。反粒子は、パリティの非保存と密接な関係にある。反粒子について若干の知識をもっていると、パリティの破れの話を理解するのがずっとやさしくなる。

（原注1）一九六三年、ウィグナーは、粒子の相互作用における対称原理に関する先駆的研究によって、ノーベル賞を受けた。専門外の人にとってはウィグナーの名は、対象は感覚をも

つ存在によって観測されないかぎり実在性をもたないという見解と、また一九四二年にフェルミとその共同研究者が持続的連鎖反応に成功したとき、魔法のようにキャンティ酒を取り出して祝ったという話で知られている。

私はかつてウィグナーに、どのようにしてこの驚くべきトリックを遂行したか、たずねる機会に恵まれたことがある。ポーの小説「盗まれた手紙」を知っているか、というのが彼の答えであった。小説と同じくウィグナーの方法は、あまりにも当たり前で誰もが疑ってみもしないものの中に酒びんをかくすことであった。彼は普通の紙袋の中へ入れて現場にもちこみ、その瞬間まで単にかたわらに置いたのであった。

21 反粒子

物質観の歴史は、単純から複雑へ、複雑から単純へと、振り子のように、ゆれ動いてきた。最初の動きは、ゆっくりで長かった。古代ギリシャ人の物質観は、すべてのものは四つの元素――地（土）、水、火、風（空気）――の組み合わせでできているという単純なものであった。二千年ののち、いろいろの化学的な事実から考えて、八〇あまりの元素があって、それぞれ特有の原子から成り立っていると考えざるをえなくなった。原子はそれ以上に分けられない「素粒子」であると考えられていたが、二十世紀のはじめになって、この振り子は、複雑から単純へ急にもどりだした。一九三〇年代のはじめまでは、いろいろなちがった原子は、陽子、中性子、電子というたった三つ（アリストテレスの四元素よりも一つ少ない）の素粒子を考えるだけで、うまく説明されると思われていた。

ところが振り子はまた急にもどりだした。物理学者の考える素粒子は数百種にのぼってきた。数がはっきりしないのは、何を素粒子というのか、どれとどれとは同じ粒子のちがった状態にあるものと考えるか、によるからである。こんなにたくさん素粒子があることになると物理学者の悩みのタネになる。これはちょうど、昔、元素の周期表が、ボーアの原子模型とその精密化によって「説明」される以前の悩みのタネに似ている。C・P・スノーは、これらの新しい粒子は「郵便切手収集と同じように複雑怪奇」であるといっていたが、うまいたとえである。J・ロバート・オッペンハイマーも、これは「人をばかにしたナンセンス」だといっていた。

今や再び、振り子が単純のほうへもどり出している。そう遠くない将来、少数の簡単な数学的仮定に基づいた典雅な新理論が現われ、素粒子がなぜ今のようでほかのようでないか説明してくれる、と考えている粒子物理学者もいる。この方向に沿って大きな進歩をもたらした人がマレイ・ゲルマン、もう一人はこれと独立に、ユヴァル・ネーマンである。この人たちは、八道説（これは仏教からきたことばである）といわれている斬新な分類法を見いだした。それぞれの粒子の有する八つの保存量を考えて、それに八つの量子数を与える。これらの量子数は互いに関係しあっていて、数学でいうリー群（ノルウェーの数学者マリウス・ソファス・リーにちなむ）の構造の対称関係に従うのである。SU(3)群として知られるこの八道説の結果は、負電荷のオメガ粒子とよばれる新粒子の発見によって強く支持されるようになった。新粒子のいろいろな性質は八道説ですでに予言されていたのである。これはウィグナーによって量子力学に導入された群論が、新粒子の性質の予測にいかに強力であったかという顕著な例である。前に述べたスノーのたとえによると、この八道説というのは、郵便切手がたくさんあって、一見まとまりのないときに、それを切手帳にうまくはって、形や色できれいな対称模様をつくることにあたる。粒子がうまく分類できるなら「ばかばかしさ」は減るではないか。

八道説の発見以来、粒子を分類し説明するうえで大きな進歩があった。初期の仮説は「靴ひも」理論とよばれ、基本的な粒子はないと主張した。靴のひもを引っ張って中空に浮いている人のように、粒子はそれぞれの成員が他の成員の組み合わせによって成り立っている単一の族をなす。この理論は今はすたれて、マレイ・ゲルマンとジョージ・ツワイクの提唱したクォーク理論に取って代わられている。

クォーク理論は、ハドロン（強粒子）とよばれる粒子の族（この中には陽子や中性子は含まれるが、電子や光子は含まれない）は、ゲルマンがクォークと名づけたより根源的な単位の組み合わせで作られている、と主張する。クォークという名は、ジェイムズ・ジョイスの『フィネガンズ・ウェイク』（*Finnegans Wake*）の中の一行、「マーク大将のために三唱せよ、くっくっクオーク！」[訳注1]に由来する。はじめはクォークには三種だけの「フレイバー」（風味にたとえられる基本的種別）があると考えられ、上向き・下向き・ストレンジ（疎遠度の意）クォークとそれぞれの反クォークが考えられた。チャーム（魅惑度の意）とよばれる第四のフレイバーはシェルダン・リー・グラショウによって提唱され、チャーム・クォークが導入されるようになった。のちさらに二つのクォーク、ボトム（下部の意）・クォークとトップ（上部の意）・クォークが必要になった。ボトム（b）、下向き（d）、ストレンジ（s）の三種のクォークは電荷$-\frac{1}{3}$（電気素量の単位で）、トップ（t）、上向き（u）、チャーム（c）の三種のクォークは電荷$+\frac{2}{3}$をもっている。

六種のフレイバーのほかに、各クォークはカラー（色）とよばれる別の性質をもっている。カラーには三種あって、ふつう赤・青・緑とよばれている。カラーとかチャームのような性質は、もちろん勝手気ままな命名ではあるが、三原色の混合とクォークの結合のしかたの間には、ある類似性がある。カラーを考慮すると、一八種のクォークとそれに対応する反クォークがある。たとえば、赤い上向きのクォークは電荷$+\frac{2}{3}$をもち、反クォークは反赤・反上向きで電荷$-\frac{2}{3}$をもつ。

一九七四年、チャーム・クォークと反チャーム・クォークの短い出合いとしてもっともよく説明される粒子の新しい族がはじめて発見されたとき、チャーム・クォークの確証は大きな人気を博した。（新粒子のチャームは打ち消すのだから、「魅力」をもたない粒子ではある。）これらの粒子は短寿命で、およそ一秒の一兆分の一の百億分の一しか存在しない。数ページあとに、電子と陽電子がポジトロニウムという対《つい》を作って、つかの間の出合いをすることを述べる。チャーム・クォークとその反粒子のこの新しい結合体をチャーモニウムとよぶ物理学者もいる。チャームのかわりにパンダで置きかえて（はずかしがりやの動物で有名なパンダにちなみ）、新粒子をパンデモニウムとよぼう、と示唆している人もいる。

チャーモニウムの最初の粒子はアメリカ本土の西、スタンフォード大学と、東、ニューヨーク州ロング・アイランドのブルックヘヴン国立研究所で同時に発見された。東海岸の人びとは新粒子をJ粒子とよび、西海岸の人びとはψ（プサイ）粒子とよんだ。現在J－ψ粒子とよばれている中間子がこれである。すべての中間子は、一つのクォークと一つの反クォークから作られている。すべてのバリオン（重粒子）は三つのクォークの組み合わせであり、たとえば陽子は（$u\,u\,d$）、中性子は（$u\,d\,d$）で表わされる。

クォーク自身についても物理学者は探求を続けているが、閉じ込められている粒子から遊離できないについては何も見いだしていない。あるいは、間接的な証拠以外、その存在というのがクォークの本性であるかもしれない。以前からクォークとその反クォークは、一本のひもの両端に対比されてきた。ひもは現実の存在であり、その両端も現実の存在である。しかしひもから端だけを分離することができないのは、磁石から一つの磁極を分離できないのと同断である。クォークはひもの端よりも実在性が薄い、と考える理論家もいる。クォークは方程式を正確に書くため発明された仮のものにすぎない、というのである。アブドゥス・サラムは「クォーク解放運動」を推進しているが、彼はクォークを複合粒子とみなし、プレクォークあるいはプレオンというより小さなものから成り立っているという。北京の物理学者たちも同様の見解を表明しており、これをストラトン（階層子）という。たぶん、中国製の入れ子の箱のように、無限に中に中に納まる粒子を考えているのであろう。

現在、粒子物理学の理論でもっとも高揚した展開をたどっているのは統一諸理論である。これは、それぞれ別の力のように見える力を統合することを目標としている。電気力と磁気力はかつて別の力と考えられていたが、ジェイムズ・クラーク・マックスウェルはそれらを統合して電磁力という一つの力にまとめる道を見いだした。重力と慣性力は、アインシュタインの一般相対論では、同じ力の二つの名前であることが判明している。一九七〇年、スチーヴン・ワインバーグとアブドゥス・サラムは、それぞれ独立にシェルダン・グラショウの初期の仕事から出発して、電磁力と弱い力を統一することに成功し、一九七九年、三人はこの業績でノーベル賞を受けた。統一場はいま電弱場とよばれ、粒子物理学の標準理論の一部になっている。

電弱力と強い力を統合しようとして、おびただしい数のＧＵＴ（Grand Unified Theories. 大統一理論の略称）が提唱されている。さらに大胆な試みは、重力を含めた四つの力すべてを統合しようとする努力である。これらの理論は、ＳＵＳＹ（SUper SYmmetry theories, 超対称理論）、ＴＵＴ（Totally Unified Theories, 完全統一理論）、あるいは（筆者のもっとも好きなよび方でもあるが）ＴＯＥ（Theorie of Everything, 万物の理論）などと略称されている。ＴＯＥは、ビッグ・バンの最初の瞬間には超対称性が優越して、超重力とよぶただ一つのスーパー力しか存在しなかった、と仮定する。宇宙が膨張し、冷えてくるに従って、一連の対称性の破れがおこって、いろいろな力の場がスーパー力の場から分離していったのだ、というのである。まず重力場が、次に強い力、そして弱い力が、最後に電磁場が分かれていった。34章で、スーパーストリング（超弦）理論とよばれる人気の高いＴＯＥについて見てみることにする。

今では多くの物理学者が、あと何十年かのうちに、あらゆる力と粒子が単一の統一理論で説明されるようになり、しかも少なくとも何らかの験証によって支持されるだろうと確信しており、それに期待をかけている。一方で、それほどにまで確信をもっていない学者もいる。そのような人たちは、そもそも自然はわれわれが想像できるよりもはるかに複雑で微妙なのだから、振り子の揺れが止まることはないという基本的な疑念を抱いている。まだ探求しなければならないミクロの構造が際限もなくあって、各階層が見つかるたびに、それぞれ新たなる驚きをもたらすのかもしれない。

エドワード・テラーは一九六二年、（その著書『核の未来』（*Our Nuclear Future*）の中で）「電子に内部構造をもたせる必要はなかったのである」と書いている。そしてこの一文に、「今のところは（yet）」というたった一語を脚注として追加している。一九八九年の時点でも、スーパーストリング理論（本書の最後の章の話題）に十分な確証が与えられ、これが粒子の標準理論にならないかぎり、まだこの「今のところ」が生きているのである。陽子、中性子、電子というきちんとしたトリオ（三つ組）がまとまったのは、一九三二年ケンブリッジのキャベンディッシュ研究所で、ジェイムズ・チャドウィックが、ついに中性子をつかまえた(原注1)ときである。その存在は前から予想されていたのだが、これが確認されたとき、物理学者たちは安堵のためいきをついたのであった。しかし、その年も終わりにならないうち、この安心もひどくゆらいでしまった。カリフォルニア工科大学のカール・デイヴィド・アンダーソンが、宇宙線の飛跡の霧箱写真を調べていたとき、ある飛跡に出くわした。これは他の点では電子に相違なかったけれども、ただその曲がり方が電子とは逆になっていた。アンダーソンはこの異常な飛跡を説明するのに、ああでもない、こうでもないと考えたすえ、結局これは、プラスの電気をもった電子によるとするほか、考えようがないと結論するに至った。そしてこれに陽電子という名前をつけ、それが定着した。

最初に発見された反粒子が、この陽電子であった。今では、すべての素粒子には反粒子があることがわかっている。粒子と反粒子とは、すべての点でそっくり同じなのだが、（プラス、あるいはマイナスの量子数で表わされる）保存量の符号だけが反対なのである。たとえば粒子が電荷をもっているとすると、その反粒子がもっている電荷は、量は同じだが、符号が反対なのである。粒子が磁気モーメントをもっているとすると、その反粒子は符号が反対の磁気モーメントをもっている。K中間子と反K中間子は、電荷も磁気モーメントももっていないが、ストレンジネス（疎遠度）と称せられる量子数の値が反対符号である。粒子とその反粒子がいっしょになると、反対符号の量は互いに打ち消しあって、場合によっては純エネルギー（光子）だけしか残らない。ただ、光子と中性パイ中間子の場合は、粒子と反粒子は同一物である。

　アンダーソンの発見以前は、ほとんどの物理学者は反粒子の存在を認めるには消極的であった。しかし、ここに著しい例外があった。それはポール・エイドリアン・モーリス・ディラックであった。古今を通じてもっとも創造性のある数理物理学者の一人であるディラックは、すでに粒子の「空孔」説を提唱しており（この理論はもう認められていないが）、それによると、反粒子の存在が予見されていたのであった。ディラックの理論を明らかにするには、高度な数学が必要である。しかし大ざっぱな（実に大ざっぱな）ところならば、おもちゃ屋などで売っているサム・ロイドの一五ならべのパズルを考えてみればよい。このパズルは空孔を利用して正方形の板を順々にすべらせていって、いろいろな数の並びを作るのである。（原注2）板を一つずつ隣へ動かす――「量子遷移」――と「空孔」も一つずつ動く。すなわち「空孔」も次々に動いていって、その動き方は、数学的に板の動き方と同じである。この一五ならべパズルの理論は、この空孔があたかも「もの」であって、それが枠のうちで動くと考えている。

ディラックの理論はこの一五ならべパズルに似ている。それは、空間はほんとに「空」ではないと考える。そこは無数の粒子がつまっている海であるが、その慣性質量はマイナスである。（すなわち、そのような粒子に力がはたらくと、力と反対の向きに動くのである。）ある条件のもとで、この「海」からいわば粒子をもちあげて、海のそとの準位においてやることができる。こういうことがあると、慣性質量はプラスだが、二種類の電子が同時に「対になって発生」する。その二つの電子のうち、一方は普通の電子で負の電荷をもっている。もう一方は、もとの「海」に残された「穴」である。この「穴」も「もの」である。それはちょうど液体の中を動いていく泡が「もの」であり、あるいは、一五ならべパズルの空孔が「もの」であるのと同じ意味である(原注3)。ディラックの理論では、これは正の電荷をもった電子のように振る舞う。一九三一年に、ディラックはこう書いている。これは、「粒子の新種で、まだ実験物理では知られていないが、質量は電子と同じで、電荷の符号が反対である。この粒子に反電子という名前をつけてしかるべきだろう」。

ディラックはさらに続ける。この反電子の寿命は短いだろう。（海の中のほかの粒子が穴を埋めるのにつれて）ちょっとの間、この反電子は「運動」するだろうが、普通の電子がその穴に落ち込んで、対消滅がおこる。すなわち、電子と反電子とがいっしょになって消滅し、観測されなくなる。同様に、陽子も、それがうようよつまっている海がある。ある条件のもとで、その海から粒子が一つ飛び出して、普通の陽子になり、そのあとには負の電荷をもった穴があく。その穴は反陽子のように振る舞うのだ、とディラックは説明するのである。

これらはすべて一九三一年のできごとである。アンダーソンは、ディラックの理論を知っていたかというと、知ってはいなかった。アンダーソンが陽電子を発見したあとでディラックの論文のあることを知って読んでみたが、よくわからなかったと白状している。つまりアンダーソンもディラックと同じように、洞察と勇気のわが道を歩いたのであった。別に理論的裏づけはなかったのだけれども、あの霧箱写真にうつった不思議な飛跡を見つめて、これまでの理論ではどうしても説明できないと結論した。それは、正の電荷をもった電子にまちがいなかった。

他の物理学者も、ただちにアンダーソンの発見を追試した。数カ月のうちに原子核にガンマ線を当てて、電子と陽電子とを対に発生させる実験が方々の実験室で行なわれた。ディラックが予測したとおり陽電子の寿命は短かった。陽電子が電子と出合うと（まわりに電子がいくらでもいる）、たちまち互いに消滅しあってしまう。これは後になって発見されたことだが、電子と陽電子とがいっしょに消滅する前には、一つの共通の中心のまわりに回転する。きわめて短時間の間、物理学者がポジトロニウムと称する原子を作るのである。死の乱舞——それでおしまいである。電子と陽電子とはいっしょになって消滅し、ガンマ線の光子を二つか三つ出す。光子の数は、電子と陽電子とがクルクル舞いをしたときに、それらの磁軸が同じ向き（北極が同じ向き）であったか、反対向き（北極が反対向き）であったかによって決まる。

ディラックの理論によると、反陽子の存在が予想されたことは、前に述べたとおりである。反陽子が発生するときは、必ず陽子と組み合って発生する。そしてそれが他の陽子と出合うやいなや、消滅してしまう。アンダーソンが反電子を発見してから二十三年後、一九五五年になって、バークレイのカリフォルニア大学で、物理学者のチームがベヴァトロンという強力な加速器を使って、陽子と反陽子の対をはじめてつくり出すことに成功した（原注4）。この一対はディラックのいったとおりの行動を示した。

一九五六年以降、物理学者は、前に述べた二つの例外（光子と中性パイ中間子）と（25章で出合う）中性エータ中間子を別にして、すべての素粒子は双子の片割れとして反粒子をもつことを知っている。これら三種の粒子は、重力子やヒッグス粒子のような存在を予想される粒子ともども、自分自身がまた自分の反粒子なのである。

普通の物質を作る三種の粒子（陽子、中性子および電子）が反粒子をもつことが明らかになるやいなや、物理学者は反物質の存在を自問した。反水素の原子は、反陽子の核をもち、そのまわりに正の電荷をもつ陽電子（反電子）がめぐるであろう。反原子核が反中性子を含むことを別にすれば、反重陽子も同じような構造をもつであろう。ほかの元素についても同じである。粒子のかわりに反粒子で作られていることを別にすれば、反原子は原子とまったく変わったところはない。反原子どうしが結びついて反分子となり、反元素と反化合物を作って、それがまさに既知の物質の反物質であることを疑う理由はない。反水は反水素の反原子二個と、反酸素の反原子一個からできているであろう。「反物質の発見は、今世紀における物理学の大飛躍のうち最大のものであったと思う」と、量子力学の偉大な開拓者ドイツのハイゼンベルクが一九七二年に言明している。

いまこれを書いている時点では、反物質の反原子というものは一つも発見されていないし、また実験室で一つもつくり出されていない。(原注5) しかし物理学者にいわせれば、そういうものが存在しえないという理由はない。もちろん、反物質が普通の物質といっしょになると、ドカンと大爆発をおこす。この爆発は、原子爆弾や水素爆弾よりももっと強力である。原子爆弾や水素爆弾では、それに関係した物質の質量の一部分がエネルギーになるだけであるが、物質が反物質といっしょになったとすると、まず事実上、質量が全部エネルギーになるであろう。まず中間子が発生する。そして中間子がすぐ電子や中性子や陽電子やニュートリノや光子に崩壊して、光速度でそこから出ていく。これが終極の爆発である。

科学は発達したが、まだ地球全部をふきとばして粉微塵にするような方法は発見されていない。地球上の生物をみなごろしにするのは(いろいろな方法によって)不可能とはいえない。しかし地球それ自身をこなごなにするに足る強力なものは、まだ見いだされていない。反物質が十分たくさんつくり出されたとすれば、そのような原動力になる(反物質がすぐ爆発するのを防ぐためには、真空中に浮遊させて、普通の物質から隔離しておかなければならない)。火星と木星との軌道の間で太陽のまわりをまわっている小惑星は岩質の無数のかたまりであるが、これは、ある惑星の残骸で、その惑星の科学者が、反物質をつくり出すことに成功したのではあるまいか。宇宙に何百万とある惑星の上で生命が進化したのは、宇宙のどこかで知的生命体が発達して、自分たちをこなごなにふきとばすことなく、この物質の秘密を発見するようになることを望んだ、神の大宇宙計画だったかもしれない。火星のすぐ外側の惑星は、それに及第しなかった。地球はいま大試練の瀬戸際に立っている。

これらの話はSFファンにとっては、すべてもはや陳腐である。物理学者が反物質の存在を予言するやいなや、SF作者は、それを取り入れた(はじめは「反現世物質」(contraterrene matter)といっていたが、このことばは今ではすたれた)。男性が反女性に出会う。キスする。それで全巻の終わりである。ジェイムズ・ブリッシュの『現代の勝利』(*The Triumph of Time*, Avon, 1958)という小説では、反物質の話で織りなされている。われわれの銀河が、物質で満ちていることは明らかである。しかし、われわれの銀河から想像もつかないほど遠いところに、また別の銀河系がある。その中に、反物質の銀河系がありはしないか。その銀河系からやってくる光では、それを知るよしもない。それは光量子、すなわち光子は、反粒子同一だからである。反銀河からやってくる反粒子は、それが地球に近づくよりもずっと前に消滅してしまっているだろう（23章で述べる反ニュートリノは、たぶん例外である）。

白鳥座のところには銀河が二つ見える。それらは互いに互いをつきぬけているらしく、そこから電波がやってくるが、そのエネルギーはあまり大きくて、その由来を説明することができない。ここで銀河と反銀河とが衝突しているのではないかと考えている天文学者もいる。おおかたの天文学者はそれに賛成していない。反物質の流星がときどき地球にぶつかることがあるのではないか、という考えもある。たとえば、一九〇八年六月三十日に、シベリアに得体の知れないものが落ちて、大爆発をおこしたことがある。その跡には流星のような破片は全然残っていない。しかしこれは疑わしい。流星はすべて、われわれの銀河系から来るものであるから、普通の物質であろう。

反物質を少量つくって、宇宙線の動力源にしようということも、物理学者の中でまじめにとりあげられている。しかし、今のところ、実際どうやればよいのか、わかっている人は一人もいない。もちろん、反物質は窮極の動力源であろう。映画『スター・トレック』の宇宙船エンタープライズ号は、反物質エンジンで駆動されている。反物質を電気エネルギーの効率のよい発生や、敵のミサイルや核弾頭を打ち落とす「宇宙戦争」のビーム兵器や、「きれいな」爆弾に利用しようという考えもある。物質・反物質の消滅は、ほとんどすべての質量をエネルギーに転換するから、爆発のあとの放射線災害はずっと緩和される。反物質爆弾で抹殺した地域は、安全に占領することができよう。

反物質の技術的な応用についてこれらの、またこのほかの奔放な着想は、反物質を製造したり貯蔵したりする方法が発見されれば、いつの日にか実現するであろうが、それについては物理学者ロバート・フォアワードの書いた本『未来の魔法』(*Future Magic*, Avon Paperback, 1988) の第二章をみるとよい。わずか数年先、ともいえるもっと近い将来の応用は、陽電子顕微鏡である。陽電子は低エネルギーで簡単に作ることができる。これは、こわれやすい生体標本をあまり傷つけずに、より鋭い像を生ずることを意味する。(ステフィ・ワイスバッドの記事「陽電子顕微鏡に向けて準備完了」(All Charged Up for the Positron Microscope)、サイエンス・ニュース誌、一九八八年二月二十日号、一二四〜一二五ページを参照。)

一九五六年のサンフランシスコ・クロニクル紙には、エドワード・テラーの演説の記事がのっていた。テラーは高名な物理学者であるが、その演説で反物質のことを論じ、反物質と普通の物質とがいっしょになると、爆発がおこるだろうといっている。カリフォルニア大学のローレンス放射線研究所にいた物理学者ハロルド・P・フュルスは、この記事に感銘を受けて「現代生活の危機」(Perils of Modern Living) という詩を書いた。それは、一九五六年十一月十日のニューヨーカー誌の五二ページに出ている。

対流圏よりはるか高く
かたい、星のような場所がある
そこに反物質の流れがそそぎ
反テラー博士が住んでいた

融合の場から遠いので
反テラー博士は誰にも知られず、気づかれず
その反親戚、反縁者といっしょに住んでいた
反イスの反カヴァーもそのままに

ある朝、海辺をぶらぶらしていた
おそろしく大きな箱を見つけた
それにしるされていたのはＡＥＣ(訳注2)の三文字
地球からのお客さんがやってきた

砂浜で歓声をあげて
はじめて二人は相会った

豆ざやのようにねじくれて
右手どうしで握手した
あとに残るはガンマ線

練習問題15　23章で述べるが、反物質は、電荷と磁軸がさかさまであるだけでなく、左と右もさかさまであると信じられている。テラーと反テラーとが完全に左右対称であるとすれば、右の詩の「右手どうしで握手した」というのは、どういうことになるか。

この詩に対してテラー博士が出した返事は、ニューヨーカー誌の一九五六年十二月十五日、一六四〜一六六ページに出たが、これがまたおもしろい。

ニューヨーカー編集局御中

拝啓　ニューヨーカー誌の最近号に、次のような詩がのっておりました。これはエドワード・反テラー博士がある仮想人物と出会うところを述べたものです。この仮想人物は、反テラーとすっかり同じなのですが、その身体の粒子の電荷が、反テラーとさかさまのところだけがちがうのです［詩を引用］。

この両氏の出会いはおもしろく書けていますので、少々、科学的にくわしいことを述べたくなりました。

私は反テラーが、わが銀河系に住んでいるとは思いません。というわけは、この天の河銀河に、反星や反惑星が存在するとは考えられないからです。しかし、反銀河系というものはありうると思います。問題は、どうすればそこへ行けるか、また、そこへ着いたらどんなことになるかということです（実際に宇宙旅行をどうやればできるかということは、この際、問題外です。できるということは、子供がみな知っています）。

反銀河系までの距離はたいへんなもので、これが一種の障害になりましょう。次の渦状星雲まで光が届くのには、百万年以上もかかります。しかし、幸いなことにアインシュタインの説によれば、宇宙を飛ぶ速さが十分に速いと、百万年もたった数年にしか感じないというのです。ですから、宇宙飛行士はその一生の間に、目的地へ着けることになります。もっとも地上に残してきた友人たちは、とっくに死んでいます。この飛行士が反銀河系に近づくと、反引力にひっぱられます。ところが、引力といい、反引力といっても同じものです。この点については、賛成しない人もあるでしょうが、もう一度考えると、それがまちがいだったことがわかるでしょう。

この飛行士が反銀河系に入っていくと、その宇宙船には、反粒子がぶつかってきます。その衝突によって、宇宙船があたたまってきます。そこで、制限速度（光の速度）を超えてはなりません。超えると宇宙船は融けてしまいます。それればかりではなく、彼はそこに生ずる放射のために、この反銀河系に百万分の一も入らないうちに、死んでしまうでしょう。しかしあきらめるのははやい。反テラーは、反銀河系の縁《へり》のところで生きているのかもしれません。

反地球の表面から三〇〇メートルのところで、宇宙船と反大気との衝突によって生ずる消滅の放射によって、飛行士は死んでしまうにちがいありません。彼が生命を保つのは、奇跡か生物物理学における思わぬ発見によるほかはありません。一五〇キロメートルのところになると、宇宙船はこわれて、彼を助けることは絶対にできません。しかし、テラーと反テラーとをまったく物質（反物質）のないところ、宇宙空間で会わせることを考えましょう。二人がちゃんとした服（つまり宇宙服と反宇宙服です）を着ていて、分子も反分子も飛び出さないように注意していれば、互いに近づいても危険はないはずです。光と反光とは同じものですから、互いを見ることができます。しかしさわると、大爆発がおこります。そしてテラーの破片と反テラーの破片とによって、短寿命の粒子がいろいろ（中間子、ハイペロン、反ハイペロンなど）と、もう少し安定な粒子、核破片とそれの反粒子、電子、陽電子、ニュートリノ、反ニュートリノ、ガンマ線などがたくさんできます。残りのものは、気体と反気体とになって、反対方向へ飛び散ってしまいます。これらのことはすべて反推理よりも短い時間のうちにおこるでしょう。反推理といいましたけれども、これは推理と同じだと思います。

この結末はあまり楽しいものではありませんでしたが、ニューヨーカー誌が私の名前を引き合いに出して下さったことはうれしいと思います。とすれば、詩に出てきたのは反テラーの名前だけですが、反銀河系のどこかで、反ニューヨーカー誌が私にもっと紙面をさいていることだと思います。

敬具

一九五六年十一月二十六日

バークレイ、カリフォルニアのカリフォルニア大学放射線研究所にて

エドワード・テラー

ここに大切なことがあるのは、反粒子が発見されたといっても、パリティ保存の法則は決して破られていないということである。前にも述べたが、磁場の北極と南極を区別しても、それはオズマ問題の解決にはならない。すなわち、その区別をしても、自然が原理的に左か右を好むということには何の足しにもならない。電荷の正負というのも、磁極の南

北極というのと同じことで、電荷の二つの反対の状態を表わすための、便宜上の目印にしかすぎない。磁気力は、一つの電荷が運動することによって生ずる力の場に帰せられる、と理解されている。そして、そのような電荷のスピンの向きのちがいによって、磁石の両極の差というものが説明されるわけである。しかし、電気が、なぜ、正と負という二つの状態に分けられるのか。これは今日でもまったくわからない。

正と負の電荷の区別は、異符号のものは引き合い、同符号のものは斥《しりぞ》け合うということでわかる。素粒子のもっている電荷は、クォークを例外として正か負かゼロで、電子の電荷の大きさの整数倍である(量子力学では、電荷を量子数+1、−1、0で表わす)。このような目印が何を表わすのか、誰も知らない。ここで強調しておきたいことは、このような目印をつけても、それによって示される状態というのは、決して左右対称を破るような種類のものではないということである。

しかし、電荷と磁軸との両方を考えに入れると、粒子とその反粒子を互いに他の鏡像になっているように書けるのである。たとえば、図74は電子と陽電子の図である。図75は陽子と反陽子である。これらはいわば模式図であって、正確なところは量子力学における波動関数によらなければ表わせない。しかし、模式図であるとはいうものの、原子が化学的に結合している分子を表わすようなもので、非常に役に立つし、またいろいろ理論上の可能性を考えるうえで示唆を受ける。

これらの図を見ると、すぐ次のようなことに気がつく。すなわち、反粒子というのは、実際、粒子の鏡像なのではないかということである。図の左右の粒子は、互いに鏡像になっているということのほかに、一方は正の電荷、他方は負の電荷をもっているというちがいがあるだけである。だから、正の電荷と負の電荷のちがいというのは、粒子自身に何か未知の内部的非対称空間構造があることによるのではないか。十九世紀の化学者は、パスツゥールの発見した光学異性体が、事実、互いの鏡像であることを見いだした。それと同じように将来、電子の構造の研究が進んで、真の空間的非対称性がわかるのだろうか。ファントホフの仲間が、彼の考えを「あわれな、あてずっぽうな理論」と称して、軽蔑し無視してしまったことを思いおこしてほしい。

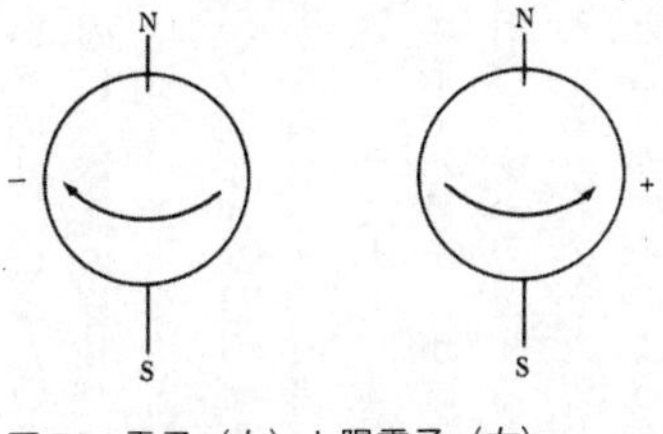

図 74　電子（左）と陽電子（右）。

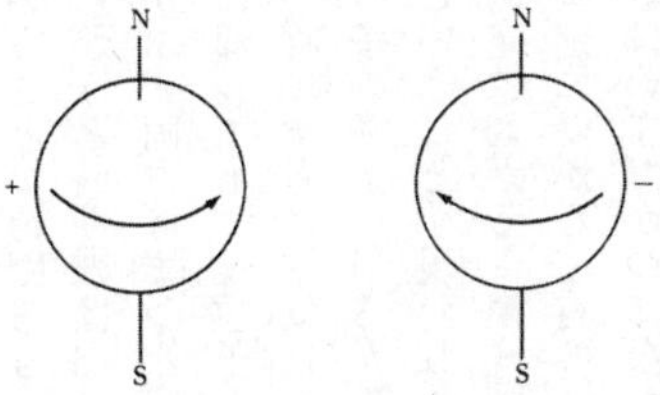

図 75　陽子（左）と反陽子（右）。

パスツゥールもファントホフも、直覚的予感というものの強い人であった。これはカントが自分の両耳について考えたのと同じような洞察によったのであった。二つのものがすべての点でまったく同じなのに、ちょっとちがうというのは、いったいどういうことなのだろうか。電子と陽電子とは、何から何まで同じなのに、電荷の符号だけがちがうというのは、いったいどういうことなのか。鏡像模式図を見ると、こんな答えが浮かぶ。両方はまったく似ている。ただ一方が「逆向き」なのだ。反粒子が発見された後になっても、反粒子というのは何か未知の非対称構造の鏡像にほかならないという考えを、物理学者は本気になって取り上げなかった。その理由は簡単である。すなわち、もしも粒子の構造に何らかの空間的非対称性があったとすると、何らかの形でパリティが破れるということが現われるにちがいない。すなわち、一つの粒子に非対称があったとすると、測定にかかる（模式図の上だけでない）空間的非対称性、測定にかかる左右のかたより、測定にかかる左右の区別を示すような実験がなければならない。ところが、そのような実験はいまだかつてなかった。パリティは常に保存していた。

ところが、一九五四年から一九五六年にかけて、シータ中間子とタウ中間子という二つの粒子について、奇妙な状況が生じた。この謎によって、パリティ保存が崩れることになるのであるが、この興味ある話は、次の章で述べる。

（原注1） ジョゼフ・J・トムソンが一八九〇年代の後半に電子を発見したのも、このケンブリッジであった。陽子の存在は、これより約十五年後、当時マンチェスター大学にいたアー

ネスト・ラザフォード（後のラザフォード卿）によって確立された。

（原注2）一五ならべの並び方には二種類ある。その一方から他方にはどうしても移れないのであって、互いに反対のパリティをもっている。いったん、最初の並び方を与えると、板をどう動かしても、得られる並列のパリティは変わらない。この意味で、パリティは保存するのである。パズルの理論と、奇数、偶数との関係については、拙著、『六角形の折り紙遊びと他の数学的遊び』（本書上巻の三三〇ページの原注5）を参照されたい。

（原注3）物質粒子というものを粒子の海の中の「無」の泡だとする考えは、ディラック以前にもあった。アイルランドの物理学者、オズボーン・レイノルズが唱えた宇宙の粒子説の中ですでに使われている（レイノルズ著、『宇宙構造に対する考え方の転換について』*On an Inversion of Ideas as to the Structure of the Universe,* 1902 および、『宇宙の潜在的しくみ』*The Sub-Mechanics of the Universe,* 1903 を参照。両者とも Cambridge University Press の出版）。それより前に、イギリス人の科学者カール・ピアソンの唱えた「エーテルの噴出」説の中にも、この考えを暗示する概念が出ている。すなわち、この説では、粒子とは、エーテルが四次元空間から三次元空間に噴きつけられてくる点だというのである（アメリカン・ジャーナル・オブ・マセマティックス、第一三巻、一八九一年、三〇九〜三六二ページ）。

（原注4）エミリオ・ジーノ・セグレとオーエン・チェンバレンの二人が、反陽子の存在をはじめて実験で明らかにし、これによってノーベル物理学賞を受けた。

（原注5）反水素の核である反陽子は観測されているが、陽電子が安定な軌道をまわっている

反水素の原子は発見されていない。反重水素および反ヘリウムの核も発見されている。

（訳注1）邦訳書『フィネガンズ・ウェイク　Ⅰ・Ⅱ』柳瀬尚紀訳、河出書房新社（一九九一年）の四五六ページの訳を引用。

（訳注2）Atomic Energy Commission（原子力委員会）の略。

22 パリティの破れ

前章までに、宇宙を支配する四つの基本的な力（あるいは物理学者が好んで用いるいい方によれば「相互作用」）について語ってきた。強さの順にいえば、核力（強い力）・電磁力・弱い力・重力である。すでに述べたように今日では、電磁力と弱い力はただ一つの力、電弱力の二つのあらわれとみなされている。電弱力はまもなく強い力と統合され、おそらく最後には四つの力が超重力によって統一されるだろう、と望んでよい十分な理由がある。

強い力とは、原子の中の原子核の中の陽子と中性子を互いに結びつけている力であって、ときに原子核の束縛力（核力）とよばれることがある。電磁力とは、電子を原子核に、原子を分子に、分子を液体や固体に結びつけている力である。重力とは、よく知られているようにある質量が他の質量を引きつける力であるが、主として地球を構成している物質を互いに結び合わせる役割を果たす。重力はきわめて弱いので、質量が法外に大きくならないかぎり、測定することはきわめてむずかしい。素粒子の段階では重力の効果は無視できる。

残りの力、弱い相互作用を含む力は、あまりよく知られていない力である。このような力が存在しなくてはならないことは、素粒子が関与するある種の崩壊の相互作用（たとえばベータ崩壊、この崩壊では放射性原子核から電子や陽電子が射出される）において、反応の速さが、核力や電磁力を原因とする速さにくらべて、非常に遅いという事実からわかる。「遅い」というのは、たとえば一〇〇億分の一秒でおこる反応を意味する。核物理学者にとって、これはきわめてのろい効果であって、核力が関与する反応の速さのおよそ一〇兆分の一の速さである。このような不活発さを説明するには、電磁力よりは弱いが、極端に弱い重力よりは強い力を仮定することが必要であった。

一九五六年に、K中間子という「奇妙な粒子《ストレンジ》」が関与しているある弱い相互作用に関連して、「シータ－タウの謎」という問題がおこってきて、物理学者を大いに悩ましたのである（奇妙な粒子というのは、これまでの既知の粒子のどの仲間にもならないので「奇妙」とよばれた）。中性K中間子には、二種類あるらしい。一方のシータ中間子というのは、こわれてパイ中間子二つになる。もう一方のタウ中間子というのは、こわれてパイ中間子三つになる。ところが、K中間子の二種類の間に何のちがいもないのである。質量も、電荷も寿命もみなまったく同じである。物理学者は、K中間子というものには一種類だけしかないといいたいところだったろう。しかし、それが、あるときには二つ、またあるときには三つのパイ中間子に崩壊するのである。なぜ、物理学者は、同じものであるといいきらなかったのかといえば、それが同じものであるとすると、パリティが保存しないことになるからである。シータ中間子のパリティは偶、パイ中間子のパリティは奇である。パイ中間子二つの全パリティは偶で、それはもとのシータ中間子と同じだから、それが崩壊するときにパリティは保存する。しかし、パイ中間子が三つだと、全パリティは奇で、パリティは保存しないことになる。

ここで物理学者は困ったディレンマに遭遇したわけで、次の二つのうちのどちらかを選ばなければならない。

(1) 二種類のK中間子は、その性質は同じで区別はつかないけれども、まったく別の素粒子だと考える。そしてシータ中間子のパリティは偶で、タウ中間子のパリティは奇と仮定する。

(2) ある種の崩壊作用では、パリティは保存しないと考える。

一九五六年の時点では、物理学者はほとんどみなこの第二の考え方は問題にならないとしていた。20章で述べたように、第二の考えというのは、自然における左右対称が成り立たなくなってどちらか一方の利き手(ハンデッドネス)にかたよるということを承認することになる。パリティの保存は、それまで、「強い」相互作用(すなわち、核力や電磁力など)においては、成立することがよく確かめられていた。それは三十余年にわたって量子力学の有効な考え方であった。

一九五六年の四月、ニューヨーク州のロチェスター大学で核物理学の集会があったが、そのとき、シータ－タウの謎について、活発な討論が行なわれた。R・P・ファインマン(原注1)は、この席上こういう問題を提起した。「パリティ保存の法則というものは、ときに成り立たないということがあるのだろうか。」私はファインマンに手紙を出し、この歴史的問題の背後にある詳細を、いささか知ることができた。それは記録にとどめる値打ちがある。ファインマンは、ホテルでマーティン・ブロックと同室であった。ブロックは実験物理学者で、その前の晩、ファインマンに向かってこの質問を出したのであった。シータ－タウの謎に対する答えはきわめて簡単なのではないか、とブロックはいった。ことによったら、このパリティ保存の法則はいつも成立するとは限らないのではないか。それに対してファインマンはこう答えた。もしも成立しないとするならば、左右の区別をつける方法があることになり、これは驚くべきことだ。さらにファインマンは、そういう考えがこれまでの実験結果と矛盾するところがあるとも考えられない、といった。そこで、翌日の会の席上でこの質問を出してみて、何かまちがったところがあるかどうかきいてみようと約束した。ファインマンはそのとおりにした。そして、はじめに、「私は、マーティン・ブロックに代わってこの問題を提出します」といった。ファインマンはこの考えは非常におもしろいので、もしもそれがほんとうだということになったら、その功はブロックに行くべきだと考えたのである。

楊振寧（ヤン・チェン・ニン）と李政道（リー・ツン・ダオ）とは、友だちで、二人とも中国生まれの物理学の秀才であるが、この会に出席していた。その一人がファインマンの問題に対して、長々しい答えをした。

後になって、ブロックは、「何といったのか」とファインマンにきいた。

「私にはわからない。理解できなかった」とファインマンは答えた。

私にあてたファインマンの手紙には、こう書いてある。

「あとになって、私は皆にからかわれた。私が『マーティン・ブロックに代わって』などと引き合いに出したのは、こんな無鉄砲な考えに、自分の名前が出るのがいやだったからだろう、などといわれた。私は、この考えは見込みありそうもないが、可能性はある、素晴らしい可能性があると思った。それから数カ月たって、私はノーマン・ラムゼイという実験物理学者から、こういう質問を受けた。それはベータ崩壊において、パリティ保存の法則が破れるかどうか、そういう実験をして、意味があると考えるか、というのであった。私ははっきり『イエス』といった。私は、パリティの法則はきっと破れないだろうとは思っていたが、破れる可能性はある、また実験してみることは大切だと思った。『一ドル対一〇〇ドルで破れないというほうに一ドル賭けるかい』とラムゼイがいった。『いや、五〇ドルなら賭けるよ』と私。『結構だ。その賭けで、ぼくは実験をするよ』とラムゼイ。

しかし残念なことに、そのときラムゼイには時間がなくて実験することができなかった。しかし、私の五〇ドルの小切手は彼の手に渡ったので、チャンスを逸したことに対する多少のつぐないになったかもしれない。」

一九五六年の夏、李と楊とは、このことについてさらに考察を進めていった。五月のはじめ、この二人は、コロンビア大学のそばのブロードウェイと一二五番街の角の近くの喫茶店ホワイト・ローズに入っていた。そのとき、二人は突然気がついた。弱い相互作用が関与するこれまで行なわれたすべての実験を、注意して調べ直してみたら、役に立つのではないか、ということである。それから数週間というもの、二人はそのことを実行した。驚いたことには、強い相互作用の場合には、パリティ保存の確かな証拠があるが、弱い相互作用の場合には、その証拠が全然ないのであった。そればかりでなく、この二人はいくつかの決定的な実験を考えた。それは、弱い相互作用の場合に、最終的にこの問題を解決するであろうと期待されるものであった。この研究の結果は、「弱い相互作用におけるパリティ保存の問題」(Question of Parity Conservation in Weak Interactions) という、今日では歴史的な論文となって出た。

彼らはこういっている。「弱い相互作用においてパリティが保存するかどうか、これをはっきりと決めるためには、その弱い相互作用というものが、左と右を区別するかどうかを決める実験を行なわなければならない。そのために考えられる実験の二、三を次に述べる。」

この論文は、フィジカル・レヴュー誌（一九五六年十月一日号）に発表されたけれども、それは核物理学者の間にたいした反響はおこさなかった。パリティ保存則が破れるなどということは、どうもありそうもない。だから、大多数の物理学者は「誰かほかの人がやってみればいいさ」という態度であった。フリーマン・J・ダイソン（現在はプリンストン高等研究所にいる）は、論説「物理学の革新」(Innovation in Physics)（サイエンティフィック・アメリカン誌、一九五八年九月号）の中で率直に次のように述べて、仲間の大多数の連中の「盲目度」について語っている。

「李と楊の論文のうつしが私のところへ送られてきた。私はそれを読んでみた。もう一度読んでみた。『これはおもしろい』とか、それと同じ意味のひとりごとをいった。しかし、私の想像力はあまり豊かでなく、『ヤー驚いた。もしもこれがほんとだったら、物理学の新生面が開くことになる』、というまでには至らなかった。ほかの物理学者もほんのわずかの例外を除いて、そのときは、想像力が豊かでなかったことは、私と同じだったろうと思う」。

李と楊の提言に刺激されて実行にかかった物理学者もある。挑戦を受けてまず最初に立ち上がったのは、呉建雄（ウー・チェン・シン）女史である。この人はコロンビア大学の物理学教授で、弱い相互作用に関する研究ですでに有名であり、またその実験計画が注意深く、かつみごとであることで、つとに令名があった。彼女は楊や李と友人であり、やはり中国生まれで、学問をつづけるために、アメリカに来ていたのである。

呉女史が計画した実験は、コバルト六〇のベータ崩壊である。コバルト六〇というのはコバルトの同位元素の一つで、強い放射性をもち、周期的に電子を放出している。ボーアの古い原子模型によると、コバルト六〇の原子核はいわば小さなタマで、コマのように一つの軸のまわりをまわっている。その軸の両端は、磁極を示す北極と南極とが決まっている。ベータ崩壊の弱い相互作用で放出されるベータ粒子（すなわち電子）は、核の北極側からも南極側からも出る。普通は、原子核の軸はすべての方向を向いているから、電子の放出は、どの方向でも同じである。ところが、コバルト六〇を絶対零度（摂氏マイナス二七三度）の近くまで冷やし、熱運動による分子の不規則な運動をおさえて、強い電磁場をかける。そうすると、核の磁軸の向きが半分半分にならないで、たとえば北極が同じ向きにそろって向くという核が多くなる。そして原子核が、電子を放出する。こうすると電子は、すべての方向に出るのでなくて、二つの方向に集中するのである。その二つの方向というのは、一つは磁軸の北端が指すほう、もう一つは南端が指すほうである。もしもパリティの法則が成り立っているのならば、一方へ出る電子の数と、他方へ出る電子の数とは同じであるはずである。

コバルトを絶対零度の近くまで冷やすために、呉女史は、ワシントン市にある国立標準局にある設備が必要だった。呉とその仲間とがこの歴史的実験に着手したのはここだったのである。もしも北極向きに放出される電子と南極向きに放出される電子の数が両方に同じように分かれるというのならば、パリティは保存することになり、シータ－タウの謎は依然として解けない。しかし、ベータ崩壊に利き手《ハンデッドネス》が現われて、一方へ放出される電子の数が、他方よりも多いということになれば、パリティ保存則はそれでおしまいである。そして量子論の革命的新時代に入るのである。

スイスのチューリヒには世界的大理論物理学者の一人、ウォルフガング・パウリがいて、呉の実験の結果がどうなるか待ちうけていた。パウリが、以前の弟子の一人ヴィクトル・フレデリック・ワイスコップ（当時はマサチューセッツ工科大学にいた）に出した手紙は、有名である。パウリはそれにこう書いている。「神様が弱い左利きだとは、私には信じられない。呉の実験の結果は、対称ということになるだろう。私はそのほうに大きく賭けてもよい。」

パウリ（一九五八年没）が、ほんとにそんな賭けをした（ファインマンのように）かどうかはわからない。しかし、賭けたとしても、彼の負けだった。呉女史の実験で、両方へ放出される電子の数は等しくなかったのである。南極端、すなわちコバルト六〇の大多数の原子核の磁南極が向く方向から出る電子の数のほうが、ずっと多かったのである。

これから述べることは、前の繰り返しのおそれもある。またこの実験結果の意味をすぐ見抜かれる読者諸君には、おそらく退屈なものであろう。しかし、ここで一息入れて、呉女史の実験がなぜそんなに革命的であるのか、それをはっきりわきまえておこう。コバルト六〇の原子核の絵（図76）は、南北と書いてある軸のまわりをまわっていて、非対称であって、その鏡像とは重ならないことは明らかである。しかしこれは絵であるにすぎない。前にも述べたように、北極、南極という名前をつけるのは、まったく便宜のためである。この宇宙にあるすべての磁場の南北がすっかりさかさまになっても、差し支えない。そうすればコバルト六〇の原子核の北極は南極になり、南極は北極になる。そして原子核を一方向きに整列させた磁場も同じようにさかさまになる。呉女史の実験が行なわれるまでは、そのような極の反転によっても実験の測定にあらわれる変化は出てこないということを、あらゆることが示唆していた。もしも二つの磁極に何か本質的な差があってそれが観測されるというのなら——たとえば一方が赤で他方が緑であると

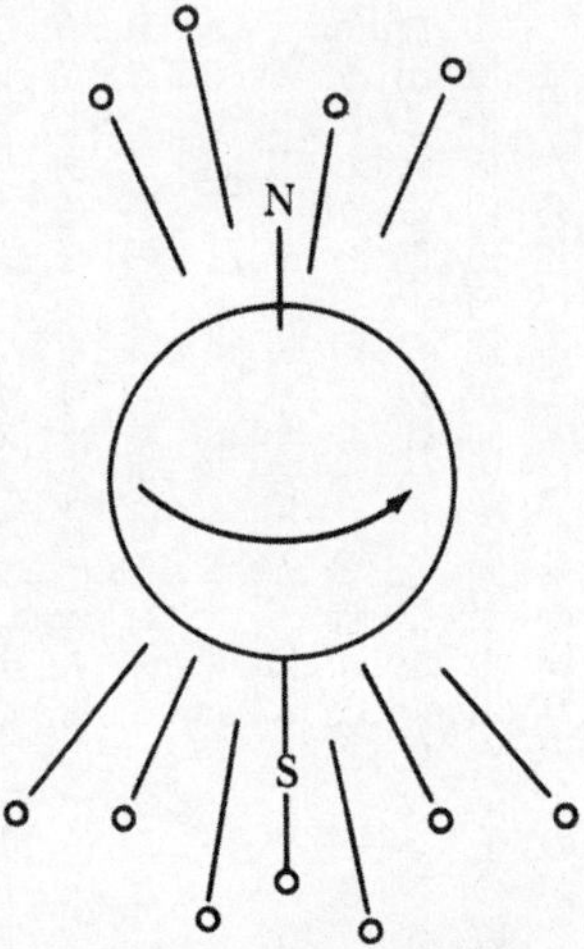

図76　コバルト60の原子核から出る電子は、南極端（S）から出るほうが北極端（N）から出るほうよりも多い。

か、一方が強くて他方が弱いとか——そういうことがあるならば、磁石に南北の符号をつけるというのは、ただの約束ではなく、それ以上のものである。そしてコバルト六〇の原子核は、真の空間的非対称性をもつことになる。しかし、物理学者が両極を区別するためにもっていたのは、他の磁石の軸に対する応答を調べるという方法だけであった。すでに述べたように、そういう意味で本質的な極というものは存在しない。スピンの反対端に与えられた名前にしかすぎないのである。

　呉女史の実験によって、われわれは、科学の歴史においてはじめて、ただの約束でなく本質的な方法で、磁軸の端に名前をつけることができるようになったのである。磁石の南極というのは、コバルト六〇の原子核が電子を放出しやすいほうの端である。

　だから、原子核というものは、もはや、球や円柱がまわっているのに似ていると考えるわけにはいかない。そして円錐がまわっているようなものと考えなければならないのである。もちろんこれはたとえ話にしかすぎない。磁軸の一端が、本質的に他端とちがうといっても、なぜちがうのか、どうちがうのか、現在のところ誰にもわからない。しかし、ちがいがあることは事実なのである。シカゴ大学のシェルドン・ペンマン（サイエンティフィック・アメリカン誌、一九六一年七月号）は、これをこういい表わしている。「われわれは、もはや暗いところで頑丈な手袋をはめて、ねじを取り扱う必要はない。ねじは皿の上にきちんと並べてあり、一つ一つに小さな明かりがついていて、どちらが頭だかちゃんとわかるのである。」

ここでついにオズマ問題の解——左右をはっきり定義する方法を自然からひき出す実験手段——が得られたわけである。惑星Xの科学者に対してこういえばよい。「コバルト六〇の原子を絶対零度の近くまで冷やしたまえ。そして原子核の軸を強い磁場のほうに整列させなさい。軸の両端から飛び出す電子の数を数えて、大多数の電子が出るほうの端が、われわれのいう『南極』です。こうすればいま原子核の整列に使った磁場の両端にも、南北の符号をつけることができ、したがって勝手な磁針をもってきても、その両端に南北の符号をつけることができます。そこで、針金に電流を流してそれが君のほうから向こうへいくようにして、その針金の上方にこの磁針をおいてくれたまえ。そのとき、この磁針の北極が指す方向が、われわれのいう『右』なのです」。

こうしてわれわれは、惑星Xに対して、われわれが右といっていることばの意味を、正確にあいまいさなく伝えることができるようになった。われわれも、また彼らも、ともに何か非対称な構造を見るのではなく、共通に自然の普遍的な法則を見るのである。弱い相互作用では、自然それ自身が本質的に片手利きなので、左右を操作的に定義することができたのである。パウリその他の物理学者の予想では、呉女史の実験で、パリティが破れるとは思っていなかった。その理由は明らかで、もし破れたら、自然は両手利きでないことになるからである。

私は左と右について、雑誌エスクワイアに寄稿したことがあるが、その背景として、コバルト六〇の実験によって、宇宙飛行士が自分たちが反転しているかどうかを決めるところが話に出てくる。もちろん、未知の惑星に着陸して、ある量のコバルトを見つけ、またそれに中性子をあてて放射性同位元素にする、などなどのことをしなければならない。しかしともかく、彼らが装置と必要な物質がありさえすれば、左右の利き手を決めることができるのである。

呉女史の実験も、これと同じように、すべての自然現象はこれを映画に撮って裏返しに映写しても、観客にはそれがわからないという信条を明らかに打ち破ったものなのである。

練習問題16　コバルト六〇の実験をすべてくわしく映画に撮り、これを映写してみると、それが裏返しかどうかがわかる。その理由をくわしく述べよ。

呉女史の研究が行なわれて、パリティは保存しないという有力な証拠が出てきたのは、一九五六年の半ばすぎのことであるが、この実験がすっかり完了したのは、一九五七年一月のはじめであった。この結果はコロンビア大学の著名な物理学者、I・I・ラビによって、一九五七年一月十五日に公式に発表された。その発表では、コロンビア大学の物理学者たちが、ニューヨークのウエストチェスター郡のアーリントン－オン－ハドソンにあるネヴィス・サイクロトロン実験所で行なった追試験の結果にもふれている。この追試実験は、ミュー中間子を使って行なわれたものであるが、片手利きのようすはもっと甚だしかった。ミュー中間子では、一方向へ放出される電子の数は、反対方向へ放出される電子の数の二倍に達した。この二つの実験のほかに、もう一つ、別の実験が行なわれた。それはシカゴ大学で行なわれたものであって、パイ中間子とミュー中間子の崩壊を使ったものである。これもパリティが保存しないことを示した。世界中の物理学者はほかの弱い相互作用におけるパリティを調べはじめた。一九五八年までに、すべてこのような相互作用ではパリティが保存しないことが明らかになった。(原注2) シータ−タウの謎は解けたのである。シータとタウは同じK中間子のパリティの異なる崩壊である。すなわちパリティが保存しないのである。

ラビはこういっている(ニューヨーク・タイムズ紙、一九五七年一月十六日号による)。「これまでのほぼ完全な理論体系がその基礎のところで粉々に崩れてしまった。その破片がどうやってつなぎ合わされるのか、これはまだわからない。」タイムズ誌によると、ある物理学者はこういっているという。核物理学は、それまで何年間も、閉じている扉をたたきつづけていた。ところがそれは実は扉ではなかったのに気がついた。それは壁に描いた扉の絵だったのである。ほんとの扉はどこにあるのか、われわれはこれからそれを探しまわるのだ、と。O・R・フリッシュ——この人は核分裂の発見者の一人だが——はその著『今日の原子物理学』(*Atomic Physics Today*, Basic Books, 1961) の中で、一九五七年の一月十六日に、友人から次のような航空便を受け取ったと述べている。

ロバート君

重大ニュース。パリティは保存しない。ここプリンストンではこの話でもちきりだ。マイケルソンの実験以来いちばん重要な成果だと、みながいっている。

ここでマイケルソンの実験というのは、一八八七年に行なわれた有名なマイケルソン‐モーレイの実験のことである。これは光源と観測者とがどんな運動をしていても、それに関係なく光の速度は一定であることを確証して、アインシュタインの相対性理論への道を開いたあの歴史的な実験のことである。呉女史の実験も、これに劣らず歴史的なものだといってよかろう。

マイケルソン‐モーレイの実験も、呉の実験も、根本を揺るがせた驚きという点では、よく似ている。固定した「エーテル」に相対的に地球が運動しているということが、アルバート・マイケルソンとエドワード・モーレイによって検出されるだろうと誰しも考えていたのである。そうならなかったので大混乱になったのであった。ベータ崩壊現象において、左右の対称性が呉女史の実験によって出てくると、誰しも考えていた。ここで自然は再び予想をくつがえしたのである。ある種の粒子が片手利きだということは、実におどろきである。そしてこのことが弱い相互作用においてのみ現われるということは、さらにおどろきである。これによって物理学者が受けたショックは、磁針と針金ではじめてマッハが受けたショックよりも、もっと大きい。

この驚異的なニュースを知ったあと、パウリは一月二十七日ワイスコップにあてて、こういう手紙を出している。「まず最初のショックが去って私は気を取りもどして、考えはじめている。ほんとにこれは劇的なことだった。二十一日月曜日、私は夜八時からニュートリノ理論の講演をすることになっていた。パリティに関する最初の三つの実験の報文を受け取ったのが、午後五時だった。私はショックを受けたが、それは神様が左利き手を優先させるということではなく、むしろ神様が左手利きでありながら自分を強く現わすときには左右対称であるということだった。つまり、問題はこういうことになる。強い相互作用では、なぜ、左右対称なのだろうか。」

パキスタンの物理学者アブドゥス・サラム（前に引用したパウリの手紙は、その記事「素粒子」(Elementary Particles)（インデヴァ誌、一九五八年四月号）からとったものである）は、文科系のある友人に向かって、このパリティ非保存が物理学者をなぜこんなに興奮させるのか説明しようとした。サラムはこの記事でこう書いている。「昔の有名な作家で、左眼だけのジャイアント、というものを考えた人があるかどうか、私は彼に聞いてみた。片眼のジャイアントという作品がいくつかあると、彼は教えてくれ、そのリストをくれた。しかしその一つ眼は、額のまんなかについているのであった。今度発見されたことは、空間が弱い左利き眼をもつジャイアントだといってよいと思う」。

ジェレミイ・バーンスタインという物理学者は、「パリティの問題」(A Question of Parity) という記事 (ニューヨーカー誌、一九六二年五月十二日号。のち著書『理解しうる世界』(*A Comprehensible World*, Random House, 1967) に再録) で、このパリティ非保存の裏話を皮肉をこめて次のように書いている。一九二八年に、ニューヨーク大学の三人の物理学者が、ラジウムの放射性同位元素の崩壊において、パリティが保存しないことをすでに発見していた、というのである。一九三〇年にはもっと改良した方法で、この実験を繰り返した。その実験をした人の報告によると、「それぞれの試行のみならず、どの試行でもすべての読みとりで、ほとんど例外なくパリティ非保存」の効果が観測されたのであった。しかし、当時としてはこれらの結果をどう取り扱っていいのか、その理論的背景というものがなかったので、この実験のことは、すぐに忘れられてしまった。バーンスタインは書いている。「いわば何もないところに向かって叫んだようなものだった。実験物理学、理論物理学のすべての分野における三十年の集中的な研究と、そのうえに李と楊の研究と相まって、物理学者は、この昔の実験が意味したところを、はじめてちゃんと評価するようになったのである。」

一九五七年に、李と楊は、ノーベル物理学賞を受けた。李は三十歳、楊は三十四歳だった。ノーベル賞に選ばれたことは当然である。一九五七年という年は、現代の核物理学で波乱のもっとも多い年であった。そしてその源の大部分は李と楊にあった。(この非凡な二人の学者についてもっと知りたい読者は、バーンスタインのすぐれた記事を見るとよい。(原注3))一九五七年以降、ほかの多くの弱い相互作用の実験がパリティ非保存を示した。たとえば、ミューオンが電子とミューオン・ニュートリノと電子・反ニュートリノに崩壊するとき、電子は一〇〇〇例中九九九例まで左回りである。

ここでちょっと一息入れて、次のことに注意しておきたい。それは、この発見も、物理学における他の多くの革命と同じように、主として、抽象的、理論的、数学的な研究の結果として生まれたものだということである。もしも李と楊とが、どんな実験をしたらよいかということをいわなかったとしたら、はじめてパリティの法則が崩れることになった三つの実験のどれもが、あのときに行なわれるということはなかったろう。李は、実験については全然経験をもっていなかった。楊は、シカゴ大学で、イタリアの大物理学者エンリコ・フェルミの助手としてちょっとの間実験室ではたらいたことがある。しかし、実験はどうも性にあわなかった。楊の仲間は彼について次のような短い歌をつくり、バーンスタインも再録している。

ボカンがおこるところに
いつも楊がいる

実験室内のボカンには、試験管の破裂から、水素爆弾の爆発まで、実にさまざまなものがある。しかし、真の大ボカンというのは、理論物理学者の頭の中でおこる。実験物理学者から提供された部分的な結果を、どう組み立てるべきかを考えるときにおこる。

ジョン・キャンベル二世は、アナログ・サイエンス・フィクション誌の編集者であるが、巻頭言でこういう推測を述べたことがある。すなわち東洋と西洋とには、文化的伝統に差があって、これが李と楊という二人の中国の物理学者が、自然法則の対称性を問題にする素因となったのではないか、というのである。これはおもしろい見方である。私自身もサイエンティフィック・アメリカン誌（一九五八年三月号）の数学ゲーム欄でこういうことを述べたことがある。それは、東洋の宗教的なシンボル（韓国の国旗にもついている）は、図77に示したように、円を非対称的に二分したものである。塗ったほうと塗っていないほうとは、それぞれ陰と陽である。この陰と陽とは、人生の基本的二元性のすべてのシンボルである——善と悪、美と醜、真と偽、男と

図77　東洋の非対称的な陰陽模様。

女、昼と夜、太陽と太陰（月）、天と地、快楽と苦痛、偶と奇、左と右、正と負……いくらでもある。この二元性というのが中国ではじめて形をとったのは、3×3の古代の魔方陣（Lo shu, 洛書）（訳注1）のいちばん外側に交互に現われる奇数と偶数であった。十世紀になってこの魔方陣は円の塗り分けに変わり、それが陰陽のシンボルとして多く用いられるようになった。これを印刷するか書くかするときには、黒と白だが、色を塗るときには、陽は、白ではなく、赤にする。小さな目玉が二つあるが、これは二元性というけれども、その一方には他方のものが必ずちょっと入っているということを表わすためのものであった。これはいまでもそうである。どんな善い行ないにも悪の要素があり、どんな悪い行ないにも善の要素がある。どんな醜にも美が含まれ、どんな美にも醜が含まれている（原注4）、などなどである。この目玉は、どんな「真の」理論にも「誤り」の要素が含まれていることを、科学者に思い出させる。ジェイムズ・スティーヴンスの『金の壺』（*The Crock of Gold*）の中の哲学者もこういっている。「完全なものは一つもない。その内部にはかたまりがある。」

練習問題17　陰陽のシンボルを三次元にしたものがある。世の中によくあるもので、誰でも手にしたことがある。それは何か、それは左右対称性をもっているか。

科学の歴史というものは、たえず、あくことなく新しいかたまりを見いだすことだといってよいだろう。昔は、惑星の軌道は真の円だと考えられていた。ガリレオは、太陽系の中心にあるのは太陽であって、地球ではないとしながらも、惑星の軌道は楕円であるというケプラーの説に賛成でなかった。ケプラーの説が正しかったことは、のち明らかになった。軌道はほとんど円だが、完全な円ではないのである。ニュートンの引力の理論によると、惑星の軌道が正確に楕円であることが説明される。その後、このニュートンの理論による楕円からのわずかなはずれが発見されたが、これは、アインシュタインがニュートンの方程式に施した相対論的補正によって、説明された。ギルバート・チェスタートンはその著『正統』(*Orthodoxy*)の中でこういっている。「このわれわれの世界においてほんとにやっかいなことは、それが不合理なものだということでもなければ、あるいは、合理的だということでさえもない。いつも共通してやっかいなのは、だいたい合理的ではあるが、完全には合理的でないということなのだ――世界というものは、現実よりももう少し数学的で規則的なものであるようだ。ただし、正確なところはよく見えるが、正確でないところはかくされている。いつどんなことがおこるかわからない。」

そこでチェスタートンは、異星人がはじめて人間の身体を調べる話を例にもち出している。まず身体の右側が左側そっくりであることがわかる。二つの腕、二つの肢、二つの耳、二つの目、二つの鼻腔、二つの大脳葉など。身体の内部を調べると、左側に心臓がある。

そこで右側にも心臓があると考える。しかしここで当然、陽のなかの陰の目玉につきあたる。チェスタートンはこう続ける。「正確無比からのちょっとした何気ないふみはずし、これがあらゆるものにある不思議な姿なのだ。これは宇宙のひそかな反逆とも考えられる。……ものには、どこにも、このような静かな、見通せないものがあるのだ。」

ファインマンも物理法則の対称性に関する講義の終わりのところ（『物理学講義』（*The Feynman Lectures on Physics*, Addison-Wesley, 1963）の第五二章）で、チェスタートンに劣らず、敬虔に同じことをこういっている。

自然はどうしてこんなにほとんど対称なのだろう。誰にもなぜだかわからない。せいぜいここでいえるのは、次のようなことである。日本の日光に陽明門という門があるが、日本でいちばん美しい門だといわれることもある。それが建てられたのは、中国の美術から大きな影響が及んでいたころであった。この門は精巧をきわめたもので、切妻や美しい彫刻、円柱、龍の頭、聖人を彫った飾り柱などがたくさんある。しかし、よく見ると、そのうち一本の柱に彫ってある精巧なこみいった模様のなかで、ある一つの小部分だけが上下反対になっているのである。他のところでは、完全に対称的なのにである。どうしてこうなっているのかというと、神様が人間の完全性を嫉妬しないためだということになっている。そこでわざわざここにまちがいをつくって、人間に対して神様が嫉妬して、怒らないようにしたのである。

こういう考えを逆にしてみると、自然がほとんど対称だということのほんとうの説明はこんなことになるのではあるまいか。すなわち、神様は法則をほとんどだいたい対称というところにとどめておいた。これは人間が神様の完全さを嫉妬しないですむからである。

陰陽のシンボルは対称的でない。その鏡像とも重ならない。陰と陽の模様は、合同であるが、それぞれは非対称で、利き手の型も同じである。これに対してキリスト教のシンボルの十字架は、左右対称である。ユダヤ教のダビデの六つ星（✡）も、二つの三角形が上下交互に立体的に組み合っていると考えないかぎり、左右対称である。東洋のシンボルの非対称性に慣れ親しむのは中国文化の重要な一部であり、これが微妙に無意識的にはたらいて、李と楊が、科学の正統的な種子に挑むことをいささか容易にしたのではあるまいか。そしてより対称性に慣れ親しんでいた西洋の同僚たちが、行なうに値しないと思ったような実験を提案したのではあるまいか。こう考えてみるのもなかなかたのしいではないか。

（原注1）　数学遊びに興味のある読者のために、一言つけ加えておかなければならないことが

ある。それは、ファインマンが、六角形のフレクサゴン、つまり折るたびに顔を変化させる、あの折り紙細工の発見者の一人だということである。拙著、『六角形の折り紙遊びと他の数学的遊び』〔この本は前出、上巻三三〇ページ参照〕の第一章参照。六角形のフレクサゴンは、一見完全な対称形に見えるが、内部構造には、ちゃんと利き手の型がある。つまり、フレクサゴンはみな、左利き手、右利き手どちらにでも作ることができるのである。

(原注2) 弱い核力は原子の中の電子に影響を及ぼし、らせん軌道を運動させることが今ではわかっている。これはすべての原子に利き手の型を与える。宇宙空間的な意味では、われわれの宇宙のすべての原子は、弱い右利きである。もちろん、反物質の原子の中のらせん軌道は、反対のカイラリティをもつであろう。マリー・アン・ブーシアとライオネル・ポティエの論説「原子の左右非対称性を検出する」(An Atomic Preference between Left and Right)(サイエンティフィック・アメリカン誌、一九八四年六月号〔邦訳は、日経サイエンス誌、一九八四年八月号に上記の邦題で収録〕)、およびロジャー・ヘグストロームとディリップ・コンデプディの論説「自然はなぜ左右非対称なのか」(The Handedness of the Universe)(サイエンティフィック・アメリカン誌、一九九〇年一月号〔邦訳は、日経サイエンス誌、一九九一年三月号に上記の邦題で収録〕)を見よ。

(原注3) ノーベル賞を分けあった物理学者の間に自我と気質の衝突がおこり、長い間の友情にひびが入ることがある。中国では大学時代仲のよい先輩後輩であり、重要な諸論文の共著者として長い記録をもつ李と楊のコンビの解消については、エド・レジスの書いたプリンス

トン高等研究所の多彩な歴史『アインシュタインの部屋』（*Who Got Einstein's Office?*, Addison-Wesley, 1987）（邦訳書『アインシュタインの部屋』（上・下）、大貫昌子訳、工作舎、一九九〇年）の第六章にくわしい。スチーヴン・ワインバーグとシェルダン・グラショウのけんかわかれの理由はいまだあいまいであるが、グラショウの自伝『相互作用』（*Interactions*, Warner, 1988）の二六九〜二七〇ページを見よ。

（原注4）陰陽のシンボルに関するこれらのことがらについては、シャイラー・カマン「古代中国の哲学と宗教における三次の魔方陣」（The Magic Square of Three in Old Chinese Philosophy and Religion）（ヒストリー・オブ・レリジョンズ誌、第一巻第一号、一九六一年、三七〜八〇ページ）の素晴らしい論説を参考にした。

（訳注1）以下は上智大学・高橋由利子助教授（中国学）の御教示に基づく。

洛書は、禹《う》が洪水を治めたとき、洛水から出た神亀の背にあった模様（図A）のこと。この模様を数字になおすと三次の魔方陣（図B）となり、古代の数占いのもとになったという。

この魔方陣は、縦・横・対角線のます目の数の和がすべて十五になるばかりでなく、周辺をなす八個の数について、いろいろおもしろい性質がある。「算略」（馮経《ひょうけい》撰、十八世紀）によってその二、三を掲げる。

(1) 隅にない数から出発して、反時計回りに相隣る二つの数を足すと、答えは次のます目の数になる。

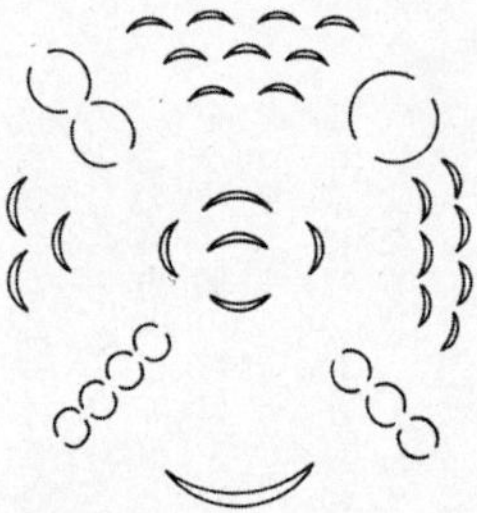

図A

4	9	2
3	5	7
8	1	6

図B

1+6=7, 7+2=9, 9+4=13→3, 3+8=11→1

(2) 隅にある数から出発して、反時計回りに相隣る二つの数を足すと、答えは終点から中心に対して向かいあうます目の数になる。

2+9=11→1, 4+3=7, 8+1=9, 6+7=13→3

(3) 四隅にある数とその前後にある数を足すと、答えはその隅から中心に対して向かいあう隅の数になる。

9+4+3=16→6, 3+8+1=12→2, 1+6+7=14→4, 7+2+9=18→8

(4) （純陽左旋） 奇数だけを時計回りに足すと、答えは次のます目にでる。

1+3=4, 3+9=12→2, 9+7=16→6, 7+1=8

(5) （純陰右旋） 偶数だけを反時計回りに足すと、答えは終点から中心に対して向かいあうます目にでる。

6+2=8, 2+4=6, 4+8=12→2, 8+6=14→4

(6) （正対自乗） 中心に対して向かいあうます目の数の二乗は（下一桁が）一致する。

$2^2=4 \longleftrightarrow 8^2=64$, $9^2=81 \longleftrightarrow 1^2=1$, ……

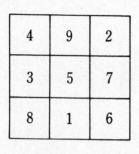

23　ニュートリノ

有名なマイケルソン＝モーレイの実験が行なわれたのは、一八八七年のことである。しかし、それがもっているほんとうの意味が明らかになったのは、およそ十五年の後の一九〇五年のことである。アインシュタインの特殊相対性理論の第一論文が出て、はじめてはっきりしたのである。呉女史の実験のほんとうの意味が理解できるようになるのは何年先のことであろうか、誰にもわからない。

みんながすぐ思いついたのは、次のような斬新な考え方である。空間それ自身が、そのすべての場所に、ある種の本質的な利き手構造（ハンデッドネス）を内蔵しているのではないか、というのである。ニュートンの古典物理にしても、現代の相対性理論あるいは量子力学の方程式にしても、空間には方向性がないということを仮定している。その意味は、空間の一つの方向と他の方向との間には何も差がない、すなわち、空間は球対称だということである。宇宙のモデルとして、本質的な利き手構造をもっているような空間をつくることは、可能なのであろうか。

それは可能なのである。数学では、あらゆる点で同じカイラリティ（旋回性、巻き性）という非対称性をもつ等方でない三次元空間を考えることができるのである。ただしこれはやさしいことではなく、またそんな空間はとても簡単なものではない。メビウスの輪のように、空間全体をねじれば、できそうに思うかもしれないが、そうはいかない。このねじれは、空間のどの点にも生じていなければならないし、弱い相互作用の実験装置がどんな向きにおいてあっても、それに関係なく、同じように影響を与えるものでなければならない。地球は空間に対して回転しているのだから、パリティの実験に使う装置の向きは、たえず変化している。しかし、実験の結果は、いつも同じである。だからこの空間を考えるにあたっては、こまかい、観測にはかからない「素領域」があるとして、その「素領域」は、粒子の向きがどうであっても、どこでも同じような非対称のねじれを与えるようなものとしなければならない。

そのような「素領域」が存在すると仮定すれば、パリティの保存が成り立たないのは、弱い相互作用の場合だけであるわけも、たやすく理解される。相互作用が強いと空間の微妙なわずかな小さいねじれは、ものの数にならない。ボーリングをやるときにレーンが曲がっていても、タマが速ければ何ともない。タマに回転を与えてやれば、レーンの曲がりと反対に曲がる。しかし、タマがおそいか、あるいはタマが豆のように小さいとすると、まうであろう。

タマも曲がってしまう。強くて速い粒子の相互作用には、時空間の非対称の「素領域」が影響を与えないのも、これと同様のことである。玉突きのタマだとか、惑星だとかの大きな巨視的な運動、あるいは光速度で進む放射線などは、このような「素領域」に勝ってしまうであろう。

このような考えに賛同する物理学者は多い。たとえば、ケンブリッジのオットー・フリッシュもその一人で、『今日の原子物理学』という本（この本のことは前にも述べた）の中でそういっている。そしてこういう疑問を提出する。「もしも空間がねじれていなかったとしたら、コバルトは放射能をもたないと考えていいのではあるまいか」。この説はなかなかおもしろいけれども、大多数の粒子物理学者は、そうではないというだろうと思う。

その理由の一つはこうである。重力は、弱い相互作用に関係する力にくらべて、ずっと弱いが、宇宙の時空的構造と密接に関係していることが知られている。だから、宇宙に非対称性があれば、重力現象にそれが現われると考えられるが、そのようなことは、いまだかつて見いだされていない。重力は非常に弱いから、粒子の世界では、全然問題にならないということは事実である。しかし、一般相対性理論が正しいならば、重力は慣性を別の立場からみたものにほかならない。粒子は慣性質量をもっている。ところが素粒子についてこれまでに行なわれたあらゆる実験で、ちょっとでも慣性非対称を示すと思われるようなものは一つもない。これは、時空間にねじれがあるということとは、とうていつじつまがあわない。こんなわけで、物理学者は、空間は等方であるという古典的な考えをすてたがらないが、これももっともなことである。

弱い相互作用を論ずるのに、時空間の「素領域」がねじれていると考えなくても利き手構造を説明することができるもう一つの別の進み方がある。この考え方の基本となる仮定は、ともかく――くわしいことはまったくわからないが――ある素粒子の構造には、真の空間的非対称性があるとするのである。前に述べたように、原子が結びついて分子をつくるときに、その結び方に非対称構造があることがあるが、化学者はなかなかそれを信じられなかった。しかし、立体異性体が発見されて、この問題はすっかり解明された。ところで、多くの物理学者は、素粒子について現在われわれがもっている知識は、立体異性というものが発見される前に分子についてもっていた知識とちょうど同じようなものだ、と思っている。将来の研究によって、素粒子の大半は左手型あるいは右手型と決められるような空間構造をもつことが判明する、ということは可能であろうか。現在では、この方向についてはわずかにぼんやりした、食指を動かすに足る示唆が行なわれているにすぎない。実は、ニュートリノは真に空間的利き手型をもつという発見が、もっとも強い示唆になったのである。

ニュートリノの歴史は書いておく値打ちがある。前に述べたように、中性子は、水素以外のあらゆる原子核に入っていて、磁気モーメントはもっているが、電荷はもっていない粒子である。その質量は、陽子の質量よりもちょっと大きい。放射性原子核のベータ崩壊のときには、中性子がこわれて陽子と電子とになる。しかし、この陽子と電子との質量を加えても、きちんともとの中性子の質量にならない。この差にあたる質量の一部分は、アインシュタインの$E=mc^2$の式に従ってエネルギーになる。しかし、このことを勘定に入れても、まだ差が少し残って説明がつかない。それはどこへ行ってしまうのだろうか。一九三一年に、パウリはこういう提案をした。すなわち、観測にかからない見えない「泥棒」がいて、そのエネルギーをもっていってしまうというのである。これは、方程式の両辺を等しくさせるために、存在すると仮定された正体不明の粒子なのである。その後フェルミは弱い相互作用の理論をたてて、ベータ崩壊の速さがおそいことを説明しようとしたが、そのときこのパウリの着想をとり入れた。「ニュートリノ」、すなわち、「中性微子」という素粒子は、パウリのいう「泥棒」粒子だが、フェルミはうまい名前をつけたものである。ニュートリノの性質として、まずそれをつかまえることができないということがあった。しかし、一九五六年になってフレデリック・ライネスとクライド・L・コワン二世とによってニュートリノは実在することが確認された。彼らは、ニュートリノの源として、ジョージア州のサバンナ河畔にある原子力委員会の大きな核分裂炉を利用した。後に、彼らが捕えたのは、核分裂炉から大量に発生する反ニュートリノであることが判明したが、これは先の話である。

数年前のことだが、カラー・アニメマンガに、歌がついていたのがあって、その反復句《リフレイン》にこうあった。「おまえは何ものでもないとしかいいようがない。おまえはてんで『もの』ではないのだ。」ニュートリノは、素粒子としてまさにこのとおりであって、それでいて「何もの」かではある。ニュートリノの静止質量はゼロだと考えられている。そうだとすると、ニュートリノは光速度で空間を飛びまわっているはずである。ニュートリノには電荷もなければ磁場もない。しかし、「スピン」はもっている。これがニュートリノのすべてなのである。ある物理学者たちがいうように、ニュートリノは、ほとんど純粋にスピンだけで、「チェシャー猫(訳注1)の純粋のニヤニヤ笑い」のようなものである。

ニュートリノは、他の粒子の電場や磁場によって引かれたり斥けられたりすることはない。だから、地球の外からやってくるニュートリノは、まるで途中に何もなかったように、地球をつきぬけてしまう。さいわい、ニュートリノはそこらじゅうにずいぶんたくさんいるのだから、衝突は事実「おこる」。そうでなかったら、ニュートリノはとうてい検出されなかったろう。あなたがいまこの本を読んでいるときでも、太陽やその他の星や、あるいは他の銀河系から何十億というニュートリノが飛んできて、あなたの頭蓋骨や脳をつきぬいているのだ。ジョン・アップダイクは、「宇宙の困り者」(Cosmic Gall) という詩の中でこう歌っている。

小さい、小さいニュートリノ。
　電気もなければ目方もない
外のものには見向きもしない
地球なんかは何のその、
　平気な顔でつきぬける
部屋にただよう眠りの精か、
ガラスを通る光の粒か、
どんな気体も気にかけぬ
厚い壁でもわけはない、
　すました鉄でもえらそうな真鍮《しんちゅう》でも、
うまやの馬でもつきぬける、
　あらゆるちがいもなんのその
君とわたしをつきぬける！
痛みを与えぬギロチンか、
　頭をつきぬけ地面まで
夜になったらネパールで、
　愛する二人をつきぬける

寝床の下からつきぬける、
君はすてきというだろが、わたしにとってはたわごとだ

ニュートリノは身体に害を及ぼさない。このことに着目して、一九六一年に素晴らしい新しい武器を発明しようとしたのが、「ロス・アラモス科学研究所」にいた若い物理学者ラルフ・S・クーパーであった。彼はこの新しい武器にニュートリノ爆弾という名前をつけた。一九六一年ごろ、「きれいな」中性子爆弾を開発するという話が盛んに問題になったことを記憶されているだろうか。この爆弾は熱の影響も爆風の影響も残さず、また、放射性降下物もないというのである。建物はそのまま残るが、この爆弾では、猛烈な中性子爆発が生じて、ある範囲内にある生物を根こそぎにしてしまう。一九七七年、合衆国が中性子爆弾を作るかもしれないという話が復活して、これが賢いことなのかばかげたことなのか、いまだに討論が行なわれている。クーパーの提案は、ニュートリノ放射の大爆発によって、さらにもっときれいな爆弾を作るというのである。ニュートリノの透過力は中性子の透過力よりもはるかに大きく、ニュートリノにくらべれば中性子などはマシュマロのようなものだ、とクーパーは指摘している。彼によれば、ニュートリノ爆弾は「きれいな、爆風のない、究極の核兵器」だろうといっている。

このクーパーの冗談は、ロス・アラモス科学研究所ニュース（一九六一年七月十三日号。

のちグロフ・コンクリン編『科学者による壮大なSF』(*Great Science Fiction by Scientist*, Collier Books, 1962)に再録されたのであるが、話があまりおもしろいから、もう少しくわしく述べておこう。この爆弾の中身は水素だが、その水素は陽子と電子が巧みな方法で二種の新粒子、擬陽子と擬電子とに転換されている。ニューヨーク・タイムズ紙、一九六一年八月十三日号は次のように報じている。「擬電子にはスピンはなく、ストレンジネス(素粒子の一つの性質)もない。これには『おはな子《し》』(fiction)という名前がよかろう。擬陽子にもスピンはないが、ストレンジネスは一である。名前は『真子《しんし》』(truthiton)がいいだろう、事実《トルース》は小説《フィクション》より奇《ストレンジ》なのであるから。ともかくこの二つの擬粒子は、複雑な相互作用によっていっしょになり、『真素』(truthitonium)という新しい元素が生じる。この真素の原子は、クーパー博士なら『真《トル》実《ース》である瞬間』とでもよぶ時間内に放射崩壊をして、二〇〇〇個のニュートリノになる。」

クーパーはこう説明している。「ひとたびニュートリノ爆弾が爆発すると、もうそこには真の粒子は一つも残っていない。爆弾の中にあった水素が消えてなくなったので一時的に真空が生じ、そこへ空気が猛烈な勢いで入ってくることによっておこる大爆音は、目標地域にいる人たちに、攻撃されたということを知らせる。」

ニュートリノにスピンがあるから、そのスピン軸の方向に平行に運動するとすると、まわり方に二とおりあることはいうまでもない。そのような粒子の表面に一つの点を考えよう。（これは、数学の式でなければ正確にいえないようなことを、ことばで表わそうというきわめて乱暴な話である。しかし乱暴な類推も全然意味がないわけではない。）さてこの粒子が光の速度で進んでいくと、表面に考えた点は、右回りか左回りのらせんを描く。いま、右回りとか左回りとかいうとき、観測者は静止しているか、あるいは運動しているとしても粒子のスピードよりはおそいと考えている。しかし、観測者のスピードが粒子よりも速く、そして同じ方向だったとすると、粒子は相対的に観測者からおくれていく。そして右回り、左回りは逆に見えるようになる。

このことを理解するために、右回りのニュートリノがあなたに近づいてくるとしてみよう。あなたはそれを正面から見ているので右巻きらせんに見える。次にこの粒子はあなたのところを通りすぎて遠ざかっていく。今度は後ろから見ることになるが、やはり右巻きらせんである。次にあなたも右巻きニュートリノも同じ方向に運動していて、あなたはニュートリノの二倍の速さで動いているとする。時空間では絶対運動というものはなく、あるのは相対運動だけである。あなたはあなたの座標系から見るわけだが、誰の座標系から見てもみな同格である。（相対性理論によれば、どれかの座標系だけが「特別すぐれている」という選択はない。）そのあなたの立場から見れば、ニュートリノはあなたからおくれていく。このときあなたに見えるのは、左巻きらせんである。あなたがニュートリノの後ろにいて、それを追いかけている場合でも、左巻きらせんに見えるのは同じことである。たとえば恒星というような外の座標系から見ると、あなたは右巻きらせんのニュートリノを追いかけているのだが、あなたの座標系からいえば、近づいてくるニュートリノは左巻きらせんを描くのである。

それならば、現実のニュートリノは、観測者との相対運動の関係によって、左巻きにも右巻きにもなれるのだろうか。そうはならない。なぜかというと、ニュートリノは、光子と同じように、光の速度で運動するからである。相対性理論によると、観測者が光の速さで運動するということはありえない。だから、観測者が一つのある決まったニュートリノを見ると、それが近づいてくるときでも遠ざかるときでも、らせんの巻き方は同じなのである。座標系を変えたために、一つのニュートリノがちがって見えるということはない。すなわち、一つのニュートリノの左右の巻き方は、誰が見ても不変なのである。

回転している粒子には、左回りと右回りとがあり、一方が他方の鏡像になっていて、ともに安定であるということは、すでに一九二九年、ドイツの大数学者ヘルマン・ワイルによって指摘されている。ただしこの仮説の基礎となるような実験的事実は、ワイルは全然もっていなかったのであった。単純性と数学的調和からいって、こうでなければならないと、ワイルは考えただけなのである。このワイルの説に注目した人はほとんどいなかった。それはなぜだったろうか。ワイルの説はパリティ保存の法則にそむくからであった。ワイルの説は、説明不可能な非対称性を、自然の世界に入れてくることになる。しかしパリティ保存が打ち破られたときワイルの説は一変して、預言とみまがう推測となったのである。実際、ニュートリノにはその反粒子、すなわち反ニュートリノがあって、この二つの粒子はまさにワイルがいったとおりの区別ができるという証拠がたちまち確立されたのであった。

ニュートリノの二成分理論（ワイルの説はこうよばれる）は、一九五七年、何人かの物理学者によって独立にいい出された。李と楊、パキスタンのアブドゥス・サラム、ソ連のレフ・ダビドウィッチ・ランダウらである。（ワイルは一九五五年に死んだ。彼の説が注目をあびるようになる二年前である。）この説が基本的に正しいということには、強い証拠がある。ベータ崩壊で、電子が原子核から飛び出すとき、反ニュートリノも発生して、これは核のほうから見ると時計回りのスピンをもっている。すなわち、その反ニュートリノの描くらせんは右巻きである。一方、反ベータ崩壊で反中性子がこわれるときには、陽電子が飛び出し、同時に左巻きのニュートリノが生じる（図78）。これは一つの粒子が安定な真の空間的非対称性（いまの場合ならスピンと運動方向の組み合わせだけだが）を示したのであって、核物理学の歴史においてはじめてのことである。ニュートリノと反ニュートリノは、

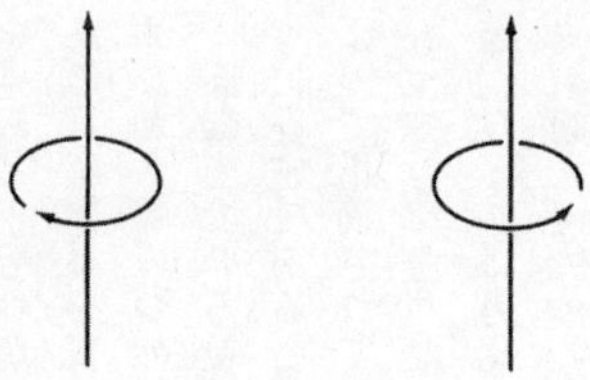

図78　ニュートリノ（左）と反ニュートリノ（右）。

素粒子のレベルで、パスツゥールの左旋型と右旋型の酒石酸分子に対応する類推である。

一九五七年、李、楊その他の物理学者は、事態をもう少しこみいったものにした。ニュートリノ－反ニュートリノという一対には、二種類あって、その第一の種類は電子が放出される崩壊に関与し、第二の種類はミューオンが放出される崩壊に関与するというのである。コロンビア大学やブルックヘヴン国立研究所の研究チームが、ニューヨーク州ロング・アイランドのブルックヘヴンにあるＡＧＳ（交替勾配シンクロトロン）を用いて、一九六二年にこのことを確認した。

一九三六年に発見されたミューオンは、素粒子物理学の中でもっとも魅惑的な神秘に包まれた粒子である。その相互作用は電子とまったく変わらないが、その質量は電子の二〇〇倍である。ある状況のもとでは、ミューオンはあたかも二〇〇倍重くなった電子のようである。

ミューオンは太った電子なのか、あるいはまったく異なる粒子なのか。ミューオンが存在すべき理由が考えられないまま、物理学者は不思議な思いに包まれている。われわれの知るかぎり、ミューオンなしでも宇宙は同じように機能していけるであろう。物理学者の態度は、最近発見された『鏡の国のアリス』の最後のエピソードの中の、ワスプの態度に通ずる。ワスプは、アリスの眼が二つともあんまり近くについていすぎると思い、一つですむ眼がなぜ二つあるのだろう、と不思議がる。

この不思議さは次のような事実によって増しはすれ減りはしない。ミューオンは自分自身のニュートリノをもち、これは電子ニュートリノと次の点を除けば区別できない。ミューオンを含む相互作用でつくられたニュートリノは、自分がミューオンに属することを「記憶」しており、陽子あるいは中性子と相互作用をするとき別のミューオンをつくる。電子ニュートリノも、同じく自分の所属を記憶している。ニューヨーク・タイムズ紙、一九六二年七月一日号の記事によれば、ある物理学者（名前は報ぜられていないが）は驚異に打たれたあまり、「真空が二種類あることを発見したようなものだ」と叫んだという。

パイオンの崩壊生成物の一つとして、はじめてミューオンが発見されたとき、あまりにも意外だったので、イシドール・ラビは、それ以来有名になった質問を発せざるをえなかった。「誰がそんなもの注文したんだね。」マレイ・ゲルマンとE・P・ローゼンバウムは、「素粒子」（Elementary Particles）と題した論説（サイエンティフィック・アメリカン誌、一九五七年六月号）の中で次のように書いている。「ここに自然のもっともつむじ曲がりな性格を見る。自然は、理論的正当性も実用性もまったくない粒子をわれわれに与えた。ミューオンは戸口に置き捨てられた歓迎されざる赤ん坊であり、無邪気な日々が終わったというしるしであった。」

アブドゥス・サラムは一九五八年の論説「素粒子」（以前に引用したことがある）の中で、ミューオンを「もっとも神秘的な粒子」とよんだ。「なぜミューオンが存在するのか積極的な理由が何ひとつわからないし、なぜそんなに大きい質量をもつかもわからない。その真の本性を発見したとき、われわれは、それがどのように『大いなる秩序』の中にぴったりとおさまり、より深い、より卓越した深遠な何かの中の欠くべからざる一部となるのを見て、讃美するのではあるまいか。」

一九七〇年代後半になって、つむじ曲がりの自然はまたわれわれを驚かせた。もっとずっと太った電子、たくさんの崩壊様式をもつタウオンが現われたのであった。ミューオンと同じく、タウオンは電子とまったく同じ振る舞いをするが、ただその質量は電子の三五〇〇倍も重い。タウオンもそれ自身のニュートリノ、タウオン・ニュートリノをもつと信じられているが、まだ検出されていない。反タウオンは反タウオン・ニュートリノをもつ。これらのニュートリノは三種ともすべて左巻きであって、観測者から向こうへ向かって運動するとき時計と反対方向にまわっている。

質量の増加に依存する性質を除いては、粒子に関するすべてが同じように繰り返す三つのレベル（世代という）が存在するのであろうか。同じような事情が、クォークでも生じている。この二つの三重構造を「世代階級《ハイラーキー》の問題」という。これをどう説明するか、素粒子物理学者の間に一致した見解はない。これを現代物理学のより深い謎だと考える人もいる。第一世代の粒子以外、重い粒子のいとこたちは、宇宙の中で本質的な役割は演じていないように見える。また世代は三代で終わる、と考える人もいる。より強力な加速器が建

設されれば、より重い粒子をつくることができて、世代の数はずっと多くなるだろう、と考えるほかの人たちもいる。(訳注2)

ニュートリノは、星の内部の熱核反応でつくられ、容易に逃れてこられる唯一の素粒子である。何十億の何十億倍という地球外電子ニュートリノが絶え間なく地球に降り注いでいる。ごくわずかの部分を除くほか、すべて太陽からくる。太陽の輻射するエネルギーの三パーセントは電子ニュートリノが運ぶ、と勘定されている。十五年以上も前から、レイモンド・デイヴィス(二世)と彼の研究グループは、サウス・ダコタ州レッドの金鉱の中、地下およそ一マイル(約一・六キロメートル)のところに、不純物を含まない液体を満たした検出タンクを置き、太陽ニュートリノをつかまえてきた。その結果がまた不思議だらけである。デイヴィスは期待される量のおよそ四分の一のニュートリノしか得ていないのである。この驚くべき事実を説明すべく、以来数百編の論文が発表されている。消えたニュートリノはどこに行ったのであろうか。

もっとも光彩に満ちた理論は、一九五〇年ソビエト連邦に亡命したイタリア生まれの物理学者、ブルーノ・ポンテコルボによって推進された。その示唆によると、ニュートリノは宇宙空間を旅する間に、三種のニュートリノのタイプの中をあちこちと振動するかもしれない、というのである。この効果はまだ発見されていないが、もしそうなら、消えてしまったニュートリノの行方を説明できるであろう。太陽ニュートリノのおよそ三分の二は、ミューオンまたはタウオンのニュートリノの形で地球に到達する。これはデイヴィスの装置では観測できない。このような振動は、いかにわずかであろうともニュートリノが質量をもたなくてはおこらないはずである。もしニュートリノが実際に質量をもてば、その宇宙論に及ぼす効果ははかり知れない。その質量は、最終的に宇宙の膨張をおしとどめ、収縮させ始めるのに十分である。ジョン・ウィーラーは、ニュートリノが質量をもつオッズ（賭け率）は五対一であると評価しているが、シェルダン・グラショウは逆に考えている。ブルース・シェクターの論説「放蕩粒子」（A Prodigal Particle）（ディスカバー誌、一九八二年三月号）はグラショウを引用している。「もちろんニュートリノは質量をもつだろう。もってはならないという理由はないのだから。」いつの日か、物理学者は答えを得るであろう。

（訳注１）『不思議の国のアリス』に出てくる猫。

（訳注２）最近の実験（一九八九年）により世代は三で終わることが判明した。たとえば、G. J. Feldman and Jack Steinberger, "The Number of Families of Matter", *Scientific American*, February 1991（邦訳は「決定された素粒子の世代数」、日経サイエンス誌、一九九一年四月号所収）を参照。

24　スプリット君

電子と陽電子とが出くわすと、この二つの粒子の質量は消滅する。21章に述べたように、ディラックは、今は見すてられた「空孔」の理論によって、この現象と対創成を説明したことがある。連続媒質から一つの粒子が飛び出すと、あとには空孔が残り、それは飛び出した粒子の反粒子である。粒子がこの空孔にもどると、粒子も空孔も消滅してしまう。ずっとあとになって、ディラックは、「物理学者の見た自然像」(The Physicist's Picture of Nature) という記事をサンエンティフィック・アメリカン誌(一九六三年五月号)に書いた。これは素晴らしい論説で、前とはちがう見解が述べられている。電子と陽電子とは、一本の電気力線の両端のようなものだというのである。この力線には向きがあるから、両方の端には区別ができる。電子と陽電子とが出くわすというのは、一本のひものプラスの端を、他のひものマイナスにつなぐことだ。そうすれば、端の電子と陽電子が消滅して、残る力線は一本になる。同じように、力線を切ると、プラスの端とマイナスの端が対になって発生する。

このような話は、もちろん、そのまま文字どおりに受け取るわけにはいかない。理論の粗案のようなもので、これから数学的に発展させ、実験的に検討を経なければならないが、今日、量子論で未解決の最大の問題――電気の本性――を解明しようとする試みである。プラスの電気とマイナスの電気とは、何がちがうか、電気量というものがいつも最小単位の整数倍であるのはなぜか、負電荷の最小単位と正電荷の最小単位が強さがちょうど等しいのはなぜか、これについては誰も答えられない。これらの神秘は、一つの粒子とその反粒子との対創成、あるいは対消滅ということと密接に関係していることは明らかである。

平面幾何で対創成と対消滅を実現するのには、正三角形を考えればよい。二等辺三角形は対称形で、その鏡像と合同である。底辺の中点を通る垂線を引くと(図79)、向きの逆な、非対称形の直角三角形が二つできる。対創成である。その二つの三角形のどちらかを二次元空間からとり出して、まわしてやらないかぎり、この二つを重ね合わすことはできない。また、この向きの逆な二つの三角形をいっしょにくっつければ、正三角形ができる。これが対消滅である。

二次元空間の平面を考えて、それが小さな三角形でおおわれているとしよう。その三角

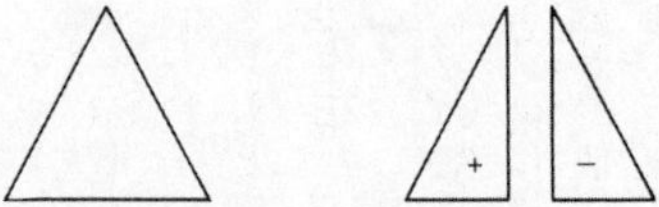

図79　電荷の保存を示す簡単なモデル。

形は、あるものは正三角形、あるものはその左半分、また、あるものは右半分だったとする。おもしろいことに、これが、宇宙における正の電気、負の電気のありさまと似ているのだ。「電荷保存」の法則が成り立たないということは、いまだかつて知られていないが、このことは全宇宙における電荷の総合計が一定で決して変化しないということを物語っている。いま考えた小さな三角形についても、これは同じことなのだ。まずはじめに、「中性」の正三角形が一〇〇〇個、正三角形の「負」（右）半分の三角形が五〇〇個、「正」（左）半分の三角形が二〇〇個あったとする。右三角形は、左三角形よりも三〇〇個だけ多い。ところで、正三角形をいくつでも半分に分けることもできるし、また半分の三角形をいくつでも相手とくっつけて、正三角形にもどすこともできる。しかし、分けたりくっつけたりするのは二つずつの対であるから、右三角形はいつでも、左三角形よりも三〇〇個多い。つまり総合計は変わらないのである。

同じようなことを三次元空間にあてはめたおもしろい話が、L・フランク・ボームの『おとぎの国のドットとトット』(*Dot and Tot of Merryland*, George M. Hill, 1901) という本に出ている。これはあまり広くは知られていないが、オズ的ではない幻想話である。おとぎの国の六番目の谷では、動物も、自動車もおもちゃも、みんなネジを巻かなければいけない。ちゃんとネジが巻かれているかどうかは、スプリット君（図80参照）によって監視されている。スプリット君の仕事は山ほどあるので、あまり忙しくなると、自分をま

図80　L. フランク・ボームのスプリット君（イラストレーター、W. W. デンスロウの描いた絵）。

ん中で半分ずつ割ってしまう。そしておのおの半分は、一本足でとびまわって、ネジを巻いてあるく。左スプリット君は（図80では灰色になっている）、顔色が赤く、ことばの左半分しかしゃべらない。右スプリット君は顔色が白く、ことばの右半分しかしゃべらない。この両者がいっしょになって、スプリット君になると、普通の話し方をする。おとぎの国の女王さまがおっしゃるには、「スプリット君ほど仕事をする人は、世界中にないだろう。」

正負の電荷は、スプリット君の両半分のように、時には別々に行動し時にはいっしょに行動するものだと考えると、ここにも、電気量の保存法則のたとえ話がもう一つできたわけだ。（原注1）

手品師は縄、ひも、ねじったハンカチーフなどを使ったトリックをたくさん知っている。そして左と右との二つが出くわして両方とも消滅するところを見せて、客をよろこばせる。たいていの場合、その二つには、逆向きのらせんが入ってきている。チャールズ・ハワード・ヒントンという人は少々変わったアメリカの数学者で、その細君はイギリスの著名な数学者ジョージ・ブールの娘であるが、次のようなトリックで、電荷の正負に関する彼の理論を示している。彼の著書、『われわれの宇宙像』（*A Picture of Our Universe*）（科学物語第一集、G. Allen & Unwin, 1888として再版されている）の第一章で、正負の電荷を、アイルランドのおとぎ話の猫にたとえている。この猫というのは、次の作者不明の狂詩で、有名になっている。

昔々のその昔、キルケニー猫が二匹いた
どっちもどっちの猫と猫、一匹よけいと思ってた
　ニャーニャー鳴くし、かみつくし、
　ひっかきあってはこんにちは
残ったものは何だろう、つめとしっぽの先だけで
二匹とも消え、あとはなし

「このキルケニー猫のモデルは、すぐ作ることができる。私は、ねじれを用いようと思う」と、ヒントンは書いている。

ヒントンのモデルというのは、図81のように、棒にひもを巻きつけたものである。まず

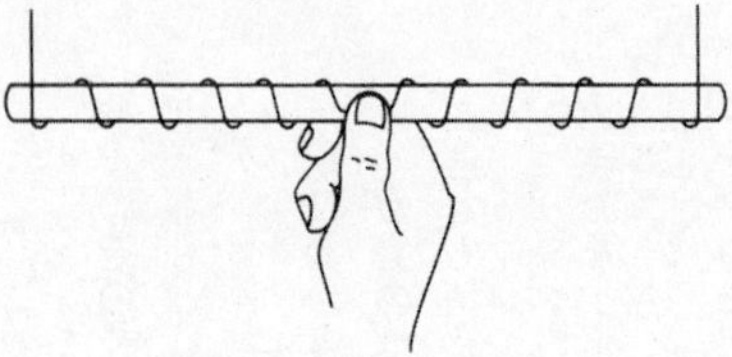

図81　C. H. ヒントンのひもの手品。

はじめに、棒にひもを何回か巻きつける。それからそこを、左手の親指で押さえて、巻きつづけるのだが、今度は逆向きに巻いて、同じ回数だけ巻いたら、そこで止める。棒を等分する対称面を考えると、片方の巻き方が、もう一方の巻き方の鏡像になっている。まん中を押さえていた親指を放して、ひもの先のほうをひっぱる。そうするとひもは棒をはずれる。半分ずつのらせんが、キルケニー猫のそれぞれだ。ひもをひっぱるというのが、猫のけんかだ。巻き方が反対で互いに鏡像になっていて、いっしょになって消滅するのである。

ヒントンはこういう。「これが私の考えを、具体的に表わしたものである。ご賛同を得たいと思う。ひものねじれのようなものがあるというわけだ。ねじれをつくると、何かの方法で必ずその鏡像のねじれができると考えてほしい。一つのねじれとその鏡像は別々のものである。しかし、ねじれができると、必ずその鏡像ができ、この二つがいっしょになると、互いに消しあってしまう。こういうことを頭において、電気と称せられている分野を調べてみよう。」

ヒントンはこの考えをあてはめて、正負の反対の電荷というものの意味を探った。それぞれの電荷はねじれをもった波動だとする。しかし、それは三次元空間内の波動ではなく、もっと高次元空間のものである。正の電荷をもっている粒子は、われわれにはまだよくわからないが、負の電荷をもっている粒子の鏡像である。そして高次元の空間で運動量をもっている。したがって、一つの帯電粒子ができると、作用・反作用の法則によって、その相棒の鏡像が同時にできなければならない。ヒントンはいう。「どんな方向でも一つのものが運動すれば、その相棒には必ず反対向きで同量の運動がおこる。大砲からタマを撃ち出すと、砲身が反動を受ける。それと同じように、一つの物体の粒子にねじれを与えれば、他の粒子に鏡像のねじれが生じる。」

さて、ふつう目に見える物体が、電荷をもっている粒子から成り立っているとすると、ある一つの物体を鏡像反転すれば、物理学者のいう「荷電共役」となる。すなわち、正の電荷がみな負になり、負の電荷はみな正になる。ここで、ヒントンの文章でいちばん大切なところをすっかり引用しよう。

一つのねじれとそれの鏡像があるとすると、これはいちばん簡単でいちばん原始的な有機体である。一つのねじれとそれの鏡像ねじれとに対し成立するようなことは、もっとこみ入ったものに対しても成立するであろう。ちょっと見ると、ねじれとはまるでちがうようすをしているもので、それにいろいろな部分、いろいろな差異のあるもののも、そのようなものがその鏡像といっしょになると、たちまち互いに相手のねじりをもどしてしまう。そして前には複雑なこみ入ったものであった全体は、自分の像と相対して、たちまち、形のない粒子からなるただのひもになってしまう。閃光、炎、それですべておしまいである。

このことの意味するところをはっきり理解するためには、こう考えるべきである。この世の中の一人一人に対してどこかに相棒がいる。それは彼自身の描写であり、模造であり、ちょっと見ると似ているが、それの右手は、もとの右手と反対である。鏡にうつる像とまったく同じものである。

そこで彼とその相棒とが出くわすと、突風がおこり、光がひらめき、煙が出て、この二人は互いのねじりをほどいて、形のない粒子しか残らない。

テラー博士と反テラー博士が出くわすのである（四一〜四二ページ参照）。

ここで注意しておかなければならないのは、ヒントンが書いているのは正負の電荷のことであって、粒子と反粒子の話ではないということである。（反物質という考えが出たのは、数十年あとのことである。近代的な意味合いにおいての反原子という考えを最初にいい出したのは、サー・アーサー・シュスターで、ネイチャー誌、第五八巻、一八九八年、三六七ページ、六一八ページに書いている。）にもかかわらず、ヒントンのいったことは、奇しくも予言的な響きがある。ニュートリノと反ニュートリノとが出くわして、両方消えてなくなるときには、ヒントンのいうひもの奇跡のようなことがおこるにちがいない。ニュートリノは、すべての弱い相互作用に関与しているわけだから、これまで知られているパリティの破れというものが、よくわからないけれども何かの具合で、ニュートリノの非対称性によると考えられないだろうか。そういう現象のなかでニュートリノはいわば産婆役をつとめて、こっち へ行けとか、こっち向きにまわれとかを、電子に指図するのではあるまいか。それとも、何かもっと基本的な非対称性が関与していて、それが電荷と結びついているのだろうか。

電荷の正負に関するヒントンの考えは、それほど途方もないものではないのである。一九二一年ごろのことであるが、ドイツの物理学者テオドール・カルーツァは、五次元相対論というものを考え出した。それから五年たって、当時ストックホルムにいたクラインは、このカルーツァの理論を拡張して、正負の電荷の説明に役に立ちそうなものにしたが、これはヒントンの考えと実によく似ているのである。

クラインの理論を数学の式を使わずにうまく説明することは不可能である。しかしざっというならばこういうことなのである。正統的な相対性理論では、時間、空間の四次元であるが、これにもう一つ、空間的な性格をもつ第五次元を入れる。この第五次元曲線は、円柱の表面のように、自分のところへもどってくる。あるいは、極端に細い糸のようなものと考えてもよい。それは、その曲率半径が原子の寸法よりもずっと小さいからである。（クラインの見積もりによると、その曲率半径は10^{-30}センチメートル、すなわち一センチメートルの一兆分の一の一兆分の一の百万分の一である。）巨視的な普通の物体は四次元の時空間に存在するのであるが、素粒子は、物理学者のいう「自由度」がもっと高い。そこで粒子は第五次元でどちら向きにも動くことができると考える。そしてある一つの方向に動けば正の電荷、反対の方向に動けば負の電荷をもつ粒子となる。

電気を帯びていない粒子は、四次元の時空間で最短距離（測地線）に沿って動く。帯電した粒子は、五次元の時空間におけるらせん形の測地線に沿って動くと考えてよいだろう。反対符号に帯電した二つの粒子が、一本道を動いてくるのは、逆の利き手構造をもつ二つの「世界線」の衝突である。二つの粒子がぶつかると、運動量は逆向きだから、互いに帳消しになり、両方とも電荷がなくなる。同じように、中性の粒子が電荷を得ると、その運動量によって他の粒子が反動を受ける。そしてその結果、正負の電荷をもった粒子に分かれると、逆の利き手構造のらせん状世界線が二本できる。

この理論は、重力と電磁気を統一しようとする試みの始まりであった。アインシュタインは晩年、この理論に取り組んだが、成果をあげるには至らなかった。ここではたった一つの力が想定されている。この力の波が、われわれになじみの深い四次元の時空において、測地線に沿って移動するときには、重力となって表現され、凝縮された第五次元の時空の中の超曲線のまわりをらせんの測地線に沿って動くと、電磁気力になる、というものである。(カルーツァ－クライン理論については、一般的な形で、34章でもう一度検討する。)

ところが、このクラインの理論に賛成する人はほとんどなかった。ただし、一九二〇年代の後半には、これについて活発な議論が行なわれることになったのである。(原注2)ウォルフガング・パウリと、パスカル・ジョルダンが、この理論の改良を試みた。アインシュタインもしばらくこれに関心をよせていたのであったが、結局反対するようになった。私がここでそれをいうのは、ヒントンの、相対論以前のいわばあらっぽい考えにも、高尚な数学的表現が与えられるということを示すためにすぎない。相対論的場の理論にも、正負の電荷を左右像の対であるとみなすものがいくつかある。(たとえばアーサー・エディントンが『陽子と電子の相対論』(*Relativity Theory of Protons and Electrons*, Cambridge University Press, 1936)ではじめて示した理論。)ただしこれまでのところ、そのような理論で満足すべきものはない。しかし、物理学者の中にはこう考える人も増えている。それは、そのような理論は全体として正しくないにしても、正負の電荷を鏡像にたとえるのは、その中にある真実の種子があるかもしれない。ちょうどそれは、巴《ともえ》模様の陰の黒の中にある陽の小さな白点のようなものだ、というのである。

ニュートリノと反ニュートリノとは、まさに互いの鏡像である。では、われわれがこの普通の巨視的な世界で知っている時空間とまったくちがった時空間を考えたとき、あらゆる粒子というものが、それの反粒子の鏡像だということがありうるだろうか。反物質というのは、普通の物質の全時空的構造が、あらゆる細部までも、鏡にうつったように逆になっているものであるということはありうるだろうか。

これらの問いに対して、はっきり「イエス」という物理学者はいないと思う。しかし、これがほんとうらしいという証拠がないでもない。一九五七年以来、いろいろな実験が行なわれたが、その結果によると、パリティ非保存の実験に用いた粒子に電荷の入れかえを施すと、この実験の左右の利き手型も反対になるのである。このことを理解するためには、呉女史がその実験を行なった実験室の壁が大きな鉛直の鏡になったと考えればよい。この実験で電子の放射に利き手型があったが、それが鏡の中では逆になる。この実験は鏡像と重ならない。しかし、鏡のあちら側で反呉女史が、反物質でできている装置や材料を使って実験していると考えると、電子の放射は逆方向になる。したがって自然の基本法則の対称性は、そのまま保たれることになる。

楊《ヤン》はこういっている。いま、鏡像の定義として、左右の逆転だけでなく、正負電荷の逆転をも含めて考えると、対称関係は成立する。この二重（空間と電荷）反転によって対称が保たれるということは、プリンストン大学のユージン・ウィグナーとソ連のL・D・ランダウによっても強調されている。[原注3] 楊も自分でよく承知しているのだが、彼の述べたのはただことばでいっただけのことであって、鏡の空間的逆転に電荷の正負の入れかえ（逆転）を重ねると、いったいなぜ対称が成立するのかということについては、何もふれていないのである。

もしも――このもしもは実にたいへんなもしもなのだが――電荷の正負のちがいがヒントンのいうように、何かの左右の区別だということになったら、楊によって新しく定義された複合反転の型というのは新しいものでも何でもなく、普通の、旧式の、ありきたりの鏡像反転にすぎないことになってしまう。ランダウは（原注3で引用した論文の中で）こういっている。「複合反転に対し相互作用が不変ならば、空間は完全に対称のままだが、電荷の符号だけが非対称になる。この電荷の非対称性が空間の非対称性に及ぼす効果は、化学的立体異性と同じことである。」これは電気量の保存という不思議を説明するのに、すこぶる有効ではあるまいか。電気の単位量というものが、安定な非対称性をもっているものであるならば、反対符号の電気には変われない。それは左手型のニュートリノが右手型のものに変われないのと同じことである。二つの相棒が出くわしたときにのみ消滅するのである。また創成するときも、必ず相棒といっしょである。

反物質というものが、反転物質であるならば、鏡の国のアリスの疑問――「あの鏡にみえるミルクは飲んで差し支えないのかしら」――に答えることができる。答えは、大声で「ノー」だ。アリスの手か唇かがそのミルクに触れようものなら、水素爆弾よりも大きな爆発をおこす。H・G・ウェルズの話に出てくるプラタナー先生は、かわいそうに四次元空間で反転して、この地球へたどりついた瞬間に、消滅してしまう。私がエスクワイア誌に書いた宇宙飛行士も、自分が反転しているかどうかを決めるのにパリティ検査をする必要はなくなる。もしも反転していたとするならば、その宇宙船が惑星に着陸した瞬間に、爆発してしまう。

ここまでくるといきのよい読者は、何か自転する球のような粗い物理像に基づいて、反物質の鏡像反転説を立てようという激しい誘惑に抗しきれないかもしれないが、ふみとどまらなくてはならない。そのような素朴な理論を立てるのはむずかしいことではない。たとえば、回転軸の一端はそれ自身小さな円を描いてまわっている、とさえすれば、ただちに四種の回転球を区別することができる。自転軸の端点は、球の自転と同じ方向にも反対の方向にもまわることができる。そしてこれら二つの状態にはそれぞれの鏡像がある。こんな物理像が粒子に応用できるだろうか。答えははじめから否、である。自転する球の描像は、量子力学のかわりにはならない。訓練された数理物理学者がちゅうちょしてあえてふみこまないところへ殺到しても、時間の無駄というものである。

パリティの破れをきいたとしたら、パスツゥールはどんなに喜んだことだろう。16章で述べたように、パスツゥールは本能的な強い予感をもっていて、宇宙の構造には根本的な利き手構造（ハンデッドネス）がいたるところにあると考え、それを証明しようと何年もかかった。現代の生化学者は、パスツゥールとはちがって有機分子の非対称性を説明するのに、そこまで深く考える必要があるとは思っていない。それにはもっと単純な、もっともっともらしい説明があるのであって、素粒子の非対称性や空間のねじれなどを引き合いに出すことはないのである。にもかかわらず、弱い相互作用の非対称性をつくり出すものが何であっても、それが原始的な有機化合物をつくるのに関係がなかったといいきることはできない。たとえば、自然にできた放射性同位元素から出るベータ線が原始的なアミノ酸に照射して、その結果どういう理由かによって、カイラリティ（旋回性）のかたよりができたのかもしれない。もしそうなら、こうして「左生命体」が宇宙全体に広がったのかもしれない。「右生命体」は、弱い力が反対向きにはたらく反物質の世界においてのみ可能なはずである。やがてわが太陽系の他の惑星や、大気をもった大きな衛星への探検が成功して、この問題の解決に曙光がさすということがあるだろう。たとえば宇宙飛行士が火星で右手型のアミノ酸をみつけたとすれば（地球上のアミノ酸は左手型）、粒子レベルの非対称性が、有機分子の利き手構造を決める一因子になるということを信ずるのがむずかしくなる。

（原注1）「スプリット君」という概念は、ずっと昔からある。古くはプラトンの『饗宴』（*Symposium*）の中に出てくるアリストファネスの愛についての有名な演説がある。ギリシ

ャ喜劇の作者であった彼は、原始時代の人間のようすを、全体が球形で、四本の手と四本の足をもち、首の上には顔が二つ、背中合わせについている、と表現している。性には三種類があった。つまり、両方とも男の場合、両方とも女の場合、それに男と女が一つのからだにくっついている場合である。この人間が神々に攻撃をしかけた罰として、ゼウスはこれらの人間のからだを、ちょうどリンゴを切るように、半分ずつに切ってしまった。分けられた二人が、もとのいっしょにいる状態にもどろうとする願望の表われが愛なのである。異性愛は、男‐女型の人間の子孫の愛の形である。同性愛の人びとは、男‐男型か女‐女型かどちらかの子孫である。そしてゼウスはいう。「もし彼らがまだごうまんなようであれば、また半分にして、一本足で跳ねまわらなければならないようにしてやる」と。(ここに、スプリット君の考えが入ってくる。)アダムとイブの創生に関するいろいろなばかばかしいいい伝えの一つに、タルムッドがある。これによると、アダムとイブはもともと肩でつながっていた。神はこれを分離して男と女をつくった、という。

フロイトは、『快感原則を越えて』(*Beyond the Pleasure Principle*)の中で、プラトンの神話の中には真実性が強く見られ、このことはプラトンよりも古い概念なのだ、と述べている。また、ウパニシャドの中にも、最初の人間の男と女は、原人間の左と右が分かれたものだ、と書かれている。キリスト教の神学者の多くは、性はアダムとイブの原罪の結果であると信じており、プラトンの神話を正しいと解している。「人間は、病に伏し、傷ついた、不調和な生き物である。どうしてそうなのかといえば、人間は性的な、つまり、二つに分けられて、全体性に欠け、本来の姿でなくなってしまった生物だからである」。これは、近代ギリシャ正教の神学者、ニコライ・ベルジャーエフが、『人間の運命』(*Destiny of Man*)の中で述べていることである。

プラトンの考えた、双頭の球形人の絵は、ラブレーの『ガルガンチュアとパンタグリュエル』(*Gargantua and Pantagruel*)の第八章、ブックⅠに、ガルガンチュアの飾り帽子として描かれている。ボームの『天の島』(*Sky Island*, Reilly & Britton, 1912)といういじわるが出てくるたいへん素晴らしいものであるが、その中に、Booloroo of the Bluesというおとぎ話はたいへん素晴らしいものであるが、その中に、自分の家来たち二人に罰を与えるのに「つぎはぎ」という鬼のように残酷な方法を使う。これが、つまり、二人の犠牲者を半分に切ってしまい、それぞれの右半分を、もう一人の左半分とのりづけしてしまうのである。

(原注2)カルーツァ-クラインの提唱した五次元の世界は、この世界が、より高次な世界の投影であると考えるプラトン派の人びとにとって強く訴えるところがある。四次元の世界が、昔の精神主義者たちにどのように受けとめられてきたかについては、すでに述べたとおりである。相対性理論以来、多くの神秘主義者たちがいう「もう一つ」の世界が、カルーツァ-クラインの五次元の世界だと考えられてきた。ジョン・グドルフィン・ベネットの三巻にわたる著書、『劇的宇宙』(*The Dramatic Universe*, Hodder & Stoughton, 1956)の第一巻にある「五次元の物理学」(Five-Dimensional Physics)を参照すると、カルーツァ-クライン説と、それがベネット流の神秘主義に果たした役割についての記述がある。これは、ベネット

が、L・ロン・ハバードやマハラジ大導師やサン・ムーン師が出てくる前としては、現代でもっともおかしな宗教運動であるサバド派に参加する前に書かれたものである。

（原注3）ウィグナーの論文、「相対論的不変量と量子現象」（Relativistic Invariance and Quantum Phenomena）（レビューズ・オブ・モダン・フィジックス誌、第二九巻三号、一九五七年七月、二五五〜二七八ページ）と、ランダウの「弱い相互作用の保存則」（On the Conservation Laws for Weak Interactions）（ニュークリア・フィジックス誌、第三巻、一九五七年、一二七〜一三一ページ）を見よ。

25　時間不変性の破れ

われわれはパリティが保存されないこと、つまり、われわれの銀河系には、粒子間の弱い相互作用に対して非対称なねじれを生じさせるような力が存在するということを知っている。反物質の銀河では、このねじれが反対向きになっているのであろうと考えることは、まさに理にかなっている。われわれは、少なくともニュートリノというタイプの粒子については、理由はよくわかっていないが六つの形態として存在し、そのおのおのが非対称な構造をもっていることを知っている。電荷の反転によってなぜ左右も転換しなければならないのかは、誰も知らない。空間自体が非対称であるという見方に対しては重大な異論がある。同様に、安定した非対称な構造の左右反転により正負の電荷を説明しようとするのも、たいへん困難である。左右の空間反転という純粋な意味で、物質の鏡による反転が電荷も反転するという見方も、今のところ根拠のない望みでしかない。

楊《ヤン》は、その著書『素粒子』（*Elementary Particles*, Princeton University Press, 1962）

の中で、電流を囲む磁界の中にある磁針が、対称でない動きをするのを監察したマッハのショック（19章参照）について述べている。楊は、物質の構造をさらに深く理解することにより対称性が回復され、この謎は解消したと指摘している。今日、物理学者たちは空間反転の謎や電荷の謎が、物質構造を一段とより深く理解することで同様に解消することを願っている。テラーは、一九五七年のスピーチで、「構造は複雑怪奇で入り組んでいる。けれども真に驚くべき構造は、いろいろの中間段階を経たあとで、この構造がまさかと思うような驚くほど単純な形で全容を現わす、ということではないか」と述べている。

一九六四年、この状況は単純化されるどころか、突然さらに複雑になってしまった。この年は、プリンストン大学の四人の物理学者が、もう一つの対称の法則である時間の不変性もまた、中性K中間子の弱い相互作用で破られていることを裏づける証拠を発見した年であった。

この発見のもつ途方もない意味合いを理解するために、われわれは少し話をもどして、パリティの非保存を、CPT定理として知られている基本的な対称の法則に照らして見てみる必要がある。Cは電荷（正または負の）(訳注1)の、Pはパリティ（左または右の）の、Tは時間（前向きまたは後ろ向きの）の反転をおのおの表わす。CPT定理によれば、いかなる自然の過程においても、もし三つの反転をすべて行なえば、結果は自然の過程の中でおこりうるできごとであり、どのようにしてももとの過程と区別がつかない。物理学者のいう「時間の反転」とは、粒子（もしくは波）の動く方向の反転を指しているにすぎない。コップ一杯のミルクをCPT反転したものは、すべての電荷が反転し（すなわち反ミルクとなる）、構造は鏡像になり、運動は方向がすべて逆向きとなる。C、P、Tすべての条件を含む記述によって説明されるミクロの世界のできごと（微視過程）を考え、そしてそれのおこりうる確率を考えてみよ。おのおのの条件の前には空間、電荷、時間の方向を示すプラスかマイナスの符号がつけられている。三つの符号をすべて反転させても確率は変わらず、新しい記述は自然界でおこりうるミクロなできごとを表わしているのである。

パリティ非保存以前は、たとえ符号を一つしか変えなくてもその結果の記述は自然界でおこりうる、と物理学者たちは信じていた。たとえば反転したミルクは電荷が反対なだけで、やはりミルクとまったく同じであるはずであった。鏡で反転したミルクはやはり同じミルクであり、ただ、幾何学的構造が反対向きなだけである。時間の反転したミルクもまた、粒子がすべて後ろ向きに動く以外はやはりミルクであることにちがいはない。物理の法則とは、ある数学的な記述の中で時間だけを反転させても、観察可能な何かの記述になるものだ、と考えられていたのである。

一九二七年にアーサー・スタンレー・エディントンは、「自然の法則は時間の方向には無関係である。過去と未来のちがいは、ちょうど右と左がちがう程度の意味しかない」と述べた。

パリティ非保存はたしかに驚きではあったが、パリティの反転には電荷の反転が伴わなければならない、という発見によって宇宙の対称性はすばやく復元されたのだった。物理学者がいうところのCP鏡、すなわち電荷とパリティを同時に反転させる想像上の鏡、によって反転されている以外は、われわれの銀河とそっくりな反物質の銀河は、現に存在するか、もしくは理論的に存在しうるのである。

一九六四年のプリンストンでの実験は、CP対称が破られる弱い相互作用についてであった。このことのもつ意味合いは、はかり知れないものがある。というのは、CPT対称を維持するには、もはや時間の不変性も破られる、ということを前提にしなければならないからである。この考え方の根拠の説明として、読者は次にあげるサイエンティフィック・アメリカン誌の記事三編のいずれかを参照されることをおすすめする。ユージン・P・ウィグナー「物理における対称性の破れ」(Violations of Symmetries in Physics)(一九六五年十二月号)、オリヴァー・E・オーヴァセス「時間の反転に関する実験」(Experiments in Time Reversal)(一九六九年十月号)、あるいはもう少し軽い拙文、「時間は後もどりできるか」(Can Time Go Backward?)(一九六七年一月号)である。

私はこのことを、小さなジグソー・パズルの三つの小片にたとえて説明した。正方形を三つの同じ長方形に分けたものを想像してほしい(図82、左)。おのおのの長方形がC、P、Tである。正方形は左右対称であるし、長方形もしかりである。長方形をどれかひっ

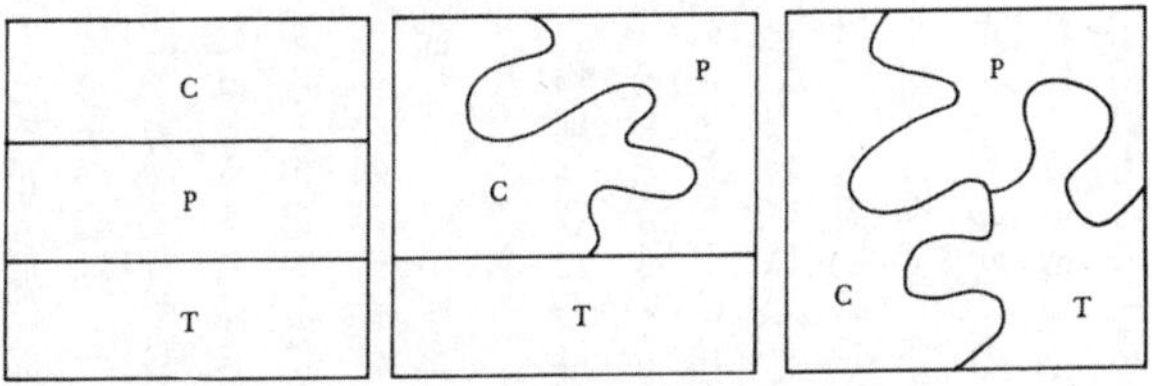

図82　CP対称性の破れがT対称性の破れを意味することを説明するジグソー・パズル。

くり返して（鏡像反転して）も正方形におさまる。形が変わっていないからである。この絵は、一九五七年以前に物理学者たちがもっていたC、P、T観を象徴的に表わしている。

一九五七年にパリティ（P）が保存されないことが発見された。われわれはPの小片を非対称にして、このことをモデルに表現した。もしCとTとを変えないままでおくと、Pが非対称であることによりCPTの対称が破られてしまう。なぜだろうか。鏡により反転した場合に全体のパターンが同じになるような、三つの小片の並べ方がないからである。

図82のまん中の絵は、CPT対称性を保存するために物理学者が考えたモデルである。電荷（C）の対称も時として破られることが実験でわかっていた。われわれのモデルではこのことを、Cを対称でなくしかもやはり対称でないPとうまくかみ合ってより大きな対称の長方形をつくるような形にしたもので表わした。CとPとをいっしょに反転するこの「CP鏡」による反転により、CとPとをあわせた形は変わらずに維持されている。CとPの長方形を反転しても、ちゃんと

もとの正方形におさまっている。

第三の絵は、一九六四年の実験でCPの形もまた対称でないということが示されたあとに、物理学者たちが考えたことを絵にしたものである。CPTの正方形の対称を維持するにはどうすればよいのだろうか。第三の小片、すなわちTも、他の小片と同じく非対称であると想定することによってのみ可能であるのだ。第三の絵では、どの小片も、どの小片二つの組み合わせも、ひっくり返すと全体の対称が破れてしまう。しかし、お互いに組み合わさった小片三つを反転させても、正方形は正方形のままである。CPT対称性は維持されたのである。

物理学者たちは、Tがおかしな形をしていることを実際に見たわけではない。まだ、というほうがよいかもしれない。けれども、CとPの組み合わせによってできたおかしな形を見たあと、CPTの対称性は維持されなければならないという前提をすると、Tも非対称でなければならないと結論せざるをえないのである。物理学者たちは、ミクロの世界では、まだ説明のつかない理由によって、自然は時として過去と未来とを区別することがある、という驚くべき事実を受け入れざるをえなくなった。エディントンが時間の「矢」とよんだものが、ある種の弱い相互作用の中に現実に埋め込まれているのである。いいかえればこうである。宇宙のすべての素粒子の電荷を反転し、全部を鏡で反転してしまうと、宇宙はもとの宇宙と同じ動きをしなくなる。宇宙にもとどおりの動きをさせるには、時間の向きも変えなければならない。物理学者たちがCPT鏡とよぶ魔法の鏡、すなわち三つの対称性を一度に反転するような鏡に、すべてをうつした状態を考えなければならないわけである。

このことは、オズマの問題と関連づけて考えるとどうなるだろう。われわれが、たとえ反銀河にいる人と交信しているとしても、左と右について共通の理解に到達することができる、ということを意味しているのである。CP対称性の破られている実験を参照しあいさえすればよい。もちろん、これにはもう一方の銀河においても、時間がわれわれの銀河と同じ方向に向いていることが前提となる。なぜならば、時間の方向が反対の銀河とは通信すること自体不可能だ、という前提に立つのがもっともらしいからである。

物理学者たちがCPT対称性を維持しようと躍起になっているのは、ただ対称性が好きだからなのではない、ということを理解することが重要である。たしかに、この宇宙全体が基本的なところでいびつであると考えるのは、美しくもないしまた不満足である、と考える物理学者たちも大勢いる。けれども、CPT対称性を保持したいという願望はもっと根本的なところに根ざしている。CPT定理は相対性理論の基礎に深くかかわっているので、これが真実でないということになると、物理学の理論全体がめちゃくちゃになってしまう。アブラハム・パイスがいったように、「すべてがてんやわんや」になってしまうのである。

現状はこうである。ミクロの世界のできごとが後ろ向きには進まないということの直接の証拠が見つかったわけではない。CP対称性が、ある種の相互作用においては保持されないことはわかっている。CPT対称性が保存されることを前提とすれば、CP対称性の破れはTの対称性も破れていることを暗示させる。CP鏡を保存するには、非対称なTと組み合わせる以外にはないように思われる。

これらのことのもつとてつもない意味合いについて探求する前に、あの歴史的な一九六四年の実験についてもう少しくわしい事情を述べておくのも興味深いであろう。プリンストンの四人の物理学者たちは、ヴァル・L・フィッチとジェイムス・W・クローニンとの指揮のもと、ブルックヘヴン国立研究所で仕事をしていた。ジェレミイ・バーンスタインの言によれば、彼らは「シータ－タウの謎を生み、そこからパリティ非保存のきっかけになったあのみじめなK中間子」を使っていた。中性K中間子は、予想されたようにパイ中間子三個に崩壊するばかりではなく、約五〇〇回に一回の割合で電荷が反対なパイ中間子二個に崩壊したのであった。中性K中間子は−1のCP値をもっている。パイ中間子二個は+1のCP値をもっている。−1のCPの値をもった状態が+1のCP値をもつ状態になったので、CPの不変性が破られたのである。一九八〇年、フィッチとクローニンはこの功績によってノーベル賞を受賞した。

一九六六年に、パオロ・フランジーニとその妻ジュリエット・リーが、やはりブルックヘヴンでより強いＣＰ非対称性を報告した。このときは電磁場の関係した事象の中でおきた。中性のエータ中間子は光子のように、それ自身、自分の反粒子でもある。したがって、光子と同じく物質も反物質もまったく同一である。寿命の短いエータ粒子（研究室の中では一秒の一〇億分の一のそのまた一〇億分の一しか存在しない）は三個のパイ中間子に崩壊し、一個はプラス、一個はマイナス、一個はゼロの電荷をもつ。フランジーニ夫妻はプラスのパイ中間子のほうが、反粒子（マイナスのパイ中間子）よりもエネルギーが大きかった（電磁場でより速く動いた）と報告したのだった。これはＣＰ対称性に反するから、（前に述べた理由から）Ｔの対称性も破れていることを意味することになる。この結果は粒子物理学における画期的なできごととして大々的に報道された。

　ところが、一九六六年が終わらないうちに、ジュネーブにある欧州合同原子核研究所（ＣＥＲＮ《セルン》）でエータ粒子の崩壊実験が繰り返されたが、ＣＰ対称性の破れは発見されなかった。ＣＥＲＮの科学者たちは、フランジーニが電荷をもつパイ中間子の動きを観察した磁場が均等でなかったのだ、という主張をした。このような偏向を避けるために、彼らは同じ時間間隔で場を連続的に反転させた。最終結果は（フランジーニの発見について）否定的であり、物理学者たちは、電磁相互作用ではＣＰの対称性は破られていないという見解にもどったのでほっとしたことであった。

　中性Ｋ中間子の相互作用においてＣＰ対称性の破れをおこす原因が何であるかについて

は、物理学者たちの間で意見が分かれている。しばらくの間、「ミリウィーク・フォース」という普通の弱い力の千分の一の大きさの力が提唱されていた。しかしこの力は十分に弱くなく、他の相互作用にも現われてしまって、うまい説明にはならなかった。ロバート・アデアはその著書『偉大なるデザイン――粒子と場と創造』（*The Great Design: Particles, Fields, Creation*, Oxford University Press, 1987）の中で、また論説、「宇宙鏡の欠陥」(訳注2)（A Flaw in the Universal Mirror）（サイエンティフィック・アメリカン誌、一九八八年二月号）の中で、普通の弱い力の一〇億分の一である「スーパーウィーク・フォース」を提案した。彼は、このスーパーウィーク・フォースがCP対称性の破れの原因になるかどうか、現在進められている実験について議論を展開し、二、三年後にはいずれかの結論が出るだろうとしている。

(訳注1) C変換による電荷の反転はその結果であって、実は粒子・反粒子の入れかえである。

(訳注2) 邦訳は「宇宙をつくった対称性の破れ」、日経サイエンス誌、一九八八年四月号、に所収。

26　反物質

さていよいよ、物理学者や宇宙論学者を何十年もの長い間悩ませてきた一つの疑問を呈するときがきた。もし反物質がこの宇宙に存在しうるのであれば、いったいそれはどこにあるのだろうか。この答えはまだ想像の域を出ていない。どのＧＵＴ（Grand Unification Theory, 大統一理論）やＴＯＥ（Theory of Everything, 万物の理論）を受け入れるかによって大きく変わってくるのである。以下に、これまでに発表された七つの憶測を紹介する。

１　われわれの見ている銀河の半分が反物質でできている。たぶん、銀河の中の星の半数すらもが反物質である。光を運ぶ粒子である光子は、それ自体自分の反物質であるから、われわれは銀河を見ているのか反銀河を見ているのか、あるいは恒星を見ているのか反恒星を見ているのか区別がつかない。ポール・ディラックは、一九三三年のノーベル賞受賞記念講演でこう述べている。

もし、われわれが自然の法則に関するかぎり、正負の電荷が完全に対称であるという見解を受け入れるならば、地球(そしておそらくは太陽系全体)では負電荷の電子と正電荷の陽子とが優勢を占めているということが、いわば偶然としておこっているのだと考えなければならなくなる。どこかの星ではこれがまったく反対、すなわち、そこでは主に正電荷の電子と負電荷の陽子とで構成されている、ということもありうることである。実際、両方の星々が同数ずつ存在していることだろう。両方ともまったく同一のスペクトルを示すだろうから、現在知られている天文学的方法では、この二種類の星を区別することは不可能である。

一九六〇年代後半においてこの説を唱道してきた人に、スウェーデンの天体物理学者ハンネス・アルフヴェンがいた。彼はフレッド・ホイルのようによく少数派の学説を支持する傾向があったので、仲間からは異端者と見られていた。彼は、「反物質と宇宙論」(Antimatter and Cosmology)(サイエンティフィック・アメリカン誌、一九六七年四月号)という論文とそれより以前の著書『世界・反世界』(*Worlds-Antiworlds*, W. H. Freeman and Company, 1966)の中で、24章に出てきたスウェーデンの物理学者オスカー・クラインがもともといいだしたメタ銀河理論を敷延した。この説によれば、ビッグ・

バンによって同数の物質と反物質が生成され、それがやがては二種類の星に凝縮したというわけである。

今日ではこの説をとる宇宙論学者はほとんどいない。宇宙ではあちこちで銀河どうしがぶつかり合っている。もし、どれかの銀河が反物質でできていて相手の銀河が物質でできていたならば、粒子と反粒子が互いに消滅する際に発生して放射されるガンマ線が大量に検出されるはずであるが、そんなものは発見されていない。さらに、宇宙にはたくさんの塵があふれており、お互いに入り乱れ、ぶつかり合っている。これらも、もし物質と反物質が混じっていたなら、やはりガンマ線の放射が発生するはずである。今日、天文学者は自分たちの見ている星々は恒星であって反恒星ではないのだ、とほぼあまねく確信している。

2　物質と反物質は、まだ解明されていない過程によっておのおのの銀河の中心で同量ずつ生成されている。物質は外側にはき出されて銀河の星々となり、反物質は中心部に集まってしまう。この説だと、クェーサー（準星）にみられる驚くべきエネルギーについても説明が容易にできそうである。フレッド・ホイルが一九六〇年代後半におけるこの説の唱道者であった。この考え方に沿った思惑が今でも続いてはいるが、これを支持する証拠は何ひとつとして、糸口すら見つかっていない。

3　おそらく物質と反物質とは互いに反発し合うのであろう。ほんの短い間、この反発力が反重力なのではないかと考えた物理学者もいたが、反重力の考え方は一般相対性理論に反することが明らかとなり、この説は放棄された。負の質量というものがあるとすれば、正の質量を反発して退けるだろうという憶測があった。その逆に、正の質量は負の質量を引きつける。その結果、負の質量は正の質量を追いかけるが、追いつくことはない。この実りのない追いかけっこが続く間中、速度が増し続けることになる。(これが利用できれば宇宙旅行にはたいへんな恩恵のはずである!) このシナリオそのものが相対性原理に反するわけではない。けれども、現在ではしっかりと受け入れられている「正エネルギーの原理」では、負の質量が存在しうることを否定しているのである。物質も反物質も双方正のエネルギーをもっていることはまちがいないから、両方とも正の質量をもっているはずである。いずれにしても、負の質量の可能性は、反物質が見つからないことの説明と何ら関係のないことである。

しかしながら、まだ知られていないある種の反発力がビッグ・バンのあと、宇宙を引き裂いて、物質でできた部分と反物質でできた部分とに二分した、ということは考えられないことではない。一九五六年、まだパリティ非保存の以前に、いちはやく物理学者モーリス・ゴールドハーバーは、時間が始まったときには「ユニバーソン」があった、と想像していた。それがL・フランク・ボームのスプリット君のように半分に割れて、「コスモン」と「反コスモン」とになった、というのである。これらは互いに反発し合って、とてつもない速さで離れていった。そして何十億年という時間を経て、それぞれが宇宙へと進化していったというのである。

われわれはコスモンの中に生きている。われわれの観察できない、はるか永遠の彼方のどこかに、すべてが反対向きの巨大な反コスモンがある。存在の全体がそれ自体、一つの巨大な、再び融合することのないスプリット君なのである！　この考えは当時、一部の科学者とSF作家たちの好奇心をそそったが、今日では本気でこの説を考える宇宙論学者はいなくなっている。

4　宇宙が最初に大爆発をしたとき、単なる偶然で物質のほうが反物質よりもわずかに多く生成された。コインを空中に一〇億回投げ上げたとすると、まったく正確に、その半分の回数だけ表を向いて落ちてくるということはなかなかおこりにくい。コインにとくにかたよりがあるわけではないのにである。（われわれは、これと同様に、生命が地球上にはじめて発生したとき偶然の作用で、あるカイラリティ（旋回性）のアミノ酸が逆のカイラリティのものよりも多く存在するようになった事実を見てきた。）同数の粒子と反粒子とが消滅したあと、残ったほうの種類が進化して今の宇宙になった。この説には重大な難点がある。とくに、バリオン（重粒子、クォーク三個からなる粒子）とビッグ・バンのあと残された背景輻射の中に見られる光子の比の説明ができない。

5　宇宙創成のとき、物質と反物質とは同量形成された。けれどもGUTごとに、TO

Eごとに異なる理由により、この対称性がその後破れた。その結果、物質のほうが反物質よりも多くつくられるような相変化がおこった。粒子と反粒子が互いに消滅し合って、多くあった物質のほうが残って現在の宇宙になった。

宇宙が急激に冷えてくるにつれ対称性が崩れたという考え方は、専門知識がなくても容易に理解できる。普通の水を考えてみよう。どんなふうに回転しても同じように見える、という点で完全な対称性をもっている。けれどもある一定の条件のもとで凍ると、とても驚くべき、かつ楽しいことがおこる。もとの対称性が破れてもっと低い対称性に移り、美しい六角形の雪の結晶が出現するのである。

破れた対称性のモデルとして科学読み物などでよく引用されるのが、メキシカン・ハットを縁を下にして机の上にのせ、ビー玉を頂上に一つのせた例である。帽子とビー玉を組み合わせた構造は放射対称になっている。つまり、垂直の軸に対して回転をさせても、その形態は変わらない。けれどもビー玉は不安定で、いったん帽子の縁に転がってしまうと放射対称性は破れてしまう。しかし、(より低次の)反射対称性は残っている。丸いボウルに入れたスープのまん中にコルクをおくとどうなるだろうか。表面張力は不安定だから、コルクはボウルの片方に寄ってしまって放射対称性を壊してしまう。

アブドゥス・サラムは、カイラリティが自然に入ってくるように対称性の破れを説明するのを好んだ。彼は丸いテーブルにn人がすわって、おのおのが自分のディナー皿をまん前においている、と想像する。それぞれ隣り合ったディナー皿のちょうどまん中には、サラダ用の皿がおいてある。この構造は鏡像対称になっている。けれども、宴の女主人が、自分の右か左、どちらかにあるサラダ皿を自分のものと決めて、ディナー皿の左なら左に近寄せたとすると、n人の客は皆これにならわなければならなくなる。反射対称性は破れてしまうのである。このテーブルには、ちょうどn本の腕をもったまんじのように「利き手構造」（ハンデッドネス）ができてしまうのである。テーブルをめぐって、時計回りか反時計回りのカイラリティができあがる。

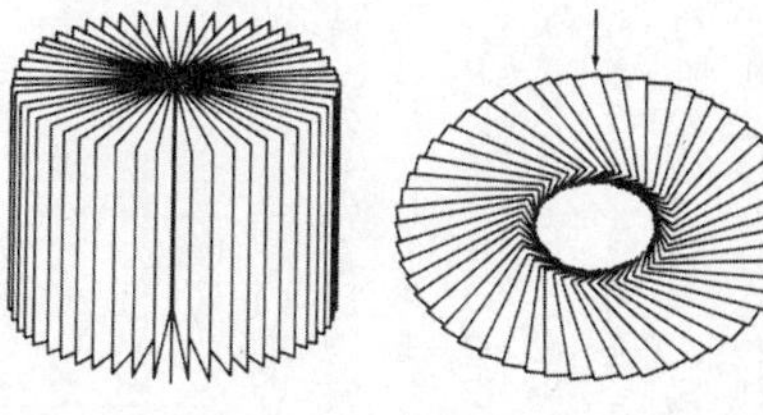

図83　トランプ・カードを用いた、破れた対称性のモデル。

対称性が破れるモデルとして、私の道楽のトランプ手品を使うのが私のお気に入りである。もしあなたがとても慎重でかつしんぼう強ければ（それでも友人の助けを借りることを勧めるが）、図83のように一組のトランプを縦長に立てて、放射状に並べてみるとよい。さて拳でテーブルをたたいて「ビッグ・バン」をおこしてみよう。対称性は破れ、右の図のようにカードは倒れてきれいなロゼッタ模様になる。このとき、右向きのカイラリティをもつか、左向きのカイラリティをもつかは五分五分の確率をもっている。

同様に、われわれの住む宇宙も、開闢《かいびやく》初期のまだ熱いときには物質と反物質に関して対称性を維持していた。だんだん冷えるにつれて対称性が崩れたのである。物質の世界になるか反物質の世界が残るかは、五分五分の確率であった。当然われわれは自分の知っている世界を「物質」とよんでいるが、事態はまったく反対のほうになっていたかもしれないのである。その場合でもわれわれは残ったほうを「物質」とよんで、それと反対の利き手構造のものを反物質と名づけたことだろう。

一九六七年、まだGUTが提唱されないうちに、ロシアの物理学者で反体制政治家のアンドレイ・サハロフは相変化と陽子が過剰であることとを関連づけた。ここで専門的に立ち入ることはしないが、宇宙が冷えるにつれて、一〇億個に一個くらいの割合で陽子のほうが反陽子より多くなることがありえた。陽子・反陽子の対が互いを消滅し合ったあと、ほんの少量残った陽子が現在の物質の宇宙を形成したというのである。原始の火の玉の名ごりとしてわれわれが今日見ている背景輻射は、この陽子・反陽子の消滅によって作り出された光子であるのかもしれない。このようにサハロフの理論は、マイクロ波放射と宇宙に物質しか残らなかった事実との両方を説明したのである。

サハロフのもともとの理論が後のさまざまなGUTによってどう洗練されていったかについては、ここでくわしく述べることを要しない。シェルダン・グラショウがその自伝『相互作用』(*Interactions*, Warner, 1988) でそのような理論の一つについて以下のように書いている。

昔々、眼に見える宇宙はとても熱く、ピンの先ほどに小さかった時期があった。とてつもない高熱がいろいろな種類の粒子と反粒子とを生み出した。そのとき、物質と反物質とはまったく同じ条件のもとに存在していた。おびただしい量の物質と、これとまったく同量の反物質が存在していたのである。クォークが一つあれば、対応する反クォークが一つあった。そこにサハロフのメカニズムが作用して、物質と反物質との間にわずかな非対称性が生じてきた。一〇億個に一個か二個の割合で、クォークのほうが多く存在するようになった。宇宙が冷えるにつれて、反クォークはそれぞれ相手のクォークと組み合って互いに消滅し合い、後にはほんのわずかのクォークのみが残った。こうして残ったクォークが三個集まって、今日の宇宙を主に構成している核子となった。

これらはいずれも、CP対称性の本質的な破れがなければおこりえなかったことである。しかもこの理論のもつ属性は、少なくとも三つのフェルミオン族の存在に依存しているように思われる。ここにストレンジネス（疎遠度）とチャーム（魅惑度）、トップ（上）とボトム（下）、ミューオンとタウオンの重要な、しかも基本的な役割がある。これらがなければ、宇宙には物質と反物質が同量存在し、これらがとっくの昔に互いに消滅し合っていたにちがいない。そうすれば、この天空には地球も太陽も星もなかったであろう。チャーム君、ありがとう。そして君の友人たちにもお礼をいおう！

スチーブン・ホーキングは、『時間の小史』(訳注1)（*A Brief History of Time*, Bantam, 1988）の中でこのように書いている。

> たしかに、時間が前進し宇宙が膨張している初期の宇宙では、宇宙はT対称性に従っていない。もし時間が後もどりしていたなら、宇宙は収縮してしまうから。T対称性に従わない力があるおかげで、宇宙が膨張するにしたがい、電子が反クォークになるよりも反電子がクォークに変成するほうが多くなったのである。その後宇宙が膨張し続け、冷えてくるにしたがって、反クォークはクォークと消滅し合った。それでもクォークのほうがわずかに量が多いから、その少量のクォークが残った。この生き残りのクォークから、今日われわれが目にする物質や、われわれ自身ができあがってきたのである。このように、われわれの存在そのものが、定性的にすぎないが、大統一理論の確証であると考えることができるのである。不確かなのは、相互消滅のあと、どのくらいのクォークが残ったのか、あるいは残るのがクォークであったのか反クォ

ークであったのかが予測できないことである。（そうはいっても、もし残ったものが反クォークであったならば、われわれは単にいま反クォークといっているものにクォークという名前をつけ、クォークを反クォークとよんだことだと思う。）

これらの引用からは、グラショウやホーキングが、ＣＰの法則が単に対称性の破れの結果としておこったと考えているのか、それともロジャー・ペンローズ（以下の「６」を参照）がいうように物理の法則そのものに基本的な非対称性があり、それによっておこったものと考えているのかまでははっきりしない。たぶん、グラショウもホーキングも、この点についてはどちらとも決めかねているのであろう。

ＣＰの法則の破れの説明がどちらであるにせよ、もしこれがおこっていなければ物質と反物質とは互いに自己破壊し合って消滅し、後には種々の粒子がただひたすらに外側へと果てしない放浪を続けていただけであることを想起しておくことは意味がある。この観点からすれば、あなた方やわたしを含めて、宇宙の存在そのものが、ＣＰ法則の破れのおかげなのである。

６　ビッグ・バンで、物質が反物質よりも多く生成されたのは、単なる偶然でもなければ、対称性の破れでもなく、まだ判明していないけれども根底にある非対称な場によるものである。これは、前章で述べたように、左巻きのニュートリノやある弱い相互作用におけるCP対称性の破れの原因として、ロバート・アデアやその他の人たちが探しているスーパーウィーク・フォースかもしれない。あるいは、より深いレベルでの非対称性であるのかもしれない。

「より深い」非対称性を提唱している学者の中で指導的な人物が、イギリス、オックスフォード大学の数学者であり物理学者、特異な宇宙論学者でもあるロジャー・ペンローズである（図84参照）。彼は、反物質が存在しないことが、単に対称性が破れた結果のみによるという考えに疑問を呈している。相対性理論と量子力学両方の根底となっている時空よりさらに根本的なレベルにおいて、「ツイスター・スペース（ねじれ空間）」という非対称な幾何学的構造があるのだと指摘するのである。

図84　ロジャー・ペンローズ（マイケル・シンプソン撮影）。

ツイスターはペンローズ自身の発明である。今では主にオックスフォードでの彼の学生や同僚を中心に、かなり多くの学者がこのツイスターに取り組んでいる。この理論に関する専門的論文も増えてきているし、研究者が新しい展開について遅れをとらぬように、オックスフォード大学数学研究所が「ツイスター・ニュースレター」を発行するほどになっている。実際、ツイスター理論は、この本の最終章で紹介するスーパーストリング理論のライバルになりつつある。ツイスター理論がスーパーストリング理論と合体して、今のところスーパーストリング理論に欠如している幾何学的背景を提供してくれるのでは、という期待すらもたれている。

ツイスターは、ポール・ディラックによって物理学に導入された、スピノルという抽象的な幾何学的対象を一般化したものである。スピノルは相対性理論と量子力学において、素粒子や原子のスピンを表わすという役割を果たしている。ツイスターは質量のない粒子の運動とスピンを定義する数学的構造である。ツイスターは複素四次元空間における「点」を与える。(実数でいうとこれは八次元の空間に相当する。)ペンローズは、複素数それ自体たいへん強力な生命力をもっていると確信している。複素数は実数と同じくらいに「実在」するのであって、相対性理論、量子力学、あるいはいつの日か両理論を包含するようなより基本的な理論を理解するためには、絶対不可欠のものなのである。

ツイスターは通常の三次元空間では図85に示したペンローズの概念図のように、お互いが入り組んだドーナツ形の系にのった円の、ねじれた一群として描くことができる。図は、一群の点が光の速さで、それぞれが突き抜けようとしている円に接する方向に直線運動をしていることを示している。この系全体もまた、図の上の矢印で示した方向に光の速さで動いている。時間がたっても、この全体の配置はその形を変えることはない。これは、質量をもたない古典的な粒子の角運動量のテンソルが、原点のとり方が変わるにつれてどう変化するかを示している。

ツイスターは、特殊相対性理論の時空と同等な古典的時空の記述をすることができる。けれども、十分に小さな尺度においては、この時空点の概念はツイスター理論の複素数空間の中に蒸発してしまうのである。点のかわりに光線をモデル化したツイスターの交わりがある。これらの交わりは幾何学的な点ではなく、不確定性原理によって「ぼかされた」ファジー（あいまい）な領域なのである。

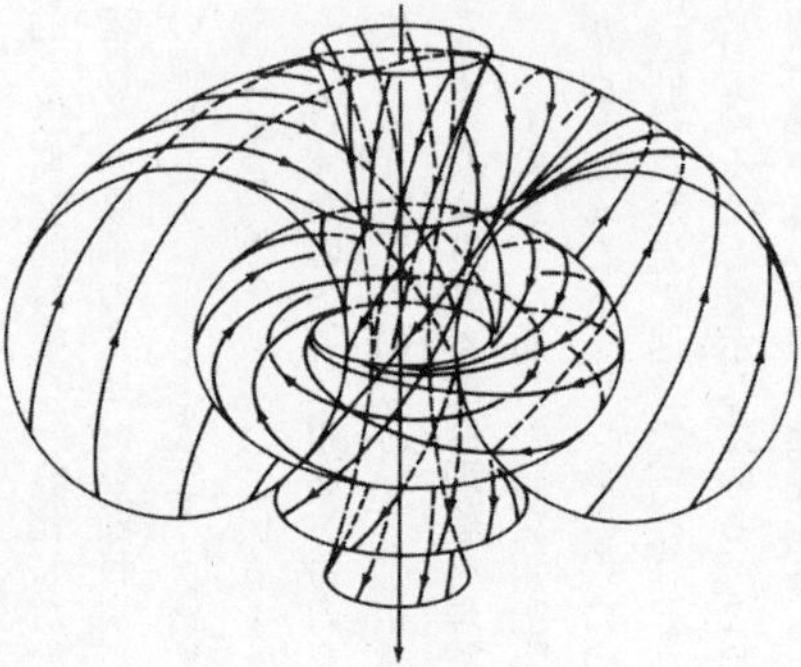

図85　ツイスターの模式図。

現在進行中の「ツイスター粒子計画」（TP P）によって、いろいろな説が考えられている。いずれ、これらのどれかが実を結ぶかもしれないし、そうでないかもしれない。光の速さで動く質量のない粒子、すなわち、光子、ニュートリノ、重力子のたぐいは、今のところ一個のツイスターによってモデル化されている。質量のある粒子は複数のツイスターによって定義される。二個のツイスターは電子やその他のレプトンを記述する。陽子、中性子、その他のハドロン類は、三個のツイスターによって定義される。チャームをもつ粒子のようによりエキゾチックな粒子は、三個以上のツイスターでモデル化される。これらの考え方の魅力的な点は、標準的な素粒子論の対称群が、とくに別の仮定をもちださなくとも、自然にでてくる点にある。

いろいろの力はツイスター空間の歪みと考えられる。たとえば重力子はわれわれが重力とよんでいる時空の歪みをつくりだす。ペンローズは、もし重力子が時空を歪めることができるならば、それがねじりの運び手であるにちがいない、と考える。名前が示すようにツイスターはヘリシティ（巻き型）をもっていて、粒子にカイラリティ（旋回性）が生ずるもとになり、また、おそらく弱い相互作用におけるパリティの破れの原因となる。さらに、たぶん電荷の正負の区別もこれに起因すると考えられ、また、時間の一方通行性もこれによるのかもしれない。ツイスターは光の速さで運動し、縮んだり伸びたりでき、また進みながら右にねじれたり、左にねじれたり、あるいはどちらにもねじれないこともできる。いいかえれば、ツイスターは宇宙の裏側であると考えることもできるし、粒子、場、あるいは時空そのものすらをも構成する基材として考えることもできるのである。

マックスウェルの電磁気の方程式、相対性理論の大部分、粒子のエネルギー・運動量・スピン、ヤン－ミルズのゲージ理論、クォーク理論、これらのすべてが、ツイスター理論から自然に引き出されてくる。ペンローズとその協力者たちは、主にツイスターを、粒子の広く受け入れられていて有用な通常のモデルにあてはめることに関心を注いでおり、GUT（大統一理論）や、TOE（万物の理論）といった、より思弁的な推測にあてはめることにはあまり注意を払っていなかった。スーパーストリング理論（超弦理論）と同様、ツイスター理論も粒子論を悩ませた無限大を排除する。この理論の擁護者たちは、スーパーストリング理論家と同じように、理論があまりにも整然として美しいので、少なくとも部分的には、正しくないはずがないと確信している。

もちろんペンローズは、数学的にエレガントなだけでは理論として実り多きものでないことを承知している。経験的なテストに耐えうるものでなければならない。スーパーストリング理論同様、この理論では粒子の質量の値や、力の強さについて、説明はまだできていない。また、今日の技術で験証できるような予測をすることもできてはいない。けれどもいずれ、ツイスター理論が実証可能な予言を行なうこともありうるわけで、ペンローズはそれを期待している。

ツイスターは「実在」するのだろうか。これは惑星の楕円軌道が実在するのかというのに似て、質問自体があいまいである。答えは、答える人の数学に対する態度・哲学によって変わってくる。そのような形而上学の疑問について悩むよりもむしろ、ツイスター理論を純粋数学と相対性理論、量子場の理論への応用の両方に有用な、新しい数学的技法、あるいは新しい数学的定式化として考えるのがよい。この理論は標準理論を変更するのではなく、再定式化し直す新しいやり方を提供するのである。この再定式化によって物理の理論が実証に耐えられるように変わるかどうかは、まだこれからの研究を待たなければならない。

一九八七年にペンローズは、ドイツの数学者ヘルマン・ワイルをたたえて開かれたデューク大学のシンポジウムで「物理法則における基本的な非対称性」と題した講演をした。この中でペンローズは、ワイルが基本粒子が左右対称でない可能性について指摘したことについて言及した(原注1)。このワイルの主張は、左右対称性に執心していたウォルフガング・パウリをたいそう怒らせた。パウリはこのような粒子に関するワイルの方程式を「無益」と酷評した。けれども、パウリがはじめてその存在を予言したニュートリノが、パウリが酷評したこのワイル方程式で記述されるようになったのはまことに皮肉であった、とペンローズは述べている。

ＧＵＴ諸理論の中でむずかしい問題は、ビッグ・バンの直後には存在していたはずの完璧な対称性が、反物質を排除するような形でどうして破れたのかを説明することにある。ツイスター理論においてはこの難問はあまり深刻ではない。なぜならば、電荷、時間、パリティの対称性の破れがツイスター空間の中に組み込まれているからである。ペンローズがある講演（この講演は著者自身も直接聴く栄に浴したのであるが）で述べたところでは、この理論の難点は、宇宙にあまりにも多く存在する対称性をどう説明するかにある、というのである。ペンローズは、前述のようにCPT理論の破れは「物理学をてんやわんやにしてしまう」というアブラハム・パイスの見解とは意見を異にしている。いま調べている宇宙において十分に高度な正確さでCPTを保存できればそれでよいのだ、というのがペンローズの主張である。

ペンローズは自分の講演の中で、「われわれは、基礎的なレベルにおいて、CPTのもとで、あるいはこれら三つの自明ではない組み合わせのもとで、不変でないような物理の基本理論を与えることができるだろうか」という質問を投げかけ、自分でこう答えている。「私の意見では、そのような理論が究極には必要になるだろうと思う。」CPT定理はその一つもしくは複数の仮定がまちがっていないかぎり、まちがいではありえない。今ではまちがいであるとわかっている仮定の一つに、時空は平ら、すなわち曲率がゼロであるというものがある。ペンローズは、CPT定理がいずれは量子重力によって破られると確信している。彼のツイスター理論は電荷、カイラリティ、時間に関して非対称的である。彼によれば時間の方向は、ビッグ・バンのあと宇宙が獲得した特性なのではなく、原始の真空の構造そのものの中に埋め込まれていたのだ、というのである。

量子的な測定が系の波動関数をつぶしてしまうといわれているときに、確率の計算がなぜ、「通常の未来に向けてなされた場合にかぎり、不思議なくらいにうまく機能し、観測した事実とも矛盾しないで完全に一致するのに、過去の方向に応用すると、まったくまちがった答えになる」のかについて、時間の矢がうまく説明してくれるとペンローズは確信している。

手短にいうと、ペンローズの宇宙はもっとも基本的なレベルで両手利きではないのである。今のところこの見方は、物理学者の間では少数派である。なぜならば、物理学者にとって、対称のほうが非対称よりもエレガントで美しいと見えるからである。別の見方をすれば、完璧な対称性は何か醜く、退屈ではないだろうか。もし偉大な美術や偉大な音楽が非対称でありうるのであれば、宇宙もまた非対称であってなぜいけないのであろうか。雲一つない青空のほうが夕焼け空より美しいであろうか。タムタムのリズムよりメロディのほうが心地よいであろうか。ペンローズは、講義の結びとしていう。「私の見解では、技術的難点は別としても、基本的に非対称な方法のほうが結局は有用であると考えている。多くの努力、洞察、そして幸運に恵まれて、いずれ時のみが解決するであろう」。

本書の巻末に掲載した文献案内の中に、ツイスターに関する著書・論文をいくつかあげておいた。専門書もあり、一般書もあるので、興味のある読者は参照されたい。

7　宇宙における物質と反物質の対称を維持しながら、それでいて反物質が実際には存在しないことを説明しようとする試みの中でもっとも奇抜なのは、時間がわれわれとは反対方向に進行する宇宙が、われわれ自身の宇宙からは永遠に切り離されたどこかに存在するのだ、というものである。この宇宙でも、ＣＰＴ原理は完全に維持される。時間の逆転した世界は反物質でできていて、そこではP（パリティ）もC（電荷）もわれわれの世界とは逆である。多数の、もしかしたら無数のこんな宇宙があって、その半数の宇宙では、物質とわれわれとは逆方向の時間とから成り立ち、残りの半数では、反物質とわれわれと同方向に進む時間とから成り立っているのかもしれない、というのである。

時間の反転した世界については後の章で議論するが、われわれはその前にまず、物理学者を何十年も悩ませたもう一つの問題、つまり、磁気単極子はどこにあるのか、を考えなければならない。

（原注1）ペンローズの講義は、『純粋数学シンポジウム会議録』（*The Proceedings of Symposia in Pure Mathematics*）（第四八巻、一九八八年、三一七～三二八ページ）に収録されている。

（訳注1）邦訳書『ホーキング　宇宙を語る』林一訳、早川書房、一九八九年。

27 単極子

19章で学んだように、磁荷は量子化できること、そしてそれから自動的に電荷の量子化が出てくるということをはじめて提唱したのはディラックであった（一九三一年）。もしそうならば、かの有名なジェイムス・クラーク・マックスウェルの電磁気の四つの方程式にみごとな対称性が導入されることになる。

これらの方程式こそ最初の統一場理論を記述したものであった。電気と磁気とは一つの力の表われであるということが示されたのである。ハンス・クリスチャン・エールステッドが発見したように、流れている電流は磁場を生じ、マイケル・ファラデイが発見したように、磁場の変化によって電流が生ずる。さらに、マックスウェルは「光」（今日広い意味では波長の短い側でガンマ線、X線、紫外線を、波長の長い側ではラジオ波、テレビ波、レーダー波、赤外線を含む）のスペクトルの中のあらゆる輻射はただ一種の波で電場と磁場の間を振動し、互いが相手の場を作り出し、「押し」出しているのだ、ということを予言していた。

マックスウェルの統一理論では、電場は静止している電荷によっても磁場の変化によっても生成されるが、磁場は電場の変化によってしか生成されない。奇妙にも対称性の欠如があらわになったのである。電子や陽子のように正か負の電荷を（おのおの）一単位ずつもっている粒子がある。では、なぜ北極か南極かどちらか一単位の磁荷しかもたない粒子が存在しないのだろうか。物理学者は、何かが基本的な法則によって否定されないかぎり、それは自然の中に存在することが許されると考えたいのである。かつてマレイ・ゲルマンがいったように、全体主義の原理、すなわち「禁止されていないことはすべて強制される」のである。ディラックが予言した反粒子の存在は正しかったので、物理学者は磁気単《モノ》極子《ポール》の存在を示唆する彼の方程式を軽々しくは見過ごせなかったのであった。

図86aは球対称な電場に囲まれた陽子の概念図を示している。場はあらゆる向きに外側へ向かうベクトルによって示されている。（ベクトルとは、矢の長さで力の強さを示し、矢の頭の向きでその力の作用する方向を示した矢印のことである。）陽子が動くと、右の図のように円形の矢印のような向きの弱い磁場ができる。

図86bの左に示されているのは電子のまわりの球対称の電場である。ベクトルの向きは内側である。これが動くと右に示したような磁場が発生する。この場は、陽子の磁場とカイラリティが逆であることに注目してほしい。

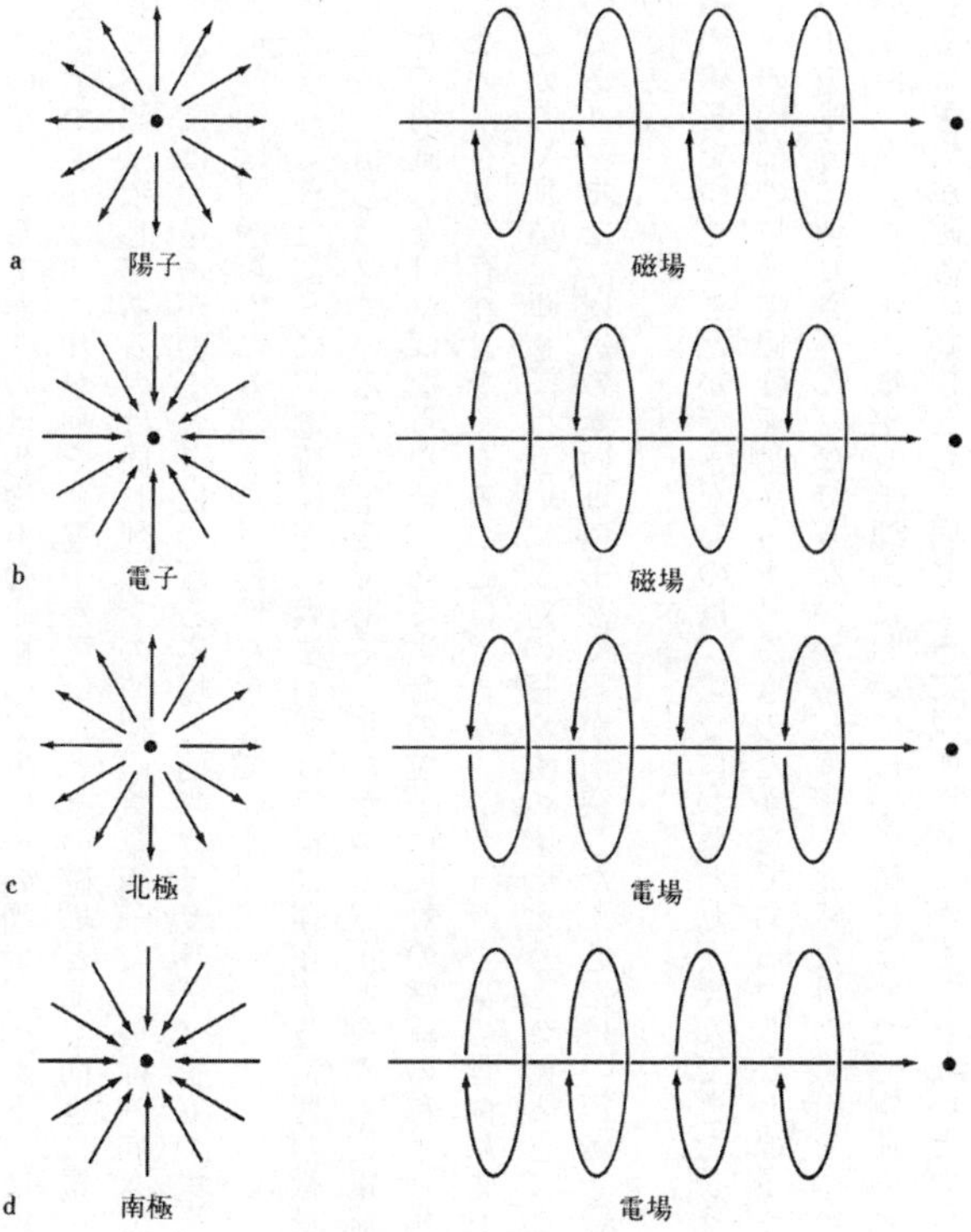

図 86　運動する電荷が作る磁場（a および b）、運動する磁荷が作る電場（c および d）。

図86cの左に示してあるのは想像上の北極磁気単極子の図で、ベクトルは外向きである。右の図に示すように、これが動くと電子が動いたときの磁場と同じ向きに電場が生じる。図86dの左側に示してあるのは同じ想像上の南極磁気単極子で、矢は内向きである。これが動くときには、陽子が動くときにできる磁場と同じカイラリティをもつ電場が生ずる。四つの可能性は、明らかにみごとな対称性を示している。

24章で学んできたように、電荷保存の大法則では宇宙に存在する電荷の総量（限りなくゼロに近いと信じられている）は不変である。したがって、正と負の単位電荷は対で発生して、対で消滅しなければならない。ある電荷の粒子は反対の電荷の粒子と相互消滅してしまわないかぎり、存在しなくなることはできない。ディラックの理論によれば磁荷についてもしかりである。単極子は互いに反対の極をもつものどうしの対としてのみ生成されうるのであり、また、反対の極の単極子どうしが衝突したときだけ、消滅し合うことができるのである。

単極の磁石をつくることができないのは、すでにわれわれが学んできたように、磁場は原子とその内部の粒子の回転運動から生じるものだからである。しかし原子や陽子、あるいは電子を半分に切りさくことはできないから、南極や北極だけの磁石をつくることはできない。マックスウェルの電磁気学理論においては、磁気はまったく電荷の動きとして説明される。電気が磁荷の動きとして同じように説明されるかもしれないという兆候はどこにもない。

ディラックの考えた単極子は、ディラックのひもとして知られる無限に長く、無限に細いひも（ストリング）の両端にくっついた粒子としてとらえたものであった。ディラックのひもは太さのない一次元の線であるから、「現実のもの」とは考えられなかった。ちょうど地球儀の緯線や経線のように、想像上の、数学的人工物にすぎなかった。今は亡きハインツ・パゲルスは、『完全なる対称性』（*Perfect Symmetry*, Simon & Schuster, 1985）の中で、ディラックについて寸鉄人をさすおもしろい逸話を紹介している。(原注1) 単極子の講義の最中にディラックは、自説を説明するのにポケットから長いひもを取り出して見せたという。彼はこのひもの一端を無限の彼方にまで続くディラックのひもに見たてて固定し、もう一端を動かして磁荷が動いているところと見たてた。この講義の後、パゲルスの友人が、単極子の講義をするときにはいつもポケットにひもを用意しておくのか、ディラックにたずねてみた。

ディラックは、「いいや、私が単極子のことを考え始めるずっと以前からあのひもはポケットに入っていたのだ」と答えたという。けれども、なぜそんなひもをポケットに入れていたかは、説明しようとはしなかったそうである。

ディラックのひもは、単極子の質量、スピンなど、あるいは電荷以外の特性についてはほとんど何もいえず、重要な新しい理論的洞察にはつながらなかった。けれども、大勢の物理学者が単極子を探しまわることを始めた。宇宙から飛来する宇宙線の中、隕石の内部、月面の石の中、あるいは海底深くの沈殿物中で磁性体にとらえられていないかと探しまわった。巨大加速器の中で粒子を大きなエネルギーで衝突させて、単極子をつくりだそうとも試みた。精巧な装置が検出用に製作された。もし単極子が発見できれば、陽電子の発見と同じくらい重要なできごとになるはずであった。悲しいかな、単極子のかけらも発見されないばかりか、なぜ見つからないのかについてさえ物理学者の間で意見が分かれてしまった。

単極子が見つかったという報告が何件かなされたが、どれも確実なものではなかった。一九七五年に、P・バフォード・プライスがカリフォルニア大学バークレイ校で、宇宙からきた単極子が感光乳材の層に軌跡を残したと発表して物理学者たちを騒然とさせた。ルイス・アルヴァレは、自分自身も熱心な単極子狩人の一人ではあったが、プライスの主張については即座に否定し、学界もしだいしだいにまちがいであったと認めた。ブラス・カブレラはスタンフォード大学で、これよりも確度の高い発見を主張して学界を沸きたたせた。それによれば、感度の高い磁気観測器が一九八一年のバレンタイン・デーに単極子をとらえたというのであった。一年後のバレンタイン・デーにシェルダン・グラショウは、カブレラに次のような電報を送った。

バラは赤く、すみれは青い。
そろそろ単極子2号も出てくる時期だ。

ところで、グラショウは単極子の存在を信じてはいない。彼は、磁場は電流によってのみ生成され、マックスウェルが単極子をまったくその方程式から除去しておいたのは正しいことであった、と考えている。彼だけではない。物理学者の多くが、単極子を探すのはユニコーン(一角獣)探しと同じくらい現実離れしていると考えている。

ワシントン大学のS・N・アンダーソンは一九八四年に、サウス・ダコタの地下深い鉱山においた写真乾板の中に単極子の飛跡が五つ見つかったと報告した。一九八六年には、ロンドンのインペリアル・カレッジにある検出器に単極子が捕捉されたという報告がされた。これらがほんとうの単極子の発見だとする学者と、再び偽りの信号だと考える学者たちとがどのような割合に分かれているのかはわからない。

一九七四年になって単極子の議論は重大な転機を迎えた。オランダのジェラルド・トフーフトとソビエト連邦のアレキサンダー・ポリヤコフが別々に、ある種の大統一理論(GUT)に含まれる新種の単極子について理論を構築した年であった。これらはおのおのGUT単極子とかGUMとか、あるいはもっと平易に超重単極子とよばれている。もしこの理論が正しいとすると、粒子としては異常な、具体的にはアメーバほどの質量をもっていることになる。この超質量のために光よりは動きが極端におそいが、運動量は十分大きいので、ほとんどすべての物質を通り抜けてしまう。また、きわめて大きい質量をもつために、今日のどんな加速器を使っても人工的につくりだすことは不可能である。

ＧＵＴ諸理論では、ビッグ・バンのあと10^{-35}秒までの間に、あまりの高温のため原始のスープの中から超重単極子が凝縮しただろうと予言している。互いに反対の極性をもつ単極子は消滅し合い、一部が消滅せずに残る。この生き残りの単極子が「暗黒物質」に関与しているのだという考えが提案されている。これは銀河系のクラスター（集団）や、その他の宇宙論上の特質を説明するのに不可欠な見えざる物質である。もう一つの憶測は、単極子は地球のような惑星の内部に沈み込んでいて、北極の単極子は磁南極に、南極の単極子は磁北極に集まったのだというものである。地球は磁極が何度か反転しているから、単極子もそのたびに反対に向けて移動せざるをえなくなり、このときに反対極と対になって消滅し、大量のエネルギーを放出したはずであり、これが地球内部の熱に寄与している。また、単極子は恒星の芯や、ブラックホールに集まって銀河の中にかくれているのだ、という見方もある。

このほかにもとてつもない想像がある。単極子は安定な陽子の崩壊に触媒として関与しているかもしれない、というものである。まだ何も実証されたわけではないが、このような崩壊はほとんどのＧＵＴ諸理論の帰結としておこる。単極子にはいろいろの種類がある。

とてつもなく重い北と南両極の単極子《モノポール》は「モノポリウム」を形成して、最後の消滅前にすさまじい粒子のスペクトルを放射するかもしれない。

ディラックの単極子とちがって、超重単極子にはひもがついていない。密度も非常に高いが点状ではなく、むしろ相当複雑な内部構造をもっている。反対の極の双子の片割れと接触していないときの状態は、ソリトン（孤立波）のモデルで説明されている。

ソリトンとは何であろうか。名前が示すとおり、何らかの理由によって、永久に、もしくは少なくとも非常に長い時間にわたってその大きさと形を維持し続ける孤立した波である。このような波が最初に観測されたのは一八三四年、イギリス海軍の技術将校であり、造船官であったジョン・スコット・ラッセルによってであった。彼は、エジンバラ－グラスゴー運河の堤沿いに馬に乗っていた。二頭の馬が小舟を引くのを見ていたのだが、その小舟が突然動かなくなったのであった。そのときのようすを彼は次のように記している。

運動を始めたのは運河の水全体ではなかった。ただ小舟の舳先のところの水がざわめきたって猛烈に盛り上がったと思うと、舟を後に残して相当の速さで前方へ移動を始めた。水面がひとところだけ円くなめらかに、しかしはっきりと盛り上がり、そのまま運河に沿って、形が崩れることなく、速さも衰えずに進んでいった。私は、この長さ三〇フィート余り（九メートル）、高さにして一フィート半くらい（四六センチメートル）の水塊がもとの形を保ちながら時速約八、九マイル（時速一四キロメートル）の速さで進み続けるのを、馬に乗って追いかけていった。高さは徐々に低くなっていき、約一、二マイル（二、三キロメートル）行ったところで運河が曲がりくねっていて見失ってしまった。これは、一八三四年八月に私がはじめて出合った特異な美しい現象の模様である。私は、後にこの現象を「併進波」と名づけた。

どのような力が働いてこの水の波形が保存されるのかについては、ここでは追求する必要はない。高周波の絶え間ない拡散と、これに置きかわる新しい高周波との微妙なつりあい、そして運河の側壁によりその波動が一方向に閉じ込められることによりおこった現象である。百三十年以上もの間、この孤立した水の盛り上がり現象は珍奇現象であると考えられていた。大洋の海底での衝撃によっておこされる巨大な波長の地震波の発生に伴って、このような波が海洋で形成されることがあるということが明らかになったのは、一九六〇年代に入ってからのことであった。それのみならず、ソリトンはこれ以外の物理系の中でもいろいろな形で見られる現象なのである。ある状況のもとでは、この波をおこさないようにすることがほとんど不可能なぐらいである。

具体的な例は数えきれないほどである。ＤＮＡの二重らせん構造の分子を溶媒の中に入れると、溶液とＤＮＡの間で水素の交換がおこる。そのとき二重構造のらせんにほぐれができる。そのほぐれが安定した波として分子に沿って移動する。他のタンパク分子に見られるエネルギーの衝撃波も、同様にらせん構造を移動するソリトンである。ソリトンの多くは周期性をもっており、単数あるいは複数の特性値の両極の間をゆらぐ。このような「二次の」ソリトンは、ファイバー・グラスの中をレーザー光線が通るとき衝撃波として現われる。神経系の中でエネルギーは孤立衝撃波として伝播する。圧力波もソリトンを形成する。たとえば爆発音とか、個体の中をある種の機械的振動が伝わるときがそうである。

超伝導体、あるいは超流動体に閉じ込められた磁場もソリトンの渦を形成する。有名な木星の大赤点も、この巨大な惑星の不安定な大気の中で発生した寿命の長いソリトンであるらしい。イアン・スチュアートは、『数学の諸問題』(訳注1)(*Problems of Mathematics*, Oxford University Press, 1987)の中の「孤独な波」という章で、ソリトンを壁紙を壁にはるときに中にできてしまった空気の泡にたとえている。指で空気の泡をあちらこちらに押して動かすことはできるが、もし壁が無限の大きさであるとするとこの泡をつぶすことはできない。その結果、泡の空気の力で壁紙が波のように動くだけで膨らみが消えることがない。

ソリトンのもっとも実用的な応用例が光ファイバーである。ファイバーはもともと光の衝撃波が拡散するのを抑えようとする特性をもっており、さらにこの光の衝撃波を一様にするための技術が考えられている。スペクトラ・フィジックス社のジェイムス・カフカとその同僚たちは、孤立衝撃波の形を一秒の四兆分の一の長さで維持する機器を開発することに成功しており、一〇兆分の一にすることを目指している。エドムンド・アンドリューズはこのことを「高速光ファイバー通信のスピード・アップ」（一九八九年七月二十日付ニューヨーク・タイムズ紙）という記事の中で紹介しており、もしこれが成功すれば、理論的には米国議会付属図書館に所蔵してある図書全部の内容を二分以内に電送できることになる、といっている。カフカはタイムズ紙とのインタビューで「ソリトンの美点の一つは、魔法じみた特性があって、『何もしないのに何かをしてくれる』ようなところがあること」といっている。渦孤立波は、自然界でみられるもので永久運動にもっとも近いものであるといわれてきた。

近年、素粒子のソリトン・モデルを構築しようという傾向が出てきている。これからその一つである磁気単極子を検討してみようと思う。32章では、渦原子という、もう今日では見すてられた物質理論について考察してみることにしよう。前の章でみてきたスーパーストリング（超弦）理論が正しいとすると、素粒子はすべてソリトンであることになる。原子の渦理論ではソリトンを、相対性理論以前の物理学におけるエーテルの中に永久に閉じ込められた波としてとらえていたが、スーパーストリングは宇宙の真空状態に閉じ込められたソリトンなのである。

ソリトンが場の全体的な位相構造によって保存されているとき、このソリトンを位相的ソリトンとよんでいる。長いリボンを水平にして両端を固定したものは自明な一例である。

このリボンの片方をはずして、一八〇度ねじってからもう一度固定したとしよう。こうしてできたねじれが位相的ソリトンである。このねじれはリボンの一方からもう一方の端までの間をいくらでも移動することはできるが、このねじれをなくしてしまうことはできない。この半分のねじれを残したままリボンの両端をつないだものがメビウスの輪である。輪をどのように曲げようがねじろうが、この輪には一つの面と一つの端しかないという特性を変えることはできない。これは、（半ひねりという）ソリトンがどちらの方向にも移動はできるが、リボン場の中に永久に閉じ込められているからである。

ある状況のもとでは、位相的ソリトンは、互いに利き手型（ハンデッドネス）が反対向きの対としてしか形成されないことがある。リボンをひねらずに両端で固定したところを思い浮かべてほしい。この中央を一八〇度ねじると、互いに反対向きのカイラリティをもった一対のソリトンができる。中央の部分を手でもってねじった状態にしておくかぎり、ソリトンは永久にリボンの中に閉じ込められ、手の両側で各自自由に移動することができる。手をはなして両方のソリトンが出合うようにすると、ねじれは両方とも消えてしまう。中央をもって何回でもねじって、ソリトンを何対でも好きなだけ作ることができる。ねじれたリボンの端は、ちょうど24章で述べたチャールズ・ヒントンのらせんのひもの手品のように、反対向きのカイラリティをもったらせんになる。もしリボンの両端をねじらないままでつなぐと、そのどこかで形成された一対の反対向きのソリトンは互いに反対向きにリボン上を移動して、互いが衝突したところで消滅する。

ここで、私の好きなトランプの手品を使って、二つの位相的ソリトンのモデルを説明してみよう。これは物理学者がベクトル場とよんでいるものにあたり、反対構造が互いに利き手型をもっていない。図87の上の図のように、トランプのカードの裏に矢印が書いてあると思ってほしい。カードはすべて矢印が右に向くように揃えてある。この一揃いのカードを表面のざらざらしたところ、たとえばテーブルクロスとかベッドとか吸い取り紙の上において、図87aのように広げたとしよう。これは、すべてのベクトルが東（右）を向いているベクトル場の「真空」状態を示している。

図87aのように広げられたカードの右端の下から、右の人さし指で右端のカードの端をもち上げてみよう。そのままカードの端を左に押し続けて、カードが左によりかかるようになるまでしてみよう。（おのおののカードの底の部分は動かさない。）すると図87bに示すように、カードの中ほどにテントのような盛り上がりができる。カードを一枚図87cのように横にして、カードの長いほうの端でテントの頂点に触れてみる。このカードをそのまま右や左に少し動かすと、下のテントもそれにつれて右、左と揺れる。このテントが、ベクトルがすべて上向き、内向き（カードの並びに対して）になっているソリトンである。このようなカードの列が長く続いていて、その両端のカードは向きが固定されている、と想像してみよう。カード列の両端部分ではベクトル（カードの端）の向きはほとんど水平

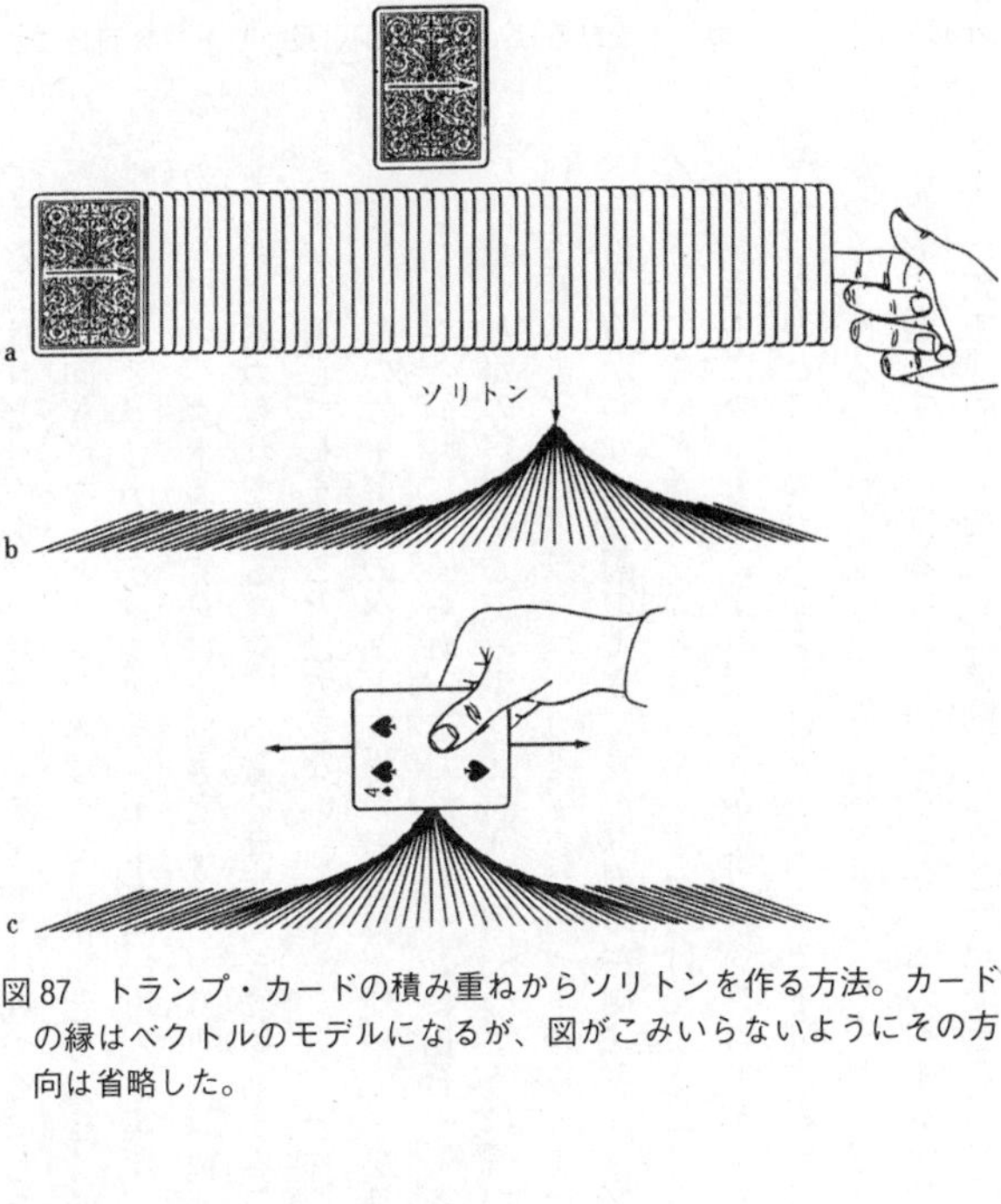

図87　トランプ・カードの積み重ねからソリトンを作る方法。カードの縁はベクトルのモデルになるが、図がこみいらないようにその方向は省略した。

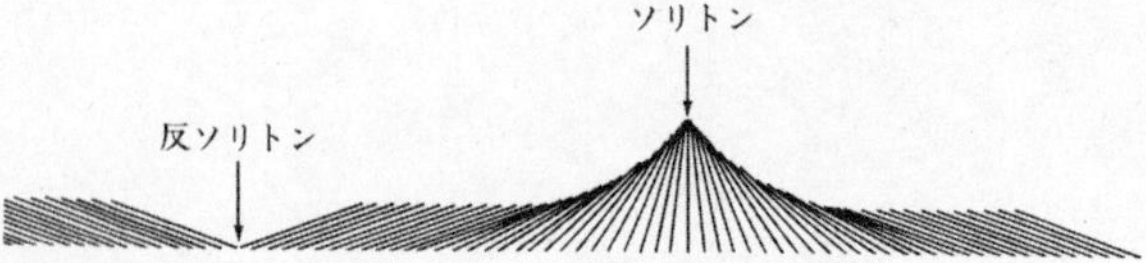

図88　トランプ・カードをひろげてソリトンと反ソリトンを同時につくる。

である。けれども中央のソリトン（テント）に近づくにしたがって、だんだん上向きになり、テントの頂点では水平とは大きく角度をもった上向きで、しかも互いに向き合った方向になる。実際、テントの頂点ではベクトルは完全に上向きとなる。ソリトンはカード列の中に閉じ込められている。東、あるいは西向きに移動することはできるが、消してしまうことはできない。

さて、このカード列のベクトル場のモデルを使って、ソリトンが反ソリトンと同時につくられ、また反ソリトンに出合ってどのように消滅するかの実験をしてみようと思う。図88のように長いカード列を作れるように、トランプ・カードを数セット使うとよい。カードをめくるかわりに、図のようにカード列の左側にギャップをつくる。そしてこのギャップのところを、本を広げたようにほとんどカードが水平になるようにする。これが反ソリトンのモデルである。ギャップのところのカードを横に倒すと、カード列の右側にテントがつくられる。（このモデルでは）反ソリトン（ギャップ）を左右に劇的に動かすというわけにはいかないが、本のページをめくるように一枚ずつ向きを変えれば移動させることができる。ソリトンと反ソリトンが左右に動くにつれて、ベクトル（カードの端）も連続的に変化して途切れることはない。両者は互いに離れているかぎり、このベクトル場の恒久的な構造の一部となっている。けれども両者が出合ってしまうと、二つのソリトンは消滅して、場もすべてのベクトルが平行の向きになっている真空状態にもどってしまう。

図89は、ベクトルが輪の円周に沿って取りつけられたらどのように見えるかを示したところである（矢の先は省略してある）。通常では、左側の図のように、ベクトルはすべて輪の中心から外側に向かっている。この真空状態から、ベクトルの先を反対方向に押し分けて切れ目をつくってみよう。そうすると、「毛」を押し分けた部分に負のソリトンができる。一方、別の場所には正のソリトン（テント）ができる。どちらのソリトンもどちら向きにも動くことができるが、両方が出合うと互いに消滅してしまう。

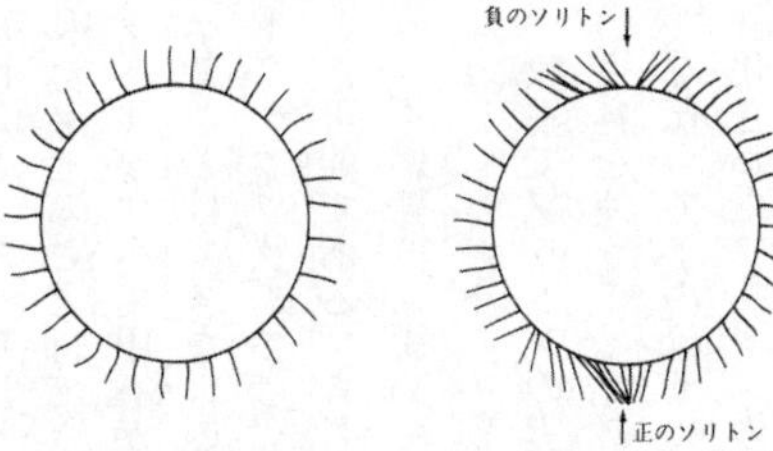

図89　円のまわりに生やした「毛」の中の正・負のソリトン。

表面全体が「毛」――つまり中心から放射状に外側に向いているベクトルでおおわれた球を想像してみよう。この「毛」をくしでとかしてすべての矢が球面と接するようにできるだろうか。これは位相学的にいって不可能である。

はげたところや束になったところなど、いろいろなソリトンをつくって、これらの場所を移動させることはできるが、毛を全部平《ひら》たくなでつけてしまうことはできない。実際、ベクトルがすべて中心から外に向かって並ぶ以外は、どんな向きにも全部を一様の向きに並べることはできないのである。このほかのいろいろな表面、たとえばトーラス（円環面、ドーナッツ状）では、その表面をおおっているベクトルを全部平らになでつけてしまうことが可能である。もちろん、ドーナッツは位相学的に円とは異なった種類である。ドーナッツを継続的に歪めていっても、穴をなくしてしまうことはできない。これからもわかるように、ソリトンの安定度はそれが存在する表面の位相学的特性に規定されるのである。

教室でソリトンの実演をするのにもっとも劇的な方法は、タンブル・リングという奇術の道具を使うことである。これは、チェーンの上のほうにつないであるリングが、チェーンを伝って下のほうに降りていくように見える奇術道具である。これは、重力によって活性化されたソリトンの波が、特殊なつなぎ方をしたリングとチェーンによって、動きを制約されることによりおこる目の錯覚を利用したものである。拙著『予期せぬつり下がり』（*Unexpected Hanging*, Simon & Schuster, 1969）の第一三章に、どこの鍵屋でも売っているキー・リングを使ったタンブル・リングの作り方をくわしく書いてあるし、近くの奇術用品店でセットを買うこともできよう。

一定の条件下では、位相的ソリトンとその双子の相手は、互いに出合っても消滅しないで、互いに相手を通り過ごしてしまうことがある。この原始的なモデルは両端を固定したロープに結ばれた、向きの異なる（反対のカイラリティをもった）一重《ひとえ》結び目にみることができる。これは無限の長さをもったロープでもよいし、また図90に示したような輪を考えてもよい。結び目は、互いに出合ったとしても取り去ることができない一対のソリトンである。（反対向きに結んだ結び目は互いに相手を解くことにならない、ということを位相学的に確実に証明するのには何十年もかかった。）片方の結び目をゆるめて、もう一方の結び目を小さくしたままにすると、小さな結び目に、大きな結び目の中を通り抜けさせて、いままでと反対側にこさせることができる。

一つの結び目がもう一方の結び目を半分通り抜けかけるとき、図91の左側の図のようにこま結びができる。このこま結びは基礎結びが二つ集まってできたものなので、複合結びとよばれる。基礎結びとは、ロープに沿った別の場所に位置するような複数の結び目に分けられない結び目のことをいう。もし二つの一重結びの結び目が同じ向きのカイラリティをもっているとすると、できた結び目は右の図のようなさかさ結び（縦結び）になる。こま結びは左右対称である。鏡像対称を作るにはただ上下さかさまにすればよい。さかさ結びは対称でなく、どうロープをいじっても鏡像対称に一致させることはできない。

単極子に話をもどそう。この単極子は、ちょうどビッグ・バンの直後のように、温度が十分に高い場合に、物理学者がヤン－ミルズのゲージ場とよんでいる場の中で形成される

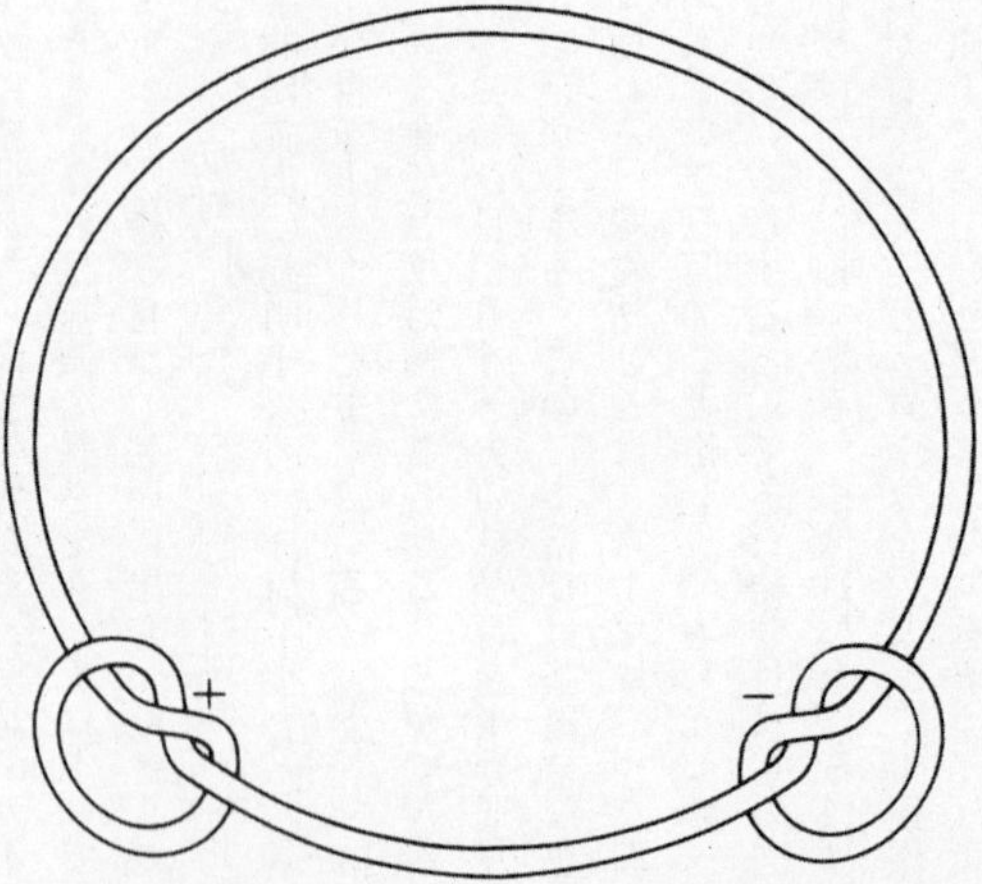

図 90　反対のカイラリティをもつ 2 つの結び目。正のソリトンと負のソリトンが互いに消滅しあわないモデルである。

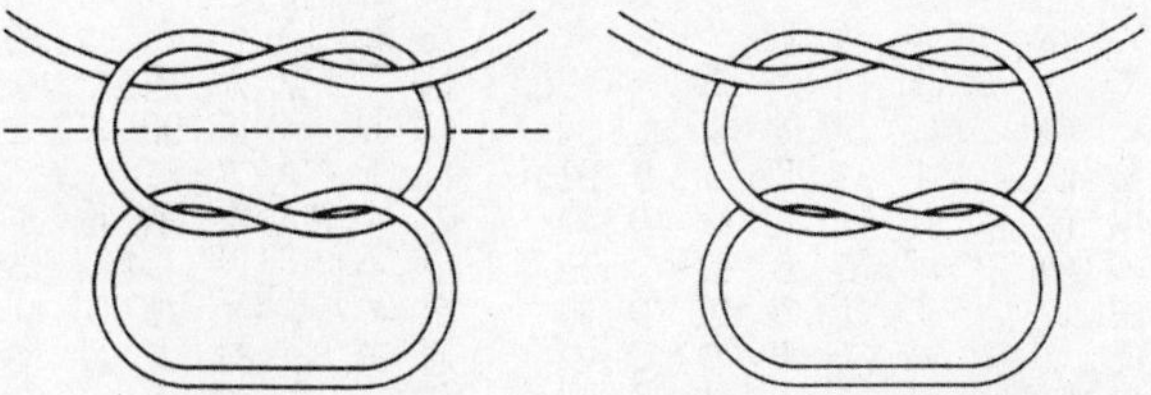

図 91　こま結び（左）は点線で示した軸に対して左右対称である。さかさ結び（右）は非対称である。

ソリトンなのである。位相学的な制約のために、単極子が拡散できなくなっている。北極のソリトンは、約一〇〇くらいのボソン（力、この場合は磁力、を運ぶ仮説的媒体）が、ポリヤコフが「ハリネズミ」ボールとよんだように、外向きに放射している球として描くことができる。南極のソリトン、すなわち反ソリトンでは、反対にすべての動径方向のベクトルが球の中心に向かって並んでいる。ゲージ場における位相学的な制約のために、どちらのソリトンもお互いの反粒子にあわないかぎり消滅することはない。つまり、ヤン－ミルズのベクトル場において永久に存在する「ねじれ」もしくは「結び目」なのである。つまり、パゲルスがいうところの、双子の相手に衝突しさえしなければ、「永久に生き続ける盛り上がり」なのである。これらが衝突すると、反対向きのベクトルは互いに打ち消し合ってしまい、エネルギーが解放される。このことは、次のようにいうこともできる。すなわち、いずれのタイプの単極子でも、ディラックのひもを形成する不連続性をつくることなくそのベクトルを連続的に変化させ、場の真空状態と同じようにすべて同じ方向に向かせることはできない。ひもは無限に続いているから、これを取り除くには無限のエネルギーが必要である。無限のエネルギーはないから、単極子は安定である。

ＧＵＴ諸理論において、磁気単極子は「粒子」とよばれるものの中ではもっとも質量が大きいだけでなく、もっとも風変わりでもある。そのとてつもなく強い磁場のために、まわりに粒子対がたえず発生したり消滅したりしている磁束がつくりだされている。単極子のほんの少し内側には、自然界に見られるあらゆる種類の粒子と場がある。さらに内に進むと、破れた対称性が復元され、ほかの粒子が見られるようになる。芯に近づけば近づくほど、温度と対称性が高くなる。それは、あたかもタイム・トンネルを逆もどりして、完全な対称性をもった信じられないほど高温の場がたった一つしかなかった瞬間にまでもどったかのようである。前述の著書の中で、パゲルスは、「ＧＵＴ単極子は、宇宙の温度の歴史をすべて現わしてくれる」と述べている。これらはすべてきわめて思弁的である。磁気単極子が理論的に不可能である、ということもありうる。ツイスター理論も、この線に沿って予言をするほど、まだ緻密になっているわけではない。ロジャー・ペンローズの個人的見解によれば、むしろこのような単極子は存在してはならないという。

北極と南極の単極子の区別はカイラリティによるものではないことに注目してほしい。互いに反対の性格は放射状のベクトルの向きがちがうことによっているのである。北と南の磁荷や、正、負の電荷のちがいにカイラリティが何らかの形で関与している可能性はあるのだろうか。この問いは以前にも提起したが、この点についてはまた後ほど考察することにしよう。

ほとんどのＧＵＴ諸理論では、単極子はビッグ・バンのあと大量に形成されたであろうと考えている。実際、陽子と同じくらい大量に存在したであろうと考えられている。宇宙が現在の低いエネルギー状態にまで冷え込んでくる過程で、どれか一つでも生き残っているのであろうか。答えは誰にもわかっていない。けれども、いままで誰一人として、反論のしようがない形で単極子を発見できた者がいない、ということがこれまでの標準的なビッグ・バン・モデルの数多い欠点の一つであった。この欠点を取り除くための決定的な方法がまだ見つかっていない。これは後に「単極子問題」として知られるようになったのであるが、宇宙の新しい「インフレーション」(急膨張)モデルによって解決されたようである。

これらのビッグ・バン修正理論においては、宇宙は開闢した直後に、指数関数的な率で膨張したのだと想定されている。陽子の大きさからグレープ・フルーツかバスケットボールの大きさにまで、ほとんど瞬間的にジャンプした。これが「大きな」ビッグ・バンである。高速の膨張により宇宙は急激に冷えた。けれどもこの膨張の段階で生成された粒子とその反粒子は互いに消滅して、このエネルギーにより宇宙は再び超過熱され、標準モデルでいわれているビッグ・バン、すなわち「小さな」ビッグ・バンがおこったのである。この二度目の爆発で、宇宙はもう一度冷やされ、その膨張の速度は標準モデルの遅い一次関数的速度に落ち着いた。このインフレーション・モデルによる効果の一つは、宇宙がこれまでの標準モデルで推定されていたのにくらべて数十億倍の大きさになることである。これまでの標準モデルに常につきまとっていたとげの一つで、インフレーション・モデルが解決したとされているのが、単極子はどうなったのか説明する、という問題である。標準のビッグ・バン以前の急速なインフレーションにより、単極子は全部単に「遠くに押しやられて」しまって、ほんのわずかの数しか残らなかったので、われわれが捜し当てることはほとんど不可能なのである。

宇宙論学者たちは、一九七九年にMITのアラン・グースが最初のモデルを提唱して以来、常にインフレーション・モデルを改訂し続けてきた。（グースの名前（GUTH）は、truth（真実）と韻をふみ、また、大統一理論（Grand Unification THeory）の頭文字を合わせたものとも通じる。）スチーブン・ホーキングや他の多くの専門家に好まれている最新版は、一九八三年にロシアの若い物理学者アンドレイ・リンデによって発表された「カオス的インフレーション」説である。リンデおよびその他の人びとは、以前に「新インフレーション理論」を提唱し、これはグースのもとのモデルにくらべて格段の進歩であった。さてカオス的インフレーション説というのは、無限に近い数の可能な世界の中から神が最善の宇宙を選び出すのだ、というライプニッツの説の無神論者版ともいうべきものである。「可能な」ということは、基本法則が論理的に矛盾しない宇宙、という意味である。カオス的インフレーション説は、いわゆる「バブル理論」に属する考え方である。われわれのいる宇宙は、ちょうど、いくつもの泡（バブル）が空気中に漂っているように、お互いどうしは永久に切り離されてしまった数多くの、あるいは無数の宇宙のたった一つにすぎないのだ、というものである。アーサー・クラークは、「宇宙は、ちょうど時間の川に浮い

た泡のようにたくさんあって、不可思議なものである」と書いている。(原注2)

リンデの真空は、他の人たちが「母なる海」とよんだものである。この真空は量子の揺らぎがぎっしり詰まっている巨大な泡で、その中であらゆる粒子やその場が、量子力学の不確定性原理によって定められた制限時間の中で常に生成され解体されているのである。これらの粒子と場の属性は平均してゼロになるから、「偽の真空」（実際には決して「空《から》」ではないのだから偽という）が空であるように見えるのである。泡のあちらこちらで、そしてときおり（それがどんな意味であろうとも）、ランダムな量子の揺らぎが母なる海からエネルギーを引き出しては、宇宙へと爆発していくのである。グースはこれを「究極の無料ランチ」あるいは少なくとも「究極のとても安いランチ」とよんだ。おのおののバブル宇宙は独自の確率的な法則を有しており、かつ（リンデの見方によれば）独自の時空さえももっている。当然われわれは、生命が読者や筆者のような生物に進化することが許されるような法則と時空構造をもった宇宙、に生きているのである。

リンデのカオス的モデルでは、あらゆる種類の宇宙が真空から飛び出して、しばらくの間隆盛を誇り、そしてまた真空へ消え去っていくのである。コナン・ドイルがかつてシャーロック・ホームズの中で描写したように、濃い霧の歩道ですれちがう人の顔のようなもので、暗がりからいきなり瞬間的に現われてはまたもとの暗がりに消えていくのである。

われわれの住む宇宙は、どうしてこのような時空をもち、また、このような法則や物理定数をもっているのだろうか。これは意味のない質問である。ちょうど、ブリッジをするとき、どうしてこのようなカードの組み合わせがくるのか、ときくのが無意味なのと同じである。超越的な配り手は、カードの組み合わせを選ばない。意志をもたない万物の宇宙がたえず切り直しをしているトランプの束から、ただひたすら可能なかぎりの組み合わせを取り出しているにすぎないのだから。ライプニッツの神が、無秩序に取って代わられたのである。アインシュタインはかつて、量子力学を嫌う理由を、神が宇宙を使ってサイコロ遊びをしているという考えが気に入らないのだ、といったことがある。もし、サイコロが宇宙を使って神様ごっこをしているのだ、という考えを聞いたら、彼はどんな反応を示したであろうか！

われわれ同様、われわれの住むこの宇宙にも始まりがあったし、そして終わりがあるのである。けれども、「宇宙」というものを可能なかぎり広い意味にとって、現実の内外に無限に多くの可能な世界の泡を吹き出している無限の「母なる海」のことを指すとすれば、宇宙は永久の定常状態にある。これには始めもなければ終わりもない。ではその活動には究極的な目的があるのだろうか。さて、これは形而上学の問題であって、科学の問題ではない。物理学がいくら進歩したとしても、この問いについて、答えの片鱗をすら照らすような光を当てはじめるほどには、とうてい至ることはないのである。

ホーキングその他の学者たちは、近年になって、無作為な宇宙創成の揺らぎがこのわれわれの宇宙自体の時空においても絶え間なくおこっている、というとてつもない理論を提唱している。それぞれの「ベビー宇宙」は、「ウィーラーのワームホール（虫食い穴）」とよばれる時空の細い管（その直径は陽子よりも小さい）を通り抜け、動脈瘤《りゅう》のように「母なる海」に膨れ出すのである。これは急速に大人の宇宙に成長し、また同じようにして数多くのベビー宇宙を生み出すのである。その結果は滝のような新世界の群れである。ほんの一瞬の間、虫食い穴とへその緒でつながっているが、へその緒はすぐに蒸発して、新世界は完全にそして永遠に、その母や兄弟たちと切り離されてしまう。それぞれの新世界はまたひとりで子を生む母宇宙になるから、母なる海の泡はリンデのもとの理論よりも速く宇宙に広がっていくことになる。

「実験室での宇宙創成への障害」（An Obstacle to Creating a Universe in a Laboratory）（フィジックス・レターズ誌、一九八七年一月八日号）と題する大胆な論文で、グースとエドワード・ファルヒはこれらの考えをさらに一歩進めて、知的生物が意識的にほんのわずかの痕跡から宇宙をつくる可能性について考察している。必要なのは一〇キログラムほどの質量を信じられないほど小さく圧縮することである。圧縮が十分であれば、密度と温度が上がって、ある限界値までくると質量がわれわれの時空から飛び出して別の宇宙に成長していくのである。このことでわれわれの世界が損害を受けることがあるのだろうか。この論文の著者たちによればそれは皆無である。われわれはこのできごとを顕微鏡の中の小さなブラックホールとして認識し、「中で何か特異なことがおこった証拠として、特殊な輻射の痕跡を検出するくらい」にすぎないのである。

このことはおかしな可能性があることをうかがわせることになる。つまり、われわれの宇宙は無心な量子の揺らぎの結果なのではなく、他の時空にいた物理の大学院生がわざとつくったためだという可能性があるのだろうか、ということである。グースは、ニューヨーク・タイムズ紙（一九八七年四月十四日号）にこう書いている。「われわれの知るかぎり、この宇宙だって、誰かの地下室で始まったのかもしれない」と。また、シカゴ大学の物理学者デイヴィド・シュラムはこう書いている。「残念ながら、この実験を考案した大学院生がもうこの近くにはいないので、どうやったのかを正確には教えてもらえないのである」（フィジックス・トゥデイ誌、一九八三年四月号）。

（原注1）ケンブリッジ大学におけるディラックの学生が、「ディラック」という会話の基礎単位を発明したとされている。一年で一語が一ディラックである。

（原注2）これはクラークの「暗黒の壁」（The Wall of Darkness）というメビウスの輪が重要な役割を果たす短編小説の始まりの文章である。この小説は彼の全集『天の向こう側』（*The Other Side of the Sky*, Harcourt Brace, 1958）〔邦訳書、山高昭、他訳、早川文庫、一九八四

年〕に収められている。

（訳注1） 邦訳書『数学の冒険』雨宮一郎訳、紀伊國屋書店、一九九〇年。

28 時間の矢

……時間、暗黒の時間、秘密の時間、川のごとく永遠に流れる。

――トーマス・ウルフ『くもの巣と岩』

時間は昔からいろいろなものにたとえられてきたが、川の流れのたとえほど、古くて根強いものはないであろう。同じ川には二度と足をつけることはできない、とはギリシャの哲学者ヘラクレイトスのことばである。彼は万物の一時性、非永遠性を強調した。なぜならば、足もとの水は永遠に足もとを流れ去ってしまうからである。彼の弟子のクラチラスは、川に足をつけることは一度たりともできない、ともいった。なぜならば、足をつけている瞬間にも、自分自身も川も別のものに変化し続けているからだ、というのである。オグデン・ナッシュが「時は進みゆく」という詩の中でこう書いている。

婦人は靴下を引き上げながら、
もとの婦人ではなくなっている。

ジェイムズ・ジョイスは『フィネガンズ・ウェイク』（*Finnegans Wake*）の中で、時間をダブリンを流れる川リフィにたとえている。「あちらこちらを流れて」果ては海に届き、また本の最初のことばである「川の流れ」にもどって際限のない変化のサイクルを始める。これは力強いたとえであるが、まぎらわしいたとえ方でもある。時が流れるのではなくて世界が流れていくのである。オーストラリアの哲学者J・J・C・スマートは、「時の流れはどんな単位で計ればよいのだろうか。〇〇あたり秒とでもいうのだろうか」という疑問を呈している。「時が動くというのは長さが伸びているというのに似ている」というのである。オースチン・ドブソンがその詩「時間の逆説」で発見したように、

時間が行く、と君はいうのか？　それはちがう！
時間はとどまり、われわれが行く

のである。さらに、魚は川をさかのぼっていけるのに、われわれは、過去にもどることはまったくかなわない。変化する世界は、オズマを死の砂漠（無の空虚？）で助けたあの魔

われわれは、われわれの前のほうにだけ広がっていき、われわれはオズからイブまで行くのにそのじゅうたんの「今」というとても狭いところだけを、一方向だけに歩き続け、後ろではたちまちにしてじゅうたんが巻き取られてしまっている。(原注1) 魔法のじゅうたんはなぜ後ろ向きには広がってくれないのだろうか。時間がもっている例外のないこの非対称性の物理学的根拠は、いったい何なのであろうか。

近年、研究室の実験で示されたように、微視的なレベルでは一方通行の弱い相互作用があるのではないかということがわかってきた。したがって、何らかの形の時間の矢がこのようなできごとの中に組み込まれている可能性がある。けれども、これらの、可能ではあるがいかにも特異な例外を別にすれば、相対論や量子力学を含めてすべての物理の基礎法則は時間について可逆的である。すなわち、どの基本法則においても、t は $-t$ で置きかえが可能であり、なおかつ、置きかえてできた法則は以前とまったく変わらずに現実の世界に応用がきく。すなわちその法則は実際に自然でおこりうることを記述する。いったん眼を転じて巨視的なレベルでのできごとを見てみると、対比は一目瞭然となる。時間の矢は常にわれわれが過去とよぶ方向から、未来とよぶ方向に向いている。時間の矢がいつもこのように向いている、というのは同語反復である。というのは、過去と未来とは矢の向きで定義されているからである。ともあれ、これは今の論点ではない。論点は、矢には点がひとつあるという点にある。矢の両端にはちがいがあるのである。

われわれの頭の中では、時間の矢の向きは一様であって遍在する。われわれは過去を覚えている。けれども未来は覚えていない。この文を書いた後ふとタイプの手を止めてみた。黄色い用箋の上には、私がたった今タイプを打った文章が残っている――過去の黒い痕跡である。紙の残りの部分はまっさらである。今はここまで文を書き足した。この前の文を書いたときの「今」は今では過去になっている。そして、その「今」はすでに過去に消え去り……その今は……。われわれの誰にも、まだ現実には存在しない、不確実な未来がいつも行く手をおおっており、他方、変えることのできない厳然たる過去が横たわっている。一度は現に存在し、そして今ではまったく消え去っている。われわれは記憶と現在に残されたその他の痕跡によって、そのことを知っているのである。われわれはこれらの痕跡から過去を部分的に再構築することができる。奇妙なことに、われわれは未来を調べることで過去を再構築するのだが、ただし、その未来が過去に移動する時点でのみそうすることができるのである。自然がどう作用するだろうかということを想像するのを可能にすることの同じ奇妙な帰納法が、やはり確率も一定しないままに、自然がどのように作用したかということを想像するのにも使われているのである。

時間の矢が固定した向きをもっているということは、われわれの意識の中でだけではない。外界の世界での数限りないできごとがやはり一方通行なのである。映画のフィルムを逆転すれば、実際にはおこりえない状態がうつされていることが誰にでもわかる。人や動物がその中で行動しているときは、ただちにグロテスクに見える。もし生物がスクリーン上にうつっていなければ、何か決定的な方向性を見つける糸口、たとえば、葉が木から落ちるとか、雪や雨が降っているとか、海岸に打ち寄せる波、あるいはその他の何千という一方通行の事象がなければ、フィルムが逆転しているとは気づきにくい。ではなぜ、物理の基本法則は、実験室の外では絶対に遭遇しない特定の弱い相互作用を除いては、時間について可逆的であり、一方で巨視的には宇宙は決して後もどりしないできごとでいっぱいなのであろうか。

この問いに物理学者たちはどう答えているかを論ずる前に、数学者、哲学者、神秘主義者といった人たちによってときおり提唱されることのある、そして物理学者が唱えることはめったにない、奇妙な視点を払拭してみなければならない。すなわちそれは、心のはたらきが一方通行であることから、人間の意識においてのみ時間の矢の基礎が認められる、という考え方である。(原注2)

この考え方の支持者はたいてい、何を意味しているかを正確に理解するのがむずかしいような不明瞭なことばを使ってこの見方を弁護する。けれども、彼らといえども、人間の心の外《そと》に広がる広大な世界の存在そのものを否定するつもりであるとは思えない。もし、心の外には木の存在がありえないと本気で考えるとするならば、他の心も存在するのだという根拠すらあやしげになってくる。もしその考え方に立つとすると、そういう考え方に対して論理的な反証はしがたくなるのだが、そういう考え方をする人自身、唯我論というのは広く受け入れられた考え方ではない、ということを認めざるをえないであろう。実際、その論を突き詰めていけば、唯我論者はたった一人、すなわち自分自身しかいないことになる。

さて、読者諸兄は唯我論者ではないと想定しよう。すなわち、皆さんは私の存在を認めてくれるのみならず、外界の現実の世界の存在も当然認めるとしよう。人間の心の中にだけ存在するのではなく現実にあるのだ、と。これを認めたついでに、心の外に存在する外界はある構造をもっている、というふうに認めてしまってもよいであろう。木は誰も見ていなくても存在しているという議論が成り立つならば、同様に、木は誰も見ていなくても木の形をしている、という議論も成り立つはずである。

もちろん、われわれが外界について知りうることはすべてわれわれの頭の中でおこっていることなのだ、という考え方も一理ある。外界についてわれわれはいつでも推測しているだけであり、絶対に直接知覚することはできない。外界に関する情報はわれわれの五感を通して受け取られ、特定の経路を通って複雑な方法で伝達され、最終的に脳で解釈されるのである。この意味では、われわれが世界について知っていることはすべて心に依存している。ただ、このようなことをいうのは、何か当たり前でつまらないことをいっているのにすぎない。知識というのは定義によって心に依存しているのである。何かを知るということはそのことを心で知る、ということなのである。音というときに心が音を知覚することをいうのなら、当然、誰も聞く耳のないところにある木は音をたてないということになる。もし形というものを心による形の認識状態としてとらえるならば、当然星雲には形がないことになる。もし、以前と以後とが心による以前と以後との認識だとするならば、当然成るということは心に依存した事象となる。

けれども、このような、あまり一般的でない現象論的ないい方をして何が得られるというのだろうか。一部のへそ曲がりの哲学者たちに、自分たちを理解しないのは評論家が悪いのであって、評論家よりも彼らの洞察力のほうがすぐれている、という自己満足にひたらせるぐらいが関の山であろう。けれども科学者やバーテンダーにとっては、現象論的ないい方はたいへんまぎらわしいばかりである。天文学者は、アンドロメダ大星雲には二本のらせん状の腕が出ているという。このような天文学者に向かって誰かが、「ちょっと待って下さい！　らせんというのは人間の数学的な概念であって、自然の一部をなすものではありませんよ」などといって議論をさえぎる人がいたら、きっとこの天文学者はいらいらさせられることだろう。

普通の人と同じように、あるいはそれ以上に哲学者や科学者は、ルドルフ・カルナップが好んでよぶところの「客観言語」を用いる。このことばは、人間の脳とは独立に外界に存在する事物が構造ある世界をなすことを前提とする。認識させないかぎり何ものも存在せず、とあれほど説得的に論じたバークレイ僧正ですら、外界が神によって認識されると仮定して、その複雑な数学的構造もろとも、全外界をすみやかに復元しているのである。

筆者がいいたいのは、時間の矢というのは空間関係と同じように正当な外界の一部なのだということである。矢が表象するもの、すなわちできごとの一方通行性というのは、大きい小さい、熱い冷たい、速い遅い、明るい暗い、左と右、などなど、あるいはその他の構造的な関係が現実にあるのと同じ意味で現実に「存在」するのだ、ということである。恐竜ダイノザウルスには孫がいたであろうか。もしいたのなら、ダイノザウルスのおばあちゃんはその孫たちよりも年が上だったはずである。おのおののダイノザウルスが生まれたときにおのおのの「今」があったという意味で、「今」という時点すら現に存在したのである。

たぶん、主観論者はこう反論するだろう。「それはそうだ。けれども、時間の経過を感知するダイノザウルスの心があったのではないか」と。よろしい、では、もっと時代をさかのぼることにしよう。三葉虫は時間の経過を感知したであろうか。原生代の海にいた単細胞生命体には時間の感覚があったであろうか。さらにもっと前にさかのぼってみよう。火星はそのクレーターよりも古い。太陽は火星より古い。天の川銀河は太陽よりも古い。もしビッグ・バン理論が正しいとすれば、大宇宙は百億年もの昔におこった巨大な爆発に始まって、それ以来ずっと膨張し続けてきているのである。われわれがその膨張を認識しているということであるが、そんな自明のことにこだわることには、あまり意味がない。

われわれの頭の中にある時間の矢は、頭の外にある時間の矢と同じ方向を指していることは明らかである。火星の表面は過去の記録を残している。われわれの脳は過去の記録を残している。なぜ二つの矢が同じ方向を向いているのであろうか。この問いに対して、主観論者でないかぎりは誰でもきっと、科学の客観言語でこう答えるにちがいない。つまり、それは、われわれの脳も宇宙と同じ物質でできており、その粒子が同じ法則に従って踊るからである、と。われわれの時間の感覚は記憶に依存している。そしてその記憶というのはまさに複雑な足跡の一種である。われわれのか弱き脳が大宇宙に対して時間の矢という概念を押しつけている、と考えるのはあまりにも変質的な自己陶酔というべきであって、実際はまったくその反対なのである。

もし読者が、成るということがわれわれの心とは独立の自然の一部である、ということに同意されるなら、もとの問いにもどることにしたいと思う。物理の基本法則では（これまでに見てきたいくつかの変則は別として）時間について可逆的であるから、自然をして、いつも同じ方向に進ましめているものはいったい何であるのか。なぜ自然界におけるできごとの大多数が一方向きにしか進まないのであろうか。

この問いの答えの一部が、あるいは答えのすべてかもしれないが、確率の法則の奥深くにかくされている。あるできごとは一方にしか行けないからその方向に進むのではなく、後ろ向きに進むことがおこりにくいから一方向にしか進まないのである。この意味を理解するためには、トランプのカードを使った実験がいちばんよい。

スペードのエースだけのトランプのカードが「一揃い」あるとしよう。これを好きなだけ「切って」から、上から「順番」を調べてみる。スペードのエースが出る確率は一（確実）である。今度は同じ作業をスペードのエースと2各一枚を混ぜたセットでやってみよう。状況はもうすでにだいぶまぎらわしくなってきた。エースと2の順番を無作為にするようにこのセットを十分切ると、上からエース・2の順番で出る確率は二分の一である。2・エースの順番で出る確率もやはり二分の一である。

今度はエース、2、3、4の四枚のカードからなり、はじめは上から下にこの順序においたセットでやってみよう。四枚のカードの並び方は $4!=1\times2\times3\times4=24$ とおりある。十分にカードを切った後で、1、2、3、4の順番でカードが並ぶ確率は二四分の一である。カードを切り直して、同じことをし続けながら、ときおりカードの順番を調べると、長く続ければ、だいたい二四回に一回の割で、1、2、3、4の順番が出る（他のどの組み合わせについても同じ割合である）ことに気がつくであろう。

n個のものを並べる並べ方には$n!$、すなわちn階乗だけある。階乗は数が大きくなるにつれ、とてつもない割合で増大する。標準的なカードのセットは五二枚であるから、無作為に切っていって、カードがもとの順番にもどる確率は 1/52!、すなわち八の後に数字が六七個ついた数分《ぶん》の一ということになるのである。新しいトランプの封を切ったとき、並んでいる順番を記録してみよう。何回かよく切った後に、封を切ったときと同じ順番にもどっている可能性はほとんどない、というほうに賭けるのはほぼ安全な賭けである。物理の基本法則によって、トランプのカードがもとの順番にもどることができないわけではない。ただ偶然の法則によるだけなのである。もしトランプのセットを長い間切り続けたら、たとえばトランプ切りの機械で何億年かという間切り続ければ、もとの並び順にもどることがあるかもしれない。実は、ポアンカレの有名な定理がある。すなわち、もし十分な時間さえあれば、指定する回数だけもとの順番にもどってくることができる、というのである。もし永久に切り続ければ、もとにもどる回数は無限大となる。

大きな数のものが無作為に相互に作用すると、確率によって時間に関する一方通行性が出てくる。これを説明するのによく使われる例が、玉突きのプール・ゲームである。数字を書いた一五個のボールが正三角形に並べてあるのを玉突き棒（キュー）で突き壊すところの映画を想像してほしい。ボールはあちらこちらに散らばって、たとえばボール8が隅のポケットに落ちていく。この映画を逆回転して上映すると、誰もが逆回転だとすぐにわかる。プール・ゲームをやったことのある人なら、突き崩したあとボールがグリーンのクロスの上をあちこち転がりながら三角形にまとまるのなど見たことがないからである。大事なことは、物理法則によってこれができないのではない。確率が非常に低いから実際にはおこらないだけなのである。

ポケットに落ちたボール8はどうだろう。落ちたボールが溝を通って、ポケットから飛び出し、他のボールといっしょになるのは明らかに物理の法則に反すると、読者諸賢は納得するかもしれない。けれども実は、これすらも確率によってのみおこらないでいるのである。さて、今度は何十億という分子が超微小なボールのように、空間で跳ねまわっているようすを思い浮かべてみなければならない。ある種類のガスでいっぱいにして蓋をしたフラスコを想像してみよう。フラスコの蓋をとると、短時間のうちにガスがフラスコから飛び出し、部屋中に均等に飛散する。このガスは、トランプのカード五二枚がもとの並び順にもどらないのと同じ理由でフラスコにもどることはない。あまりにもおこりにくいことなのである。部屋中のガスの分子が突然運動の方向を逆転したとすると、どうだろう。分子はフラスコの中に入っていくは、ず、である。ガスの拡散は原則的には時間に対して可逆的である。けれども統計的確率の法則からして、実際にはおこらないのである。

先ほどのボール8にこれがどうあてはまるか見てみよう。すべてのボールが静止したあと、このできごとに関与した分子の動きがすべて逆転したとしよう。テーブルの下のボール8が静止した点では、衝突の際の熱と衝撃を吸収して運び去った分子が全部一カ所に集中して小さな爆発をおこす。この爆発の力でボールが溝を上がる。溝の途中では、ボールと溝との摩擦熱を取り去った分子がもどってボールをさらに上へ押し上げる力となる。他のボールも同様にして後もどりする。こうして8のボールは隅のポケットから飛び出して、もとの三角形になるようにもどっていく。三角形に並びもどる際の衝撃が、キュー・ボールをキューの先まではね返す。

このような動きをしている分子を個々に映画にとって見ても、何ら違和感はないはずである。この一連の動きの中で、物理法則に反しているものは一つもない。けれども、このできごとに関与して「あちらこちら」に拡散したこれら分子が、何十億の何十億倍もの数であることを考えると、これらのすべてが先ほど想像したような動きをする（時間を逆転した現象）確率はほとんどゼロに近いから、このようなことがおこるのを見たとすると、奇跡がおこったと思うのである。

重力は常に引くだけで、反発することのない一方向にはたらく力であるから、重力の影響を受けている物体の運動は、基本法則に矛盾することなく時間に対して逆転することはできない、と考えたくなりがちである。けれどもそうではないのである。惑星の動きを逆転すると、惑星は同じ軌道上を太陽を中心にしてまわる。この可逆性のおかげで、天文学者は昔の食がいつおこったかを計算することができるのである。

重力に引き寄せられた物体、たとえば隕石の落下などの衝突はどうであろう。これこそ逆転はできないだろう。実はこれすら逆転可能なのである！　大きな隕石が地球にぶつかるとき、爆発がおこる。そのとき無数の分子があちらこちらに飛び散る。一つ一つの分子の方向と衝撃を一点で逆転させると、隕石を軌道にもどすのにちょうど十分なエネルギーを発生するのである。卵がハンプティ・ダンプティのように壁から落ちると、地面に破片が散乱する。このできごとにかかわった分子の運動すべてを逆転させると、卵はみごと一つにまとまり壁の上に飛び上がる。この逆転劇で、物理の基本法則は何ら破られてはいないのである。破られるのは統計的法則だけなのである。

そこで、物理学者の多くは、この確率の法則にこそ、時間の矢の究極的基盤があると考えるのである。コーヒーにクリームが混ざったり、石で窓ガラスが割れたり、その他多数の分子が関係しておこる身近な一方通行のできごとが、すべて確率によって説明できるのである。これで熱力学の第二法則、すなわち熱は常に熱いほうから冷たいほうに移動することの説明ができるし、なぜトランプのカードを切るとカードの並び方が変わってしまうのかの説明がつくのである。

エディントンは（時間の矢ということばをはじめて使った講義の中で）次のように言明している。「意識に対してとくに神秘的なはたらきかけをしなくとも、時間の方向を見つけることは可能である。……任意に矢を描いてみよう。もし、矢の方向に従って進むにつれ、世の中の状態に無秩序な要素がより多くみられるようであれば、その矢は未来のほうを向いているのであり、無秩序な要素が減っていくのであれば、その矢は過去を向いているのだ。物理学が認識できる唯一の区別はこれだけなのである。」

もちろん、エディントンは、一方通行のできごと、すなわちエネルギーが中心から放射するできごとが、これ以外にも多数あることを十分承知していた。池に小石を落とすと波紋が輪になって広がっていく。われわれは、波紋の輪が池で縮まって、小石のまわりにまとまり、小石を水面から上に打ち出すのを見たことがない。これも、そのようなできごとが確率として低いからにすぎない。原則的には、初期条件が正しく整っていさえすれば、このようなことは現実におこりうることなのである。実際、実験室の水槽の中では、水面に波紋をおこし、それを一点に収縮させることも、いとも簡単にできるのである。自然界においては、湖の端でこのようなことがおこることは考えにくい。ましてや、分子がすべて逆転し、湖底から石をもち上げさせ、波紋のまん中に正確にもどしてそこから空中にほうり上げるようなことはなおさらである。

理論的には逆転できても現実にはおこらない放射能現象は何千とあるが、これらはすべて確率的にはほとんどゼロなのである。もし、電子、陽子、反電子のニュートリノを外の空間からとてつもない正確さで原子核に当てたとすると、中性子が生まれる。時間の逆転したベータ崩壊が観察されるはずである。けれども実際にはそのような現象を見ることはない。それは自然の法則によってできないのではなく、初期条件の確率があまりにも低いだけなのである。

恒星の輻射も、同じことを大規模に示している。核反応が逆転してエネルギーがあらゆる方向から恒星のところへ収束し、星がエネルギーの発生源でなく、吸収先になってしまうような現象を観察することは決してないのである。ここでも、基本的な理論法則で（相対論や量子力学を含めて）、このようなできごとがおこるのを妨げるものは何もない。やはり、初期条件の確率が低いだけなのである。全能の神、あるいは神々がどこかの高みにおり、宇宙の端ですべての波をおこし始めたのだ、と想定するよりほかないであろう。このように確率としては非常に低い「境界条件」が事物の端になければ、逆放射の過程を始めることはできないのである。

このような放射現象のもっとも大きな規模のものが、原始の爆発がおこった中心からひろがり続けている宇宙の膨張なのである。ここでも、宇宙のすべての物質が反対向きにならない理由はない。互いに遠ざかっていく銀河の動きが逆転すると、赤方偏移が青方偏移になり、宇宙が収縮を始めても、これまでに知られている基本法則は何ら破られることにはならない。30章で述べるように、いつの日か、宇宙は膨張するのをやめ、収縮に向かうことになると信じている宇宙論者たちが大勢いるのである。

エディントンにとって、湖の波紋の広がりから、膨張する宇宙まで、このような放射のプロセスはすべて、無秩序に向かう動きの単なる証左にすぎない。石のすぐ近くの波紋は整然と秩序だっている。だんだん外に広がっていくにしたがってそうでなくなって、最後には消えてなくなってしまう。太陽から放射される光は、他の天体からの影響や、時空の曲がりのために、もっと秩序が乱されてくる。もし時空が球の表面のように閉じていたならば（エディントンはそう信じていた)、いずれは、恒星の放射は完全に乱雑になってしまう。エディントンは、宇宙は全体で限りない無秩序に向かって着実に膨張しているのだ、と主張した。いずれにしても、物理宇宙において時間に対して一方向きにしか進まないあらゆるできごとは、確率の法則によってその方向が決められているのだ、と彼は得心したのであった。

さて、ここでたいへん不思議な問いがおこってくる。もし巨視的世界での時間の矢が、確率によって、できごとが乱雑さの増加する方向に向いたほうとして定義されるならば、宇宙はどうやってもともとの高度に秩序だった状態になったのだろうか。もし宇宙のネジの巻きがほぐれてくるというのなら、そもそも何がこの宇宙のネジを巻き上げたのだろう。この問いについては次の章で考えることにする。

(原注1) 精神的な観点から見れば、「今」というのは物理学者のいう瞬間ではなく、たとえば、映画を見るときの網膜による残像現象とか、一連の音が順番に演奏されたときにそれを和音として聞く心の力などのような、頭脳が維持している一、二秒の間のファジー(あいまい)

な領域のことなのである。この点は、ウィリアム・ジェイムズ、ジョシア・ロイス、その他多くの哲学者や心理学者によって強調されてきた。

（原注2） この点の古典的ないい方には、数学者ヘルマン・ワイルの言がよく引用される。「客観的な世界というのは、単に存在するのみで起こるのではない。私の意識が見つめているかぎりにおいてのみ、私のからだの生命線（相対性理論の世界線）をよじのぼりながら、時間とともにたえず変化し続ける空間を瞬間に飛び去っていくイメージとして、この世の中の一部分が生ずるのである。」

哲学者の中にはこの見方を擁護する人たちもいたし、科学者にもこれは魅力的であると考える人たちもいる。近年におけるこの見方のもっとも強い支持者はアドルフ・グルンバウムであった。グルンバウムは、時間は客観的な意味では非等方的であるが、「今」という認識とともに「成る」という概念は心に依存している、と論じている。カール・ポパーはグルンバウムが意見を闘わせた多くの科学哲学者の一人であるが、彼は、グルンバウムが現実主義者でありながら、時間の矢のことを論ずるときだけ、突然に理想主義者になってしまうのはどうしたわけだろう、という疑問を呈したことがある。（この疑問については著者も同感である。）（ポール・アーサー・シリップ編、『ポッパーの哲学』（*The Philosophy of Karl Popper*, Open Court, 1974）一一四ページ参照）。

著者は、グルンバウムがここで強情をはっているのは、まったくことばの問題であり、ポッパーや、バートランド・ラッセルのような現実主義者たちと、根本的な意見の相違があるのではないと考えたい。私は、グルンバウムが次のように書いているのを読むと、もうこの議論を放棄しているように思えるのである。すなわち、彼はユージン・フリーマンとウィルフリッド・セラーズの編になる『時間の哲学の基本問題』(*Basic Issues in the Philosophy of Time*, Open Court, 1971)の中の論文「時間の意味」の結びでこのように書いている。「けれども、『成ること』を心に依存していると性格づけするにあたっては、私はそのもととなる精神的なできごとそのものが、生化学的物理的基盤、あるいはサイバネティックなハードウエアを含む物理的基盤を要するということを、全面的に認めるものである。」もし、グルンバウムがこれをほんとうに信じていたのならば、現実主義のことばについての大騒ぎはいったい何のためなのだろうか。

29　エントロピー

エントロピーという語は、熱力学理論においても情報理論においても専門的に正確に定義されている。けれども、この章の目的のためには、無秩序、すなわち、パターン（かたち）の欠如の程度を測る目安《めやす》というふうに、大ざっぱに理解しておくだけで十分である。ある系の「情報量」についても、同様に、秩序の程度を測る目安と理解しておけばよい。この二つの量は互いに反比例的に変化する。たとえば、系のエントロピーが上がれば、情報量は下がる、という具合である。

二つの概念は、おなじみのトランプ・カードを使って簡単に実演することができる。まず、黒いマークのカードを上にして、黒と赤が互いちがいに並ぶように揃える。色に関するかぎり、われわれはすべてのカードについて完全な情報をもっている。けれどもマークや数字はバラバラであるかもしれない。これを、数字だけがバラバラなもう一つのカードのセットとくらべてみよう。たとえば、上から、スペード、ハート、クラブ、ダイヤモンドの順でマークが繰り返し並ぶように揃えてあったとしよう。このとき、二番目のセットは、一番目のセットより、エントロピーが低く、情報量が高い。

では、両方のトランプのセットを切り直してみよう。カードが混じるにつれて、セットのエントロピーが上がり、情報量が下がる。（余談であるが、リフル・シャフル〔カードの山を二つに分けて互いに混ぜ合わせていく切り方〕は、驚くほど効率が悪い。整然と並んだカードのセットの順番を完全に崩すには何度もこの切り方を繰り返さなければならない。）カードを十分に切ると、カードのセットはエントロピー最大、情報量最小の状態になる。この状態が、熱力学者のいうところの熱平衡という状態に相当するものである。

ルードヴィッヒ・ボルツマンは、十九世紀のオーストリアの物理学者で、統計熱力学の基礎をつくった人であるが、われわれの宇宙がどうしてこのように、高度に秩序化されている（エントロピーが低い）のかを説明するのに、統計的法則をどう使ったらよいか、ということを真剣に考察した最初の科学者の一人であった。ガリレオ、ケプラー、ニュートンのようなこれより以前の時代の科学者にとっては、単純な答えで満足できたであろうから、さして頭痛のタネというわけではなかった。なぜならば、神は偉大な数学者であり、「天空は神が、そのみわざを示したもうたもの」だからである。ボルツマンは、科学者や哲学者たちが、宇宙論を進化論的に考え始めた時期に生きた人であった。ボルツマン自身、宇宙が、はじめは無秩序に動きまわる粒子の混沌とした海であった可能性があるだろうか、という疑問を自らに呈している。エントロピーの法則によって、この混沌とした形のない海から、今われわれの見るような整然と形をもった宇宙が自然に発生してくるような可能性があったのだろうか。

ボルツマンの大胆な見解の原点は、密封された入れ物の中で無秩序に動きまわるガスの分子の系であった。さしあたりこのモデルは、外界からは完全に孤立しているものとして想定しなければならない。ガスの分子は壁にぶつかり、互いにぶつかり合いながらあちらこちら動きまわる。これらの動きはすべて、時間に対して反転可能である。ミクロの映画でこれらの動きを撮影し、そのフィルムを逆回転させてうつしたとしても、そうしてみる映像と、正しい向きにしてうつした映像と、区別がつかないはずである。ガスは、熱平衡状態、すなわち、エントロピー最大の状態にあるからである。

もし、宇宙にこの入れ物とその中に詰まったガス以外、何も存在しなかったとすれば、この系が時間の矢をもっていたといえるだろうか。ボルツマンは、いない、と答えたのであった。時間の概念なしに運動を認識することはできないから、その意味では時間はそこに存在していたかもしれないが、時間の方向を反対方向と区別する方法がまったくないからである。フィルムをどちら向きにまわしても同じように見える。ここにある時間は対称的で、方向性がなく、矢のない時間なのである。ここで、途方もない逆説に陥ることを防ぐために、観察者の役割を慎重に考えなければならない。

読者自身が、自分の心理の中にある時間の矢をもって、この入れ物の中の分子を観察していたとしよう。読者には、個々の分子の行動を観察する能力があるとする。すると、もはやこの系は矢のない状態ではなくなっている。何となれば、読者自身が時間の矢を強制しているからである。読者には、個々の分子が、読者の過去から読者の未来に向かって動いていると見えるのである。もし、すべての分子が突然停止して、運動の方向を逆転したとすると、読者はたちまちこのことに気づくはずである。読者はもちろん、時間が逆転したとはいうまい。分子ができごとの前向きの流れをさえぎることなく不可思議にも運動の向きを逆転した、ということだろう。

入れ物は、それを誰かに観察されたときにはすでに孤立した系ではなくなっている。それ自体、読者というはっきりした時間の方向をもった複雑な分子系と相互作用をしているのである。さて、それでは、入れ物だけが孤立して存在するという状態を想定してみよう。観察者もいなければ、神すらもいない状態である。ある意味では、時間はまだそこに存在しているのかもしれないが、その方向を定義するすべなどまったくないのである。このような系の中で、時間が逆転したということは、ちょうどガスがさかさになったとか、鏡像反転したとかいうのが意味のないことであるのと同じように、まったく意味のないことである。

状況は、以前にわれわれが利き手構造（ハンデッドネス）に関して出くわした場合と似ている。ガラスのドアに書かれたOUTという文字は、誰かそれを見る人がガラスの外側か内側にいないかぎり、OUTと書かれているのかTUOと書かれているのかわからない。宇宙にOUT以外に何もないと想定してみよう。この文字にはたしかに利き手構造があるのだが、どちらの型かをいうことはむずかしい。OUTが鏡像反転したということ自体、何もいっていないのと同じである。

さて、われわれが想定した入れ物の中で何がおこっているかをくわしく見ることにしよう。中の分子は無秩序に踊っている。全体の状態は、エントロピー最大の状態である。しかし見ているうちに、何か不思議な、素晴らしいことがおこってくるようである。あちらこちらに小さなポケットができ、エントロピーが瞬間的に下がり、そしてまた上がっていくのである。最初は、普通よりもたくさんの分子が集まっているこれらの小さな、短命の区域に気づくことだろう。長い時間見続けていれば、より大きな、より長命の秩序の断片を見ることができることだろう。もっと長い間、何十億年の何十億倍もの間観察し続けていれば、いずれ分子が全部入れ物の隅に集まったり、瞬間的にOUTと綴《つづ》ったりといった、何か定義できるような何らかのパターンを形成してくるはずである。このような秩序の断片の中に、エントロピーの増える方向、あるいは減る方向としてわれわれは時間の矢をあてはめることができる。もっと正確には、われわれが、その断片がどちらのほうに動いていると想像しているかを示すことができる。残念ながら、断片はある瞬間、どちらの方向にも同じように動きうるから、系全体にどちらか好ましい時間の方向を与えることはできないのである。時間の方向はところによって向きが変わる。その全体のエントロピーも変化する。しかし全体としては、時間の矢のない熱平衡状態は維持されるのである。

これらの変化は、おなじみのトランプ・カードのセットできれいにモデル化することができる。トランプのセットを十分に切っておいてから、表を上にしてテーブルに広げて、その並び方を見てみよう。あらゆるところに秩序だったかたまりがあることに気がつくはずである。赤いマークの続き番号が五枚揃っていたり、ジャックが二枚つづいたり、6－7－8という連番があったり、という具合である。もちろん、われわれがパターン（かたち）という定義をしてその基準でこれらの秩序性を決めているにはちがいない。けれどもそんなことはどうでもよい。もしわれわれがキング－7－10という並び方をパターンだと定義したならば、そのパターンがそこ、ここに現われてくるのに出くわすのである。カードのセットをもっとよく切ってみよう。前に見られたパターンが、いつしかカードのセットの混沌の中へと消え去って、新しい秩序のかたまりが形成されてくる。長く切り続ければ続けるほど、驚くほど大きなパターンが生まれてくることがある。長期的には、パターンというものをどう定義してもその定義にあてはまるパターンが必ず生まれてくる。さらに、カード全部の並び方を厳密に定義しても、いずれそのような並び方になることがある。カードを永久に切り続ければ、ある特定の並び方は何回でも無限に繰り返し形成されるのである。

もし、暗号機を取りつけ、カードに文字を書かせる機能をもたせたとすると、このカードのセットを無限に切り続けることで、シェイクスピアの戯曲をすべて綴り出すことができるだけでなく、それを数限りなく続けることも可能なのである！

ボルツマンの描いた大宇宙の一大光景とは、とてつもなく大きな、たぶん、空間と時間において無限の大きさをもった、多数の粒子が熱平衡状態にあるような宇宙であった。彼はそのような宇宙のあちらこちらで、ほんの短時間（何十億年という程度の時間ですらありうる）だけ、エントロピーが低下するようなポケットが形成されることが不可避なのではないかと考えた。無限に広がる混沌の海の中の小さな部分として存在するわれわれの宇宙は、おそらくこのような領域なのであろう。きっと、昔の昔の昔のどこかの時点で、秩序ある宇宙が形成されるのに足る程度にエントロピーが低下し、そうしてできた宇宙の中にわれわれが存在しているのである。このようなことはあまりにもおこりにくいので、われわれには奇跡のように思われる。けれども、われわれの宇宙が揺らぎによって存在するようになるまでに、無限（それがどんな意味であろうとも！）の時間が経過していたのかもしれないということを思いおこさなければならない。われわれは、大宇宙のカードを切り続ける中で偶然にできた戯曲を演じている役者なのである。厳密にいえば、ある時間の流れに沿って動いているかのように、混沌の海について話をすることはできない。われわれがいえることは、われわれの小さな戯曲の中で、すなわち、瞬間的にエントロピーが低下したポケットの中で、時間に方向を決める矢が授けられたのだ、ということである。われわれの宇宙が熱的混沌にもどろうとしつつある中で、時間の矢はエントロピーが増加していく方向を向いているのである。

ボルツマンの概念をさらに突き詰めようとするとかなりこみ入った困難と逆説に直面するのであるが、ここではそのようなところまで深く探求することはやめにしておくことにしよう。今日では、ボルツマンの考えを真剣に取り上げる物理学者はほとんど皆無である。いるとすれば、空っぽの空間における量子の揺らぎに関連して、あるいは量子力学の「平行世界」の解釈に関連して、ときたまこの考えを復活させようと試みる学者がいるくらいである。この考え方は、密閉された中でのガスの分子の系という理想化された状態ではうまくいくのであるが、宇宙そのものがもっと（複雑で）興味深い存在なのである。一つは、もし、宇宙が熱平衡におけるガスの揺らぎのように行動するとしたなら、宇宙の遠い部分を観察したとき、自分たちがいるところよりもより秩序の乱れの大きい部分が見えるはずである。ところが実際に見えるのは、われわれのいる場所と同じように整然と秩序だった世界なのである。

そうはいうものの、ボルツマンの考えの中心にあるテーマ、すなわち、巨視的な時間の矢の基礎はエントロピーである、という仮説を残しておこうとする試みすべてが無駄なことだったわけではない。すべての鍵がビッグ・バンにあるのである。もし、ボルツマンが、この宇宙の起源が大爆発にあるのだという証拠がしだいに明らかにされてきた時代に生きていたとしたら、どんなにか悲しんだであろう。もはや、無秩序に動きまわる粒子の永久的な揺らぎの中でエントロピーがなぜ低いのか、という説明を模索する必要がなくなったからである。ビッグ・バンがたった数分で解決してくれたのであるから！

もちろん、始まりはみな不可解である。原始の宇宙において何が原因で爆発がおこったのか、あるいは爆発した物質が何であったかは誰にもわからない。もしボルツマンが生きていたなら、彼は、エントロピー最大の状態にあるクォークの海でおこった無秩序なできごとが原因だといったかもしれない。クォークのスープには何か時間が内在していたのかもしれないし、あるいは爆発以前に時間の話をしても意味のないことであるかもしれない。ともかく、爆発の瞬間の直後、粒子とエネルギーが想像を絶するスピードで外側へ放射され、火の玉の温度が急激に冷えていく過程で、エントロピーが急に低下し、みごとなまでに美しい巨視的秩序をもった宇宙が誕生したのである。こうして宇宙が誕生する際に、二種類の大きな時間の矢が埋め込まれたのである。すなわち、宇宙の拡大の方向とエントロピーの矢である。

二つの矢は同じではない。けれども、どちらがより基本であるかという議論をするのはあまり有用でないと考える。宇宙のエントロピーが大きく下がったのはビッグ・バンのおかげであり、その意味では、爆発とそれに続く膨張によってエントロピーの矢がつくられ、今もってそれが維持されている、ということができる。宇宙をこのように語ることは格好のよいいい方となっている。たとえば、デイヴィド・レイザーの「時間の矢」《(訳注1)》(The Arrow of Time)(サイエンティフィック・アメリカン誌、一九七五年十二月号)という記事では、膨張と量子力学とが相まって、さらにエントロピーと情報の反比例的な関係とがいっしょに作用して、熱力学的な矢がどういうふうにつくられ、維持されているかを説明している。

他方、膨張しつつある宇宙が秩序から無秩序へ向かう長い旅をどうやって始めたのか。確率の法則が何らかの説明しようのない形で爆発の以前からはたらいていたのでないかぎり、どう説明したらよいのか困ってしまうことである。確率の法則もまた爆発によってつくられたのだ、ということもできようが、けれどもこれを深く追求すると形而上学的な領域に入ってしまうので、昔からなされてきた数学の基礎についての議論を蒸し返さないでは、先に進めなくなってしまう。

誰がどういおうとも、宇宙は、部分的にあちらこちらでは反対向きの動きがあるものの、全体としては混沌《カオス》へ向かう壮大な運動の豊富な混合物なのである。レイザーは、秩序が増加する過程のことを歴史的な矢と名づけた。ビッグ・バンの場所から秩序正しく外側に移動する物質の形成こそ、歴史的な矢で刻印された最初の一大事件であった。恒星や惑星の進化はこれより後の事例なのである。そしてついに、少なくとも一つの惑星では、高度な秩序をもった太陽から放射されるエネルギーによって、生命の発生と進化という、われわれの知りうるかぎりでもっともパターン化されたできごとにまで発展することができたのである。

これら、エントロピーが増加していく運動にさからって、秩序が高度化する部分が生ずることを理解するには、著名なドイツの科学哲学者ハンス・ライヘンバッハが分岐系とよんだものを紹介することが役に立つ。これは、宇宙は全体として混沌に向かって流れている中にあって、（部分的に）エントロピーが急速に、あるいは時には急激に増えているか減っているような準孤立系のことである。P・C・W・デイヴィスは、『現代の宇宙論における空間と時間』(訳注2)（*Space and Time in the Modern Universe*, Cambridge University Press, 1977）の中で、分岐系の典型的な序列構造を記述している。はじめは誰かが小さな氷のかたまりを熱い湯の中に落とすところから始まる。お湯のエントロピーは急速に増加する。これはボルツマン型の自然な揺らぎではない。もともとはなかったが、われわれの行為によって分岐系（氷のかたまりとお湯）をつくりだし、それによって創出された時間に対して高度に非対称な過程なのである。

今度は、高度に秩序だった結晶である一塊の氷を考えてみよう。これ自体、また別の分岐系、すなわち冷蔵庫からきたのにちがいない。冷蔵庫というのは、熱を冷たいところから部屋の暖かいところへと移動させるという点で、熱力学の第二法則を破っているように見える。これによって水が凍り、氷のかたまりができるからである。冷蔵庫がこのようなことをできるのは、冷蔵庫自体がまた、別の分岐系、すなわち熱交換器によって影響を受けているからである。このポンプはさらに別の分岐系である発電機から出てくる電気エネルギーによって作動する。発電機はさらに、たとえば石油を燃やして発生するエネルギーを使っている。石油に封じ込められた高度に秩序だったエネルギーは、何百万という数の古代の分岐系をわれわれの前に提示してくれる。石油は、高度にパターン化された動物や植物の組織からできあがったものだからである。これらの生物は「ネゲントロピー」、すなわち、負のエントロピーが巧妙に作り上げた系であり、その矢の向きは、高度に秩序化されたわれわれの太陽のエントロピーが増えるのを栄養にして今あるがごとくに決まったのである。

地球の表面は、いずれかの方向を向いたエントロピーの矢の刻印の押された分岐系でいっぱいである。そのほとんどが究極的には太陽に由来するエネルギーを源にしている。火山と地震はこの例外であるが、風と水の動きは太陽に依存している。なぜならば、太陽によって、大気のエントロピーの不均衡状態が永久的に維持されているからである。ロンドンのような都市は秩序と情報の巨大な成長の象徴である。ロンドンは、その外の世界が無秩序に向かって広大な運動をした結果として、できあがってきたのである。この都市の何百万という分岐系は、生きているものであれ、生命のないものであれ、究極的には太陽につながる系の連鎖がつくりだすエントロピーの不均衡によって動いている。

家が建つ。これは秩序の遅い成長である。爆弾で家を破壊する。これは無秩序の急成長である。この、どちらのできごともボルツマン型の揺らぎではない。いずれも、外部からの強い影響の結果である。長期的には、熱力学の第二法則が成立する。大宇宙は全体としてはエントロピーを失うことはできない。ただその内部では、ものごとが秩序だってくる特異なポケットができるのである。けれども、分岐系の大多数は秩序が崩壊する過程にある。つまり、宇宙全体としては崩壊の過程にあるということになる。

われわれは、歴史の矢とエントロピーの矢とは秩序に関して逆方向を指し示すという事実によって、ことばの上の混乱をおこしてはならない。二種類の運動を互いに区別することは容易である。風はカードで作った家を壊すことはできるが、風によって、壊れた家を立て直すことはできない。咲いている花は決して種子にもどることはない。カードの家が壊れるということは、無秩序に向かう運動である。花が成長するということは秩序に向かう運動である。どちらのできごとも一方通行である。どちらも、巨視的世界における時間の方向に関しては同じ向きを定義している。したがって、われわれはこの二種類の動きを無視することにして、エントロピーが含まれるかぎり、巨視的なできごとの過去から未来への一様な流れのことをエントロピーの矢とよぶことにしている。

宇宙自体はほんとうに秩序の崩壊に向かっているのであろうか。宇宙論学者たちは、時として何でもわかっているような口ぶりをしたがるが、今のところ確信をもっているわけではない。もし、時空が開いている（アインシュタインのはじめの模型のように、もとにもどってくるのでない宇宙）ならば、宇宙の膨張は永久に続くことになる。宇宙はやがて燃え尽きた状態、サー・ジェームス・ジーンズが「熱死」（凍結せざる死）とよんだ不動の状態に到達するはずである。恒星はすべて燃えながら、すなわち、黒色矮星か中性子星、もしくはブラックホールになってしまう。これらの星からの古い放射は、永久に外宇宙のはるか彼方へと進み続けるのみである。

もし、時空が閉じているとすれば（今のところ、これはなさそうである）、膨張はいずれ停止し、宇宙は収縮の段階にはいることになる。次に何がおこるか、また、収縮によって恒星や惑星、そこにある生命がどのような影響を受けるかはよくわからない。おそらくは、宇宙が収縮して終極の大爆縮に至り、ブラックホールになるまで全体のエントロピーは減少し続けることであろう。このことについては次の章で考察することにしよう。

ではこのへんで、これまでのことを要約してみよう。われわれのこの気ちがいじみた宇宙の中では、少なくとも五つの時間の矢があることがわかってきた。これらの五つの時間の矢が互いにどう関連しあっているのか、物理学者たちにはまだよくわかっていない。中性K中間子に関連するある種の弱い相互作用において現われる微視的レベルの時間の方向性は、いまだに謎である。ちょうど、素粒子の利き手構造が分子の利き手構造と関係がなく、そして、分子の利き手構造がトラの左右相称の模様に何の影響もないのと同じように、巨視的な矢との関連はないのかもしれない。

巨視的なレベルにおいては四つの矢がある。第一に、われわれがこれまで論じてきたエントロピーの矢がある。第二には、池に広がる波紋とか、恒星から放射されるエネルギーのように、中心から放射される事象によって定義される矢がある。これらの矢はいずれも確率の法則から派生している。すなわち、熱力学の統計的法則からくるエントロピーの矢であり、初期および境界条件の確率からくる放射の矢である。第三は、宇宙の膨張である。第四に、意識の心理的な矢がある。

これらの五つの矢のうち、単独もしくは複数の矢は、他の矢に影響を与えずに反転することができるのであろうか。これらのすべてを反転することができるだろうか。近年になって、五つの矢のうち、一つもしくは複数の矢が、われわれの矢とは反対向きであるような宇宙の存在の可能性について、SF作家や哲学者のみならず、第一級の宇宙論学者たちの間でもいろいろな憶測がなされている。次の章では、これら、時間の反転した幻想の世界について探求することにする。

（訳注1） 邦訳は「時間はなぜ逆行しないのか」、日経サイエンス誌、一九七八年二月号、に所

収。

(訳注2) 邦訳書『宇宙論における時間と空間』戸田盛和、田中裕訳、岩波書店、一九八〇年。

30　時間の反転した世界

これまで、時間の方向が五つの矢によってどう定義されるかについて見てきた。これらの矢が互いにどう関与しあうかという問題はさておき、次の質問について考えてみよう。基本法則において、われわれの宇宙とまったく同じで、ただ五つの矢がすべて反対向きであるような宇宙を考えるのは意味のないことなのだろうか。

ＣＰＴの定理からは、そのような世界は反物質でできていることが推察される。反物質（電荷の反転した物質）は、物質とは利き手構造《ハンデッドネス》が反対であるはずだというかなり強力な証拠がある。われわれがすでに学んできたように、ＣＰ対称性の破れはＴ非対称性を示唆するものである。もしＣ、Ｐ、Ｔがすべて反転した宇宙が存在しうるならば、美的に見た目がよいという点で理論家にとってはうれしいことであろう。思考実験として、粒子レベルにおけるＴの反転がその他の四つの時間の矢の反転と組み合わさっておこった、と想定してみよう。どこか彼方の、他の時空の連続体において、空間においての構造が反対向きであるだけでなく、時間（のすべての特性）についても反対向きであるような反物質の宇宙が存在する、ということはありうるであろうか。

時間の矢が互いに反対向きである二つの世界は、互いに鏡像対称である二つの世界によく似ている。それ自身左右の感覚をもっている外からの観察者の役割を除けば、このような二つの世界についてわれわれがいえることは、それらが互いに相手を鏡像反転したものだ、ということだけである。同じことが時間の反転した世界についてもあてはまる。どちらの宇宙においても、知的生命体は、おのおのの時間の中で「前向き」に生きている。一つの宇宙における時間が「後ろ向き」であるということは、その宇宙のできごとがもう一つの宇宙に照らしてみると反対向きに進んでいる、というだけにすぎない。

このような互いに時間が逆向きである二つの世界という考え方は、ボルツマンの時代にすでに存在していた。一見論理的には何も矛盾がないように見えるが、この考え方を進めるといろいろのおかしな結果が導かれることになる。たとえば、時間の反転した世界にいる知的生命体どうしで、互いに交信を行なうことは不可能である。なぜだろう。片方の宇宙にいるAと、もう一つの時間の反転した宇宙にいるZとの間で、何らかの通信回線を作ったとする。AがZに対して信号を発信する。Zがこれを解読してAに返信を送る。これをAのいるところから見ると、ZはZの過去に向かって進んでいくことになる。するとZはまだ信号を受け取っていないから返事をすることはできない。Zのほうから見ると、Z

が出す返事はAがまだ信号を送らないうちにAの過去の時点で受け取ることになってしまうのである！　どちら側から見ても、もし返信がなされることを前提とするならば、論理的矛盾がおきる。ちょうど、SF小説で、人が過去の時代に旅行して、子供時代の自分を殺してしまうという話でおこる逆説と似たような状況になってしまうのである。

したがって、この二つの世界の間での交信は論理的に不可能であることになる。観察することはどうであろうか。鏡で反転された世界を見ることは簡単である。鏡をのぞいてみればよい！　けれども時間の反転した世界を見ることには少々困難がつきまとう。まず光であるが、外の世界からくる光は、こちらに進まずに外の世界に向かって進んでしまう。もし観察に電磁輻射が関係しているとすると、二つの世界は互いに完全に見えない存在となってしまう。ともかく、一応、あらゆる妨害を克服して、いつの日か、われわれは時間の反転した世界に向けて発射し、向こうの世界の歴史を干渉することなくわれわれのところにはね返ってくるようなそんな輻射線を発見したとしよう。この不思議な輻射線を使えば、どんな形であろうとも交信することはできないが、われわれは向こうの世界でおこっているできごとを「観察」することはできる。もちろん、そこに見えるできごとは時間について「後ろ向き」に進んでいるように見える。向こうの世界からも、同じ方法でわれわれのほうを見ることができるが、やはり、彼らにもわれわれが時間に対して「後ろ向き」に進んでいるように見えるのである。(原注1)

このようなことができる輻射線が何であるかは誰も見当がつかない。けれども、そのような輻射線があるということを仮定しても、そこから論理的矛盾がおこることはないようである。おかしなことに、ここにおける仮定では、決定論的歴史観もその前提としていない。決定論的歴史観とは、宇宙のある時点の状態から、その宇宙の未来全体が唯一無二のものとして決定されてしまう、という見方である。AがZの宇宙を観察したときに見えるのは、その宇宙が一瞬間前（過去）にもどっていく状態だけである。同様に、ZもAを観察して見えるのはAが過去にもどる姿である。過去というものは、誰しもが同意できるように、未来永劫固定されたものなのである。AもZも互いに相手の未来を探ることはできないから、どちらの未来も不確定のままになってしまう。よその宇宙の過去を観察しても、人類の歴史上のできごとをうつした映画を逆回しで見るのと同じで、決定論・非決定論論争については、何ら論争に与える影響はないのである。できごとに参加した人びとについていえば、できごとが不確定な未来に向かって展開していくにつれ、偶然の機会と自分自身の自由意志がそれぞれ役割を果たしていったのである。時間の矢が互いに反対を向いている二つの世界の間で、相互作用がある場合にのみ逆説がおこるのである。そのような相互作用がなければ、二つの世界の間のちがいは単にことば上のものでしかない。われわれは向こうの世界のできごとをわれわれの時間が反転したことばで記述し、彼らのほうでもしわれわれを観察できれば同じことをするであろう。どちらの世界でも、時間の矢は過去から未来を指しているのである。

高次元にいて時間の矢が互いに反対向きをなしている二つの宇宙を観察している神々がいたとしても、少しもこの論争に決着をつけようという思考実験の助けにはならない。神々は、両方の宇宙の歴史を全部見て知っているとはいっても、超時間における一瞬の盲点で、おのおのの宇宙が自己の時間を進みながら枝分かれする瞬間、決定されていない分岐点をもつ可能性がないとはいえないからである。実際、このことこそ、すべての宗教の偉大な神学者たちが、自由意志と、あらかじめ定められた運命という、一見相矛盾する概念を両立させている論法なのである。古代の決定論者と非決定論者との論争は、時間の反転した世界の概念によっては影響を受けないかのようである。

イギリスの物理学者フランク・ラッセル・スタナードは「時間軸の対称性」(Symmetry of the Time Axis)(ネイチャー誌、一九六六年八月十三日号)の中で、ちょうど二組のチェッカー・プレーヤーが、一組は黒のますだけを使い、もう一組は赤のますだけを使っていて、互いに他の組のプレーヤーには干渉をしないで二つのゲームを進行できるように、時間が反対向きの二つの世界は、相互には作用をせず、互いに貫通しあうことによって、同じ量の時空を占めているのではないか、という提案をしたことがある(原注2)(あまり真剣にではなかったが)。彼は、この「もう一つ」の世界を「ファウスト」的世界とよんだ。ゲーテの詩の中でファウストがメフィストフェレスによって時間を逆行することを許されたからである。スタナードの見方をすれば、ファウスト的世界は、われわれのまわりのいたるところに存在し、われわれとは逆向きに進行する時間をもち、われわれからは絶対に観察できないものなのである。

J・A・リンドンという、著者の大好きな滑稽詩人が、スタナードの見解に感動して次のような詩を書いている。

そっちじゃない！

そうして私は玄関をすり抜けた、とスタナード博士——
おお、頭の中の万華鏡よ！　もの皆すべてがまわっている！
ここでおこったことはみんなみんな不思議なほどに整然としていた、
なぜなら、ファウスト的世界では、時間は反対向きに進むのだから！

私はクランキイランクさんが後ろ向きに自転車をこぐのを見た
（でも安全に）他の人通りをすれすれにうまく通り抜けながら
家に昼食を食べに出るため（そうするのが好きだった）、
その後ろから、彼の乗りそこなった汽車が来た。

エディー・チャンパーがベーコンをかみもどすのが見えた。
　夜明けから日暮れまでの休みにつく前に
そしたら彼のかみさんがそれを火でもどして
　BACON BACK BESTという食料品屋にもっていって売ってきた。

私は「百歳」のレイディ・ブリンカーに会っておじぎをした、
　彼女は去年の十二月に死んだのさ（その前はずっと埋められていた）
この太った飲んべえばあさん
　一世紀たったらお母さんのお乳を飲める、といっていた！

銀行強盗のビルが入っていた牢屋を見せてもらった
　逆行する時間の懲役刑を受けていたそうな
十七年たって監獄から解放され、
　外に連れていかれて裁かれた罪を犯した。

ルー・クリーンボディが湯浴みをするのをのぞき見した

（私の良心にさからってだよ、皆さん！）
風呂桶の栓穴から垢だらけの湯をくみ上げ、
桶から出るときれいな水が蛇口に吸い込まれていった。

私は反爆撃を見た。がれきが集まって、
建物ができ、死体が起き上がった。
煙がぱっと上がって爆弾ができて飛び上がった（私が震えている間に）
そしてしっぽを上に上がっていって飛行機のフックに取りついた。

反破壊活動の話を聞いた。工場がスパナでたたかれた
そしたらスパナが飛びはねて、壊れた歯車がもとどおり。
そして私はスタナード博士と書かれたドアを離れていった、
そしたら時計は普通に動いていた。

それでも私はこのことをたいした本に書き上げた。誰も引用することはないだろう。
私はこのことは勉強しつくして、ちゃんとわかったつもりだが、
終わりから始めたので、書いているうちに忘れちまった、

本の題名も消してしまったから他の人とおんなじに何にもまったくわからなくなった！

スタナードの見方が素晴らしいと思えるならば、次の概念を考えてみるとよい。この概念はプラトンの時代からある。膨張を続けている宇宙が、重力の影響によって外側へ膨張する力が止められて、やがて宇宙が収縮を始めるような点まできたと想像してみよう。きっと、膨張の限度に至った極限において、われわれの宇宙は時空の特異点――物理の方程式がもはやあてはまらない点――に入り、収縮が始まると、時間の矢がすべて反転し、これまでと反対向きを指すのだろう。簡単にいうと、宇宙が時間の反転した反物質の世界に変身するのである。

近年、コーネル大学の宇宙物理学者であるトーマス・ゴールドがちょうどそのような宇宙論的モデル(原注3)を真剣に提唱したが、まずプラトンがその対話集『政治家』(訳注1)（*The Statesman*）の中で、時間の反転した世界をどのように記述しているか見てみよう。

見知らぬ人　それでは、よく聴くがよい。神自身が導き、世界の進展を助けていく時代と、あるサイクルの後には、神が手を放し、世界自体が（もともとの著者の創造主から知性を授かっている生き物であるために）内在する必要性によって自分で反転し、反対の方向に回転し始める時代とがあるのである。

ソクラテス　それはなぜですか？

見知らぬ人　なぜ？　それはすべてのうちでもっとも神聖なるものだけが不変であり、肉体はこの階級には含まれていないからである。われわれの名づけるところの天と宇宙とは、創造主神によってさまざまな栄光を与えられてはいるが、やはり肉体としての性格を有しており、それゆえ変化から無縁ではありえない。けれども、それらの動きは、可能なかぎり、単一であり、同じところにとどまり、同じ性質であり続ける。したがって、可能な中でもっとも小さい変化である反転を行なうのである。何となれば、動くものすべての主しか自分自身を動かすことができないのであるから。そして彼自身があるときは天と宇宙をある方向に動かし、別のときは反対に動かすのだ、などと考えるのは神に対する冒瀆《ぼうとく》だからである。そうであるから、われわれは世界はいつも自分で動いているのだとか、神によって反対方向に動かされているのだとか、あるいは、反対の目的をもった二人の神が世界を反対向きに動かしているのだ、といってはならないのである。けれども、私がすでにいったように（そしてこれが残された唯一の考えでもあるが）、世界は一時期外なる神の力によって導かれて、創造主の手から新しい生命と永遠性を授けられ、そしてまた、神の手から放たれ自由になったときに、歳月の無限のサイクルのある時点で、自発的に反転を始めるのである。これは、宇宙がもつ完璧なバランス、莫大な規模、そしてそれが最小の軸を基点に回転する、という事実によるものなのである。

ソクラテス　貴殿の世界観は真に理にかなったもののように見受けられます。

見知らぬ人　では今度は、これらの不思議すべての原因であると認めた現象の本質といわれているものを探してみることにしよう。それはこれである。

ソクラテス　というと？

見知らぬ人　ときどきおこる、宇宙の動きの反転である。

ソクラテス　それがどうして原因なのですか？

見知らぬ人　天なる運動のすべての変化のうち、この変化がもっとも大きく、そして完全なものと考えられるからである。

ソクラテス　それはそうです。

見知らぬ人　そして、そのときそこに住みついている人間にもっとも大きな変化をもたらすと考えられるからである。

ソクラテス　当然そうなるでしょう。

見知らぬ人　そして、われわれも知っているように、動物たちはいろいろな種類の深刻な変化が、いっぺんに彼らにのしかかってきても、たいそう苦労しながら生き延びていくのである。

ソクラテス　まったくそのとおりです。

見知らぬ人　しこうして、彼らの大絶滅がおこる。やがて、この絶滅は人類にも及び、それぞれの種のほんの一部だけが生き残り、そしてこの生き残りが珍奇なそして異常な対象となるのである。そして、そのようなもののうちとくに異常なのは、われわれが、今生きているのと反対のサイクルへの移行のときにおこるものである。

ソクラテス　それは何ですか？

見知らぬ人　まず、すべての動物の生命が静止状態になった。そして、生物は老いることをやめ、反転して若返り、デリケートになった。老人の白髪が再び黒くなり、髭の生えた男の頬はすべすべになり、血色を回復した。若者の張り切った肉体は、みるみる柔らかく、小さくなり、日に日にからだも心も赤ん坊のようになっていった。そして、次の段階では、みじんのようにすりへり、やがて消え去った。そして、暴力によって死んだ者のからだも、同じような過程を経て、二、三日のうちにはあとかたもなくなっていた。

ソクラテス　では、見知らぬ人におたずねしますが、そういう時代には、動物はどうやって創造され、それぞれがどうやって生まれてきたのですか？

見知らぬ人　ソクラテスよ。その当時の自然の秩序においては、個々の動物がおのおののほかの個体から生まれるなどという生殖のしかたはなかったのだ、ということは明白である。われわれが聞いている話では、このような時代に、地球上で生まれた種はすでに当時存在していた種なのである。彼らは再び地から立ち上がったのだ。そしてこの流れを受けついだのが、今では不当におとしめられているわれわれの祖先たちなのである。彼らは、ちょうど、前期の最後にいちばん近く、今期の始まり、われわれにとっての創世期に存在し始めたのである。話がいかに一貫しているかを見るがよい。年老いたものが若返り、地中に眠る死者が生き返り、同時に、世代の輪が逆転して、逆の順番で生きていったのである。神が何人かをこの世界から連れ出して、他の世界に移しかえでもしないかぎり、そうなのである。この伝統によれば、彼らは必然的に地上にはね上がり、地球上で生まれたといわれる。だから今いったような言い伝えが彼らにつきまとうのである。

ソクラテス　たしかに、それは、以前からのできごとにくらべても、つじつまがあっています。それならおたずねしたいのですが、あなたによるクロノスの時代に存在していたとおっしゃる生命は、世界が以前のサイクルにあったときに存在したのですか、それとも今の世界に存在していたのですか。星や太陽の歩みの変化が、どちらのサイクルにもおこったにちがいありません。

プラトンの見知らぬ人のいうサイクルが終わりなく繰り返し循環していると想像すると、

周期的に振れ動く宇宙が目に浮かんでくるが、これはゴールドのモデルや、東洋の一部の宗教の唱える永劫回帰の主張に驚くほど似ているのである。この考えをもう少し推測を交えて膨らませてみよう。まず第一に、ブラックホールの一つ一つは、必ず、それが吸収したすべての物質とエネルギーを噴出し続けるホワイトホールと組をなしている、という概念である。この一対のホールは「アインシュタイン－ローゼンの架け橋」あるいは、ジョン・ウィーラーがワームホール(訳注2)（虫食い穴）とよぶものによってつながれている。おそらく、クェーサー(訳注3)（準星）や、セイファート銀河とよばれるクェーサーのような銀河の中心が、そのようなホワイトホールなのであろう。そうだとすると、われわれの宇宙におこるべきエントロピーの死は、ブラックホールとホワイトホールとの間でたえず循環している物質のおかげで到来するのが遅れることになる。宇宙の最後の最後の崩壊においては、すべては巨大なブラックホールの中に消え去っていくのである。この後に、次のサイクルのビッグ・バンであるホワイトホールの爆発が続くのであろうか。われわれは、物質とよぶものでできている宇宙に生きているのであるが、これはわれわれよりも先にあった宇宙が崩壊した際に残された反物質なのであろうか。

この振動モデルにおける反対向きのサイクルについては、二とおりの解釈をすることができる。もし決定論的見解をとるならば、第二のサイクルは前のサイクルでおこったと同じことを単に反対向きに繰り返しているだけ、ということになる。けれども、ファウストの宇宙のように時間の反転した宇宙、あるいは、「どこか彼方」にあって、時間が反転した宇宙はどれも、必ずしも決定論的である必要はない。まったくちがった歴史をもつ反転のしかたをしても差し支えないのである。相互に作用しあうことのできる宇宙が存在しないかぎり、「反対向き」の世界にすんでいる知的生命体は、自分たちは完全に正常な形で前に進んでいると思うのである。

第一の考えでも何も不都合はない。ただ、歴史が反対向きの時間の間をただ同じように行ったり来たりし続けるというのは何か退屈で、意味がないように思えるだけである。神々にとっては、われわれが『フィネガンズ・ウェイク』を終わりまで読んで、それから「川流れ」まで逆に読み返し、また最初から読んでは逆に読み返し、とこれを永久に続けるようなもの、あるいは、映画を前向きと逆回しと交互にしながら見るようなものであろう。けれども、「前向き」とか「後ろ向き」とかは、高次元の時間の世界でこれを外から見ている観察者を必要とすることに注目してほしい。もしこのような観察者がいなければ、繰り返すことのない、たった一回しかおこらないサイクルのことを話しても同じことである。

もしサイクルが前のサイクルとはまったく同じではないというのであると、少し退屈でなくなってくる。プラトンや、ゴールドのモデルにおいて、毎度の「川流れ」が以前のものとまったく同じでなければならない必要はない。各サイクルにおいて、その中にいる知的生命体は、ちょうどわれわれと同じように、不変の過去から予知不能の未来へ向かって進んでいくのである。未来は、ウィリアム・ジェイムズが情熱的に論じたように、純粋な驚きで満ち満ちていて、神々でさえも予測することはかなわないのである。上映するたびに、どんな終わり方をするかわからなければ、映画もたいそうおもしろくなること請け合いである。

ここで、この考え方をもう少し拡大してみよう。存在の中には無数の宇宙が含まれている。あるものは膨張し、あるものは収縮しながら、おのおのの宇宙はおのおのの「未来」をもっており、この未来は実際に現実としておこらないうちは「存在」していないのである。おのおのの宇宙のおのおののサイクルにいる知的生命体は、おのおの自分が時間に対して前に進んでいる、と認識している。これらの世界の間でいかなる形でも相互作用がなければ、このような見方には論理的な矛盾があって、実はナンセンスなのだということを理解するのはなかなか困難である。

ここで、奇妙な考えが浮かんでくる。膨張し続けるサイクルのほうから出る輻射が、飛び続けて、収縮しつつあるもう半分のサイクルに入ってしまうのを妨げるものは何であろうか、という疑問である。ポール・デイヴィスは、前の章で紹介した本の中で、ウィーラーは、だんだんに「潮が変わって」そのとき宇宙の進み方が遅くなり、やがていったん静止して、それから反対向きに動き出すのだと考えた、と記している。もしそうならば、膨張サイクルの終わり近くには、輻射の一部が、ぼやけた拡散状態の中で、もどってくるのを見はじめることができるかもしれない。もし、時間の方向が収縮期に入るのに合わせて反転するとしたら、これは、(デイヴィスがいうように)「未来からのマイクロ波の探求」ということになる。彼によれば、現にこの実験が一回は行なわれたそうであるが、マイクロ波は検出されなかった。

思考実験では、まわりの宇宙は前に進んでいるのに、個々の人びとや粒子だけが後ろ向きに進んでいくと、もっと奇妙なことがおこる。このような事態については、次の章で少し考えてみることにする。

(原注1) ノーマン・スワルツは、「時間にオズマ問題はあるか?」(Is There an Ozma-Problem for Time?)(アナリシス誌、第三三巻、一九七三年一月号、七七〜八二ページ)の中で、時間の反転した二つの世界の間ではいかなる交信も、あるいはこのような交信を第三の世界から観察することも、いずれも因果律に根本的に反するから不可能である、と主張した。

(原注2) もう一つ、お互いが貫通しあっている二つの宇宙を考える見方がある。スーパーストリングの章で、われわれは、われわれの知っている宇宙を貫通できる「影の物質」の世界

があることを提案する統一理論に出合う。もう一つの可能性は、時間は粒状で、クロノンと名づけられた単位が迅速に引き続いている、という仮説である。この仮説は、細胞オートマトンコマのように、あるいは、コンピューターのモニターのピクセル（画素）の状態が刻々変わるように、宇宙が、ある状態から次の状態に飛躍しているのだ、というのである。映画の中や、コンピューター・スクリーン上での動作は連続しているように見えるが、実際には別々の絵がほんの短い時間をおいて次から次に見えているにすぎない。さて、今度はこの短い継ぎ目の時間のところにまったく別の映画のコマが埋め込んであり、ただ、われわれはこの映画を見るには、この二番目のセットだけをうつすことのできる機械が必要なのである、という状態を想像してみよう。同様に、もう一つの世界もわれわれの時間とは別の間隙に、けれども、完全にわれわれの宇宙の空間の中に存在しているのかもしれない。

（原注3）「ビッグ・クランチ」（大爆縮）に向かって収縮を続ける宇宙においては、エントロピーが反対向きに進むというゴールドの考えは、彼が近年に発表した、石油は有機生物の産物ではなく化学的な起源を有している、という主張よりももっと突飛ですらあった。にもかかわらず、誰あろうスチーブン・ホーキングのような高名な学者が、長い間、この考えを受け入れていたのである。一九八六年、シカゴの相対論的天体物理学の学会で、ホーキングは意見を変えた。彼は、もし宇宙が収縮段階に入ったとしても、エントロピーの矢はこれまでと同じ方向を向き続けると確信するに至った、といったのである。

心の中の心理の矢についても同じことがいえる。ホーキングは心理の矢はエントロピーに基づいていると考えている。けれども、収縮する宇宙はやがて生命を維持しなくなってしまう。ホーキングはその著書『時間の小史』（邦訳、『ホーキング宇宙を語る』早川書房）の中でもこの見解を繰り返し述べている。ウォルター・サリヴァンの記事「未来の中に過去はあるか?」（Is There a Past in the Future?）（ニューヨーク・タイムズ紙、一九八六年十二月三十日号）を参照のこと。

（訳注1） 邦訳は「ポリティコス（政治家）――王者の統治について」という題で『プラトン全集』第三巻、一八七ページ以降（水野有庸訳、岩波書店、一九六六年）に所収。

（訳注2） 量子重力が支配するプランクスケール（10^{-33} cm）の世界では時空のトポロジーがさまざまに変化していると考えられている。たとえば、ワームホール（虫食い穴）ができたり消えたりする。

（訳注3） 強力な電波エネルギーを発している恒星状天体。恒星状電波源。

31　時間反転下の人と粒子

プラトンの同時代人で彼よりは若かったギリシャの歴史家カイオスのテオポンパスは、それを食べた人間が若くなり始めるある果実について記している。もちろん、これはその人の時間が完全に反転したことと同じではない。この人はふつうのように考え、話し、行動しているからである。

このように時間と逆の向きに成長する人間の話は、いくつかのSFが扱っているが、その中にとくにF・スコット・フィッツジェラルドの奇談「ベンジャミン・バトンの不思議な生涯」(The Curious Case of Benjamin Buton)がある。ベンジャミンは一八六〇年白髪と長髯をもった七十歳の男として生まれた。彼は時間と逆向きに正常の速さで成長し、六十五歳で幼稚園に入り、正規の学校教育を経て五十歳で結婚した。三十年後、二十歳のときハーヴァードに入り、一九一四年十六歳で卒業した。第一次世界大戦の勃発とともに陸軍に入ったが、ただちに准将に任ぜられた。というのも、米西戦争(一八九八年)のとき中佐であったから、生物学的に普通に年をとればそうなるのである。しかし、彼が少年の姿で陸軍基地に現われたとき、ただちに解雇されて家に送り返された。彼はその後もますます若くなって、とうとう歩くことも話すこともできなくなってしまった。「あたりはすっかり暗くなった」とこの小説の最後の行は記す。「白いベビー・ベッドと彼の上で動いていたぼんやりした顔・顔・顔、そして温かな甘いミルクの芳香が、しだいしだいに彼の意識から遠のいていった」。

フィッツジェラルドがこの小説を『ジャズ時代の物語』(*Tales of the Jazz Age*, Scribner's, 1922) に収録したとき、次のような覚書をつけている。

人生の最良の部分がはじめにきて、最悪の部分が終わりにくるのは何とも遺憾なことではないか、というマーク・トウェインの批評に感銘を受けてこの小説を書いた。まったく正常な世界にただ一人の逆成長の男を投ずる実験を試みただけでは、トウェインの考えを正しくテストしたことにはなるまい。この作品を完成してから数週間後、サミュエル・バトラーの『ノートブック』(*Note-books*) の中にほとんど同じ趣向を発見した。

私の小説はコリヤーズ誌上に昨夏発表されたが、シンシナティに住む匿名の一ファンから次のような手紙をもらってびっくりする、という大騒動をひきおこしたのであった。

「拝啓。コリヤーズ誌上のベンジャミン・バトンの話を読了しました。短編作家としてあなたはよき狂気の人になれるでしょう。私は今まで多くの重要人物を見てきましたが、あなたは私の見た中で最大の重要人物です。私はあなたに一枚の紙も費やしたくないのですが、あえて費やします。」

ついでのことながら、マーク・トウェインも時間反転の概念をとり上げている。『おかしな見知らぬ人』(*The Mysterious Stranger*)の第三二章の中に、全世界で時間が逆進する光景が出てくる。彼は決して行動に巻きこまれはしないが、大戦闘が逆向きに進行したり、そのほかの事件が反転することを観測している。

似たような光景は、SFのお話の中にたくさん出てくる。デイモン・ナイトの作品「ゼロ時間以後」(Backward O Time)では、ローレンス・サリヴァンが墓の中から取り出されるところから始まる。彼は時間を逆向きに生き、子供のとき母親が病院のベッドの上で生き返るのを見る。事象の記述は興味深い(誰もが普通の向きにことばをしゃべる、という論理的矛盾は今問わないとして)。雨は上に昇って雲に達し、くわえた葉巻はだんだん長くなり、医者は返金して領収書をとりかえし、カミソリが顎をなぜると無精ひげが生え、結婚式では指輪がぬきとられ、涙は頬を流れ上がり、扁桃腺は咽喉の奥にもどされ、赤ん坊は子宮の中に押し込まれ、などなどである。この小説はナイトの選集『はじまり』(*Turning On*, Doubleday, 1966)(のちに Ace 文庫版)に再録されている。この作品は一九五六年ギャラクシー誌に現われたときは、「退歩はこちらへ」(This Way to the Regress)と題されていた。

時間の逆転した世界からユーモアを引き出そうという試みはまた、レイモンド・バンクの「こちらを上に」(This Side Up)である。一九五九年のギャラクシー誌上の作品である。ホレイス・ゴールド編『ギャラクシー作品選第五集』(*The Fifth Galaxy Reader*, Doubleday, 1961)(のちに Pocket Books 版で再刊)の中に収められている。原子戦争はただ一人の生存者を残した。彼は鉄の肺の中で生き、動くこともしゃべることもできない。彼は類人間《ヒューマノイド》の一群サーキアン人の訪問を受けるが、彼らは老齢から若齢へ人生を逆に生きる住民の住む惑星から飛来している。彼らは地球人もまた時間を逆に生きていると誤解する。彼らは地球上の生活の映画をうつすときに、まちがった面を地球の映写機にかけてしまったからである。映画はもちろん、逆の向きに進行する。

ブライアン・オールディスの小説『時代』(訳注1)(*An Age*, Faber & Faber, 1967)(一九六八年の Doubleday 版では『神秘生物』(*Cryptozoic!*)と改題され、のち Avon 社より再刊された)は全編が逆向きの世界ではないが、その第七章「死者のよみがえるとき」は、地球の歴史を時間を逆にして記述したものである。身体の中で食物は逆消化され、カシの木はどんぐりに反生長し、エントロピーの減少とともにコーヒーは熱くなり、牛乳は桶から雌牛の乳房に向けて噴出し、滝は上に流れ、人びとは死から誕生に向かい、全宇宙はビッグ・バンに向かって収縮する。これはもちろん、大爆縮である。

時間と逆向きに成長することを別にすれば、フィッツジェラルドのバトン氏は、正常の向きに進行する時間の中で生きている。個人の時間の矢だけが逆向きに進行する状況の記述は、ルイス・キャロルの小説『シルヴィーとブルーノの話の終わり』(*Sylvie and Bruno Concluded*) のほうがすぐれている。ドイツ人の教授が話し手に「逆まきネジ」のついた変わり時計を手渡す。逆まきネジは話し手とそのすぐ近くの環境の時間の向きを逆にしてしまう。時間の向きが反転した正餐の記述はおもしろい。「からのフォークが唇のところへあげられる。小ぎれいに切られた羊肉の一片をフォークが受け、すばやく皿へはこぶ。と、その一片はすでに皿の上にある羊肉にくっついてしまうのだった。」この光景には矛盾がある。テーブルの上の順序は逆向きだが、ことばは前向き順序で話されている。同じような矛盾はチェコスロヴァキアの映画『ハッピー・エンド』にもある。この映画ではすべての行動も、説明も、時間の逆向きに進行するのだが、ことばの順序だけはそうでない。一例をあげるとこうなる。

妻 「なんて悲しそうな顔つきの魚でしょう」

愛人「あなたのように」

妻「美しいお天気ですね」

タイム誌はこの紹介（一九六八年六月二十八日号）を次のように結んでいる。「るぎす多間時一は間時映上うぃと分三七しかし。」（Much too hour an is it of minutes 73 but.）

一九二〇年代のはじめ、ポール・ヒンデミットが音楽を書きマーセラス・シファーが台本を書いて、『あちらこちら』（*There and Back*）という奇妙な一幕オペラができあがった。嫉妬に狂った夫が妻を射殺し、妻は担送車にのせられ二人の看護婦につきそわれて退場する。と、タイム師が天井から降りてくる。振り子時計が止まり、針はさかさにまわりはじめる。看護婦たちが足音高く死体といっしょに登場する。死体は復活し銃声とともに弾丸は夫のピストルにもどる。前のようにいい争そう夫婦を舞台に残してタイム師は消える。幸いにしてこの一節の音楽と登場人物のせりふは時間に順行する。この作品の初演は一九二七年ドイツで行なわれた。（私がこの作品を知っているのは、ブエノス・アイレスにいる友人が一九六七年に上演されたときのプログラムをたまたま送ってくれたからである。）

その人のからだと心の動きが時間に逆行し、そのほかの世界はそのまま順行する個人をあえて考えてみると、最悪の事態におちこむ。たとえばその一つとして、この人は以前の人生体験を経験することはできないであろう。人生体験は外界と結びついているからである。外界は依然時間に順行しているから、その人の過去の体験は何ひとつ再現できない。モーターが逆回転する自動人形のように、彼は狂ったような死の舞踏を続けるのであろうか。あるいは、彼の見地からすれば、あたかも時間に逆行するように見える世界の中で順行してものを考えるのであろうか。とすれば、彼には何も見えず何も聞こえないであろう。あらゆる光波も音波も発生源のほうへ向かって運動しているだろうから。

逆転した時間の矢を個人の心にあてはめようとするとき、私たちは論理的矛盾につきあたらざるをえないように思われる。それでは、量子論のミクロのレベルでは、時間に逆行する粒子に意味を与えることができるであろうか。できる。一九六五年、リチャード・ファインマン（22章でお目にかかった）は量子力学への革命的寄与によってノーベル物理学賞を共同受賞した。ファインマンの「時空像」では、その天才的ないわゆる「ファインマン図形（グラフ、またはダイアグラム）」で、反粒子は一秒間の一〇〇万分の一くらいのあいだ時間に逆行する粒子として取り扱われるのである。

電子とその反粒子の対創成がおこるとき、陽電子（正に帯電した電子）はきわめて短命である。陽電子はすぐさまほかの電子と衝突し、両者が消滅して、多くの場合二つのガンマ線が飛び出してくる。ファインマンの理論ではただ一つの粒子、電子しかない（図92 a を見よ）。陽電子として見えるものは、しばらくのあいだ時間に逆行して運動する電子に

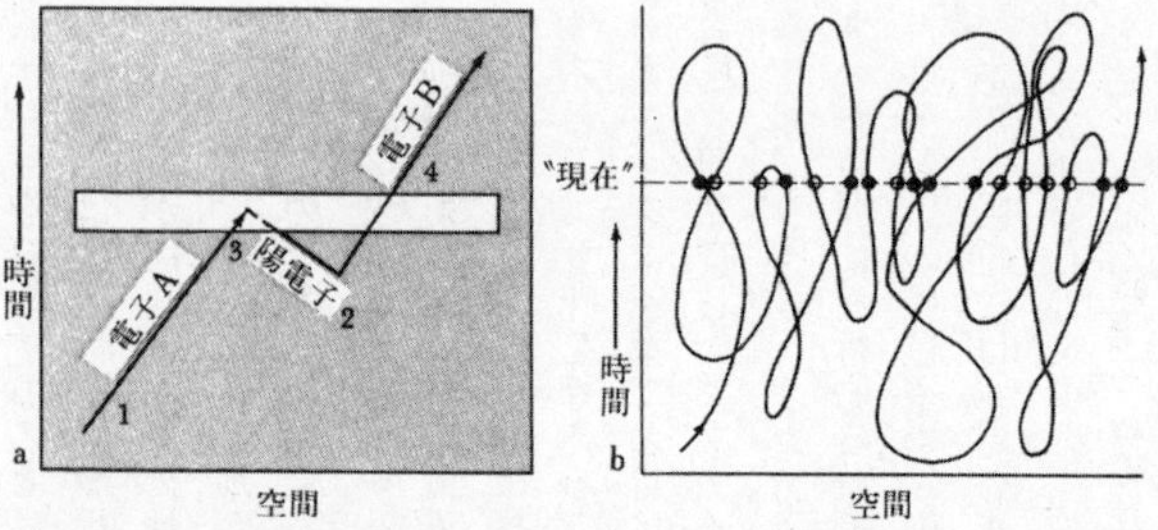

図92　a. 電子・陽電子消滅の簡単化したファインマン図形（説明は本文参照）。b. 単一の電子の描く「世界線」は全世界の電子（黒い点）と陽電子（白い点）を作り出している。

ほかならない。事象をながめている私たちの時間は一様に前向きに進行するから、時間に逆行する電子が陽電子として見えるのである。陽電子がほかの電子と衝突すると消滅するが、消滅点は時間的に（時間に逆行する）電子の過去である。電子は時空間で微小なジグザグ・ダンスを行なう。電子が泡箱の中でちょうど経路が観測できるくらいの過去にとびうつれば、それが時間に順行する陽電子の経路として観測される。

図92ａに示すファインマン図形は、クイーンズ・カレッジのバネシュ・ホフマンの工夫を簡単化したものである。水平な間隙（白い部分）を切り抜いた厚紙（灰色の部分）を図形の上にあて、静かに上のほうへ動かし（時間について順行）ながら間隙を通して図形を観察する。間隙を通すと、事象が時間に順行する「現在」でどう現われるかが見える。電子Aは右側へ動き（1）、電子・陽電子対が生成され

(2)、陽電子と電子Aは互いに消滅しあい(3)、電子Bは右側へ運動を続ける(4)。時間のない見方(間隙をあけた厚紙を用いないとき)では、ただ一つの粒子しか見えない。電子は時間に順行し、逆行し、また順行する。

ファインマンはその基本的な発想を、プリンストンの大学院生時代、彼の物理学の師ジョン・A・ウィーラーとの電話のやりとりの中で得たという。ノーベル賞受諾の講演の中で、ファインマンは次のように語っている。

「ファインマン」とウィーラーがいった。「なぜ電子がすべて同じ電荷と同じ質量をもっているかがわかったよ。」

「なぜです」とファインマンがきいた。

「それは電子はすべて同じ一つの電子なんだ。」

ウィーラーはいま思いついた途方もない見解を電話で説明しはじめた。相対論では、物体の時空間における運動を示すためにミンコフスキーの図形とよばれるものを使う。この図形上の物体の経路を世界線という。ウィーラーは、一つの電子が単一の世界線をたどりながら世界線を時空間中前後に織りなすさまを考えた。世界線は無数の結び目を作り出すであろう——まるで何億という無数の交錯をもつもつれたより糸の巨大な玉のように。「糸」は、時間のないある一瞬で見れば、全宇宙を満たす。宇宙の時空間の中で、時間軸に垂直に切ったある断面をとれば、ある瞬間の三次元空間の描像を得る。三次元の断面積は時間軸の正の方向に動き、世界の事象がダンスを踊るのはまさにこの「現在」という動く断面においてなのである。この断面では、電子の世界線すなわち無数の結び目は、何億という無数の踊る点に分割され、それぞれが電子の結び目の切られる点に相当している。粒子が時間に順行して運動しているところで断面が世界線を切れば、この点は電子である。粒子が時間に逆行して運動しているところで断面が世界線を切れば、この点は陽電子である。宇宙のあらゆる電子も陽電子も、ウィーラーの奇想天外な物理像によれば、ただ一つの粒子のからまりあう経路の断面である。同じ世界線のあらゆる断面であるから、あらゆる電子も陽電子も、同一の質量と荷電の大きさをもつのはごく自然である。正の電荷か負の電荷かは、粒子がその瞬間に時空間で織りなす経路の時間の向きを表わすものにほかならない。

この考えの中にはたくさんの掘り出し物が含まれている。宇宙における電子の数と陽電子の数は等しい。一枚の紙の上にウィーラーの見解の二次元的類推を描いてみれば納得ゆくであろう。紙上の一本の世界線に沿って、もつれた結び目を作ってみる（図92b）。世界線を通して一本の水平線を引く。この直線は、二次元時空間（空間軸一本、時間軸一本）のある瞬間における一次元の断面を表わす。結び目が直線を時間の矢の方向に動きながら切る点では、点は電子を表わす。結び目が直線を逆の方向に切れば、それは陽電子を表わす。電子の数と陽電子の数は等しいか、多くとも一の差をもたなくてはならない。これがその理由さ、とウィーラーがその見解を披露したとき、ファインマンはすぐいった。「しかし先生、陽電子の数は電子ほど多くありません。」「そうだな」とウィーラーは反論した。「たぶん陽子やら何やらの中にかくれているんだよ。」

ウィーラーはまじめな理論を提唱したのではなかったが、陽電子は一時的に時間に逆行する電子として解釈できるという示唆はファインマンの想像をかきたてた。ファインマンは、この解釈は量子論のすべての論理と法則にまったく矛盾することなく数学的に取り扱いうること、を見いだしたのであった。これは八年後完成された有名な「時空間的接近法」の礎石となった。理論は伝統的な見方と等価である。しかしファインマン粒子のジグザグ・ダンスはある種の計算を扱う新しい方法を与え、計算を著しく簡略化したのであった。このことは、陽電子が「ほんとうに」時間に逆行する電子である、ということを意味するのであろうか。そうではない。これは「ファインマン図形」の一つの解釈にすぎず、同じように成り立つほかの解釈では時間反転には言及しない。

しかし、電荷、パリティ、時間の間の不思議な結びつきを示唆する実験によって、新たな光が現状にさしこんでいる。時間の前後に乱舞するファインマン粒子のジグザグ・ダンスは、以前にくらべて今ではもはや風変わりな解釈とは思われなくなったようである。地球上で観測される反粒子が、時間に逆行する粒子であると解釈できて矛盾がないならば、われわれの宇宙とまったく同じであるが、ただ三つの対称性（電荷、パリティ、時間）がわれわれの宇宙と反対向きになっている宇宙を、容易に考えることができる。何かまだよくわからない意味で、もし電荷が左右対称であれば、反宇宙は単に空間および時間の向きが逆転した世界である。

17章のカントの当惑、左右像の三次元物体の一対があらゆる点で正確に同じでありうるが、一方を回転して他に重ね合わせることのできない当惑、を思い出そう。二つの物体は高次元空間に埋め込めば同じものであり、そのちがいは右手系・左手系の区別のある三次元空間で把握するときおこる幻想にすぎない。

今日の物理学者は、ミクロなレベルでの空間的非対称性については、ある種のミクロ事象の時間の一方通行性で悩むほどは当惑していない。ファインマンの見解は、17章でカントの当惑を解明するのに用いたときと同じ技巧を時間に拡張したもので、まさに瞠目すべき解決法である。世界と反世界は、右手と左手が同一であるのと同じ意味で同一でありうるであろう。しかし今度は、一つでなく二つの概念上の飛躍をしなくてはならない――高次元の空間へと高次元の時間へとである。三次元の空間と一次元の時間につかまえられている私たちは、二つの世界が互いに他の鏡像になっており、反対の時間の方向に運動しているように見るのである。高次元時空間の高次元知性は、われわれの世界と反世界は同一のものと見るかもしれない。

17章の注に述べたように、ウラジーミル・ナボコフの小説『アーダ』(訳注2)(*Ada*)にはその設定として反世界が登場する。一九七四年、ナボコフは素晴らしい短編小説『ハーレイクインズをごらんなさい』(*Look at the Harlequins!*)を発表した。この小説では、時間と空間の対称性に関する疑問が話の筋に本質的に関係するので、私はこの本はナボコフが本書第一版を読んで影響を受けているなと思いたかった。(そのとおりであることが後に判明した。学術的な二つの論文——一つは文芸評論家の、一つは科学史家の研究——が出版されて、ナボコフの小説に及ぼした書物の影響をくわしく論じた。(原注1))私がオズマ問題とよぶものがアイリス、語り手の最初の妻によって「ばかばかしい哲学的なぞなぞ」として述べられている。語り手はしかし、それをばかばかしいとは思っていない。その反対に、彼は一生続く苦悩として特別な病理に苦しんでいるのである。彼は心の中で、どう自分が回転すれば左が右になるのか想像できない。彼はその悩みを次のように述べている。

実際、肉体的にはほかの人と同じように私は簡単に、すばやくまわることができる。しかし精神的には、眼を閉じ身体を動かさずに、一つの方向から他の方向に切りかえることができない。私の脳の中のどこかの継ぎ手細胞がはたらかないのだ。もちろん、ある光景の心的印象は別として、私が出発点に後じさりするような反対の見方をゆっくりと行なえばごまかすことはできる。しかしごまかさないときは、ある種の邪悪な障害が——努めなければ私を狂気においやるような障害が、一つの方向から正反対の方向へ変換するひねりを想像することをさまたげている。私はうちひしがれている。私は全世界を背にのせて悩んでいる。回転を目に見えるようにしたい。「左」ということばで見るものを「右」ということばで見ること（またその反対）をしてみたい。

この小説の最後で、語り手は気がつかぬうちに、カリフォルニア州カタパルトの村はずれの手すり壁から足をふみはずす。端に近づいていくとき、回転することができないのだった。「その運動をするためには、世界をその軸のまわりにまわすことを意味するだろう。しかしそれは不可能だ。現在の瞬間から前の瞬間へ物理的に逆行するのと同じように。」変えることができない時間の方向と、回転ができる空間の自由さと、この対比がナボコフの小説の核心である。語り手の「病的な誤りはまったく単純である。彼は方向と広がりを混同しているのだ。空間を語りながら時間を意味しているのだ」。私たちがひっくり返して再び進入することができないのは過去のみである。それはトーマス・ウルフが「なされたもの、こわすことのできない構造、……暗い時間の奇妙な終焉」とよんだものである。ナボコフの語り手はこの事故から生きのびるが、T・S・エリオットの『灰の水曜日』(*Ash Wednesday*)のように、彼は「もう一度まわろうと望むことはできない」のである。

物理学者が「時間をまわす」(『ハーレイクインズをごらんなさい』の最後のパラグラフから引用)能力は、「次のやつがチョークを奪いとるまで」黒板になぐり書きする美しい公式の一つのようである。

空間の外へ、時間の外へ私たちが捕捉されたとき、ついに「落下する」ことや「死して去る」ことを防ごうとしても、時間の一方向きの性質にあらがうことはできないのである。


(原注1) D・バートン・ジョンソン「ナボコフの『ハーレイクインズをごらんなさい』の中の左と右の世界」("The Ambidextrous Universe in Nabokov's *Look at the Harlequins*," *Critical Essay on Vladimir Nabokov*, Phyllis Roth, ed., G. K. Hall, 1984)。キャサリン・ヘイルズ「ナボコフの『アーダ』の中の対称・非対称と時間反転の物理」("Symmetry, Asymmetry, and the Physics of Time Reversal in Nabokov's *Ada*," *The Cosmic Web: Scientific Field Models and Literary Strategies in the Twentieth Century*, Cornell University Press, 1984)。

(訳注1) 邦訳書『隠生代』中上守訳、早川書房、一九七〇年。

(訳注2) 邦訳書『アーダ』(上・下) 斎藤数衛訳、早川書房、一九七七年。

32 初期の物質の理論

いかに多くの科学上重要な概念が、それを支持する十分な経験的証拠が見いだされるよりずっと以前に、かすかに予見されていたか驚くばかりである。物質の理論についていえば、古代ギリシャ人の予言的推測の最高の実例は、レウキッポスによって進められた不連続的な粒子の仮定である。この説はデモクリトスによって熱心に主張され、エピクレスに伝えられ、紀元前一世紀のローマのエピクレスの徒、科学について詠じた最高の詩人ルクレチウスの六歩格詩《ヘクサメター》によってみごとに歌い上げられた。

しかしながら、原子説はギリシャの物質論の主流ではなかった。大多数のギリシャの思想家は、いわゆるヒロモルフィズム (hylomorphism) ——物質は無限に分割可能であるという見解を好んで主張していた。換言すれば、物質は連続している。物質には最小の大きさはない。前ソクラテス期のギリシャの哲学者は、物質はいろいろな形態をとれるがただ一つの実体である、と論じていた。ターレスはそれを水とよんだ。アナクシメネスはそれを空気（風）とよんだ。ヘラクレイトスはそれを火とよんだ。サイロスのフェレシデスはそれを土とよんだ。

エンペドクレスは物質には四つの基本的な形、土・水・空気・火（現代的な形でいえば固体・液体・気体・炎あるいはプラズマ）があるとした。これは自明な常識的分類であった。物質の基本的な性質も数にしては四つと考えられた。熱・冷・湿・乾である。土は冷たくて乾き、水は冷たくて湿り、空気は熱くて湿り、炎は熱くて乾いている。エンペドクレスはまた愛憎二種の力について語っているが、これは明らかに引力と斥力を意味している。ギリシャ人はもちろん物質が形を変えうることを知っていた。水は凍って固体となり、沸いて気体となる。そしてロウはとける、などなど。物質がその性質を変える能力こそ、のちの時代に錬金術師たちが卑金属を金に変える方法を探求する支えになったのであった。

ピタゴラス派の人びとに触発されて、プラトンは物質は正多面体をなすと示唆したが、彼がこの理論をまじめに推進したのか、ただたわむれに述べたのか、知るよしもない。アリストテレスは連続観の四態という見地をとった。土・空気・火・水はただ一つの連続的な物質の基本形態である。天体はその形態を変えることがないより上質の物質からできている、とされた。これは運のよい推察であった。現代の物理学ではプ、ラ、ズ、マを第四の物質の状態と考えている。太陽や眼に見える星はプラズマの巨大な球——イオン（正または負に帯電した原子）と自由電子の混沌とした混合物からなる気体——である。宇宙空間には熱い星から追いやられたプラズマで充満している。宇宙空間の物質の九九パーセントはプラズマである、と見込まれている。

ほぼ二千年の間、アリストテレスの物質の理論と、まるい地球を中心においた定常宇宙とは、西洋世界の科学的・哲学的思索を支配してきた。トマス・アキナスは霊的な実質を第一物質とよんだ。それは形なく、まったく五感に感ずることなく、神の心から離れては存在できない。神が世界を創造されたとき、第一物質に形を与え、それが第二物質となった。アリストテレスによれば、第二物質は土、空気、火および水に分かれる。アリストテレスの天上の物質とアキナスの第一物質は、現代の宇宙論学者の一部がいう始源場とあまり変わっていない。これは、われわれの知るすべての場と粒子を生み出す純数学的な構造である。しかし、このような始源場は形（数学的構造）をもつだろうから、アキナスはたぶんこれを始源的とは考えないであろう。

エピクレス派の原子論はルクレチウスによってみやびやかに主張されたが、それによると、基本粒子は無限にたくさんあって、大きさ・形・運動が異なるという。これらの「種《たね》」あるいは「原子」は空虚（真空）の中をいつもあらゆる方向に動きまわるが、固体の中では互いに結びついて安定な振動の状態にある。ギリシャの原子説はまことに運のよい思いつきであった、とよくいわれるが、実はそれ以上である。たとえば、なぜ熱を加えると蒸発が促進されるか説明を与える。主作品『ものの本質について』（*De Rerum*

Natura）の中でルクレチウスは、湿った紙を陽光の中で乾かすことを、あまり小さくて見えないが飛び跳ねる粒子になって水が逃れ去ることに帰している。彼はまた、陽の光が暗い部屋にさしこむとき細かなほこりが舞っているのを美しく記述している。ほこりはあまり軽いので、原子の「見えない衝撃」によって簡単に運動を始めるのである。「運動は原子から始まり」、とルクレチウスは書いている。「しだいにわれらの感覚の水準に至る」。これはほこりの微粒子がなぜ踊るのか説明はしていないが、ブラウン運動の発見をみごとに予見している。アインシュタインのブラウン運動の有名な論文以前に、液体の中に懸濁する粒子の動きは、踊る原子の衝撃によっておこることがわかっていたのであった。

ギリシャの原子説はギリシャでもローマでも傍流であったが、中世にはまったく放棄され、ルネサンスで復興してニュートンにとり入れられた。ニュートンにとって、終極の粒子はいろいろな大きさと形をもつ弾性的な実体で、短距離で強くはたらく力によって互いに結びついていた。粒子は常に運動しており、互いに衝突し跳ねかえっていた。十八世紀、十九世紀に原子説は少しずつ成長したが、これはとくに気体運動論に集積された証拠が好都合だったからである。気体運動論では、原子や分子（このことばはよく区別なしに用いられた）の運動で圧力、体積および温度に関係する法則をうまく説明できた。十八世紀に原子説は強力な支持者を得たが、もっとも影響力のあったのはイギリスのクエーカー教徒ジョン・ドルトン（一七六六〜一八四四）であった。

ケンブリッジの有名なキャベンディッシュ実験所のジョゼフ・ジョン・トムソンは一八九七年、電子を発見した。電子ということばは前から用いられていたが、トムソンははじめそれを単に「粒子」とよぶのが好みであった。彼の「原子」(はじめて正負の電荷に分離された部分からなる模型)は正に帯電した球で、その中に負に帯電した電子が回転していた。核はなかった。間もなくアーネスト・ラザフォードによって核が発見され、ラザフォードは実質的にトムソンの原子を裏返しにしてしまった。核は正に帯電した粒子となり、電子はまるでミニチュアの太陽系のようにそのまわりを回転していた。これこそ量子論の初期に、もっとも洗練された形で生き残った模型であった。

一九三二年までに、核は正に帯電した陽子と電荷をもたない中性子の混成となり、そのまわりを負に帯電した電子がとりかこんでいた。元素のいろいろ異なった性質は、いろいろ異なった原子構造のはたらきであった。分子は電磁力によって結合された原子であった。一九三二年には陽子・中性子・電子以外の粒子は存在しない、とひろく信じられていた。

ある理論について確証がだんだん増えてくるとよくおこることであるが、原子は人為的な構造物ではなくて現実に「存在する」という見解に対して、十九世紀の化学者および少数だが声の大きい物理学者の一団によって、反対の波がわき上がった。原子説のもっともすぐれた反対者は、物理学者でもあり科学思想家でもあった二人、オーストリアのエルンスト・マッハ——アインシュタインに強い影響を与えた——とフランスのカトリック教徒ピエール・デュエムであった。二人とも、原子や分子は外界に何の対応するものももたない単なる幾何学的抽象であるとして、これを排した。「どう考えても素朴すぎる粗すぎる」と、マッハはいった。

有名なドイツの化学者ウィルヘルム・オストワルドの批判はさらに辛辣であった。彼は原子は有用な概念であるとすら考えなかった。原子説は実証不可能な「悪性理論」であった。彼は原子をつないで分子を形成する「つりて《フック》」を嘲笑した。一八九二年、オストワルドの出版した化学の教科書には、原子に関するただ一つの文献すら載っていない。

十九世紀原子説の興隆に対して、もっとも奇妙なかつもっとも極端な反応を示したのは、イギリスの化学者ベンジャミン・ブロディである。一八六六年の著作『化学操作の計算法』（*The Calculus of Chemical Operations*）の中で、彼はアリストテレス流の連続説を復活し、自然および実験室で観察される化学反応では定性的な変化のみがおこると論じた。こういう変化を説明するのに、見えない粒子を仮定するのは意味のない形而上学である、とブロディは固執した。そのころ新しく出版されたジョージ・ブールの記号論理学に基づいた計算法を用い、ブロディは当時知られていたすべての化学現象に彼の方程式を適用することができた。観測にかからない理論的存在はすべて形而上学的な不要物として追放することで科学を統合しようとした努力が、いかに知性のエネルギーを浪費するものであったか、これ以上のよい例を私は知らない。

数十年の間、化学者は原子が「実在」であるかどうかという問題でゆれ動いた。以下は、ジョンズ・ホプキンス大学の学長であった化学者イラ・レムゼンが彼の論文「化学の未解決の諸問題」(Unsolved Problems in Chemistry)(マククルール誌、一九〇一年二月号に見つけた)の中で述べている典型的な見解である。

非常に若い、あるいは非常に無知な人びとだけが確信をもって原子について語ることができる。化学の神秘の中に入りこめば入りこむほど、原子はますます不可思議に見える。実際、原子は化学の未解決の大問題である。しかもこれは微妙な問題である。原子とは何か。それが問題だ。……

原子説はかつてそうであり今日でもそうであるように、非常に有用な理論である。いつまでもそうであるかどうかは、別の問題である。……原子を見ることも、その存在を証明することも、永久にできないであろう。……原子が化学者の知性の眼からはずれること、あたかも最《さい》はての星が天文学者の視界を脱するがごとし、である。

一九一二年までに、アンリ・ポアンカレはこのように書くことができた。「原子はもはや役に立つ作り話ではない。原子をどうやって数えるかがわかっているから見えているのだといえるほど、事態は好転している。化学者のいう原子は、今日では実在である」。膨大な証拠を前にしてオストワルドは一九〇八年原子論にのりかえたが、マッハとデュエムは二人とも一九一六年に没するまで生涯変心しなかった。今日、原子・分子は、科学の「観測不可能」な実在と「観測可能」な実在とを分けるぼんやりした一線をこえてしまった。原子や分子は数えられるばかりでなく、走査型電子顕微鏡で「見る」ことができる。原子が電磁力に従って踊る映画もとられている。

今日、粒子のスーパーストリング理論が力を得るにしたがい、新しいパラダイム(訳注1)の転換がおこりつつあるのかもしれない。十九世紀に原子についてもち上がったと同じ問題が、今日、弦《ストリング》(または、ひも)の見えないループについてもち上がっている。弦は現実に「そこにある」のか、それとも数学理論の有用な模型にすぎないのか。しかし最終章でスーパーストリングを考える前に、十七、十八、十九世紀に栄え今日ほとんど忘れ去られてしまった物質の理論について、一瞥してみよう。

この三世紀の間、何十もの原子論が提唱され討論された。一六七四年、サー・ウィリアム・ペティは、原子は微小な回転する球で、地球のように北極と南極に磁極をもつという模型をたてた。球はいろいろな大きさをもち、いろいろな速度で運動していた。球は他の球のまわりをまわることもできた。一六九六年の著作『物理学の原理』(*Principles of Physique*)の中で、ニクラース・ハルツェッカーはプラトンの考えを復活し、原子を立方体・十二面体・三角プリズム(正四面体)や、針のようなとげが外に向いている球やその他の幾何学的立体で表わした。

十七世紀末期のもっとも精緻な原子論は、ある非凡なイエズス会士、科学者・数学者・哲学者によって推進された。ロジャー・ジョゼフ・ボスコヴィッチはドブロヴニイク（今日ユーゴスラビアとよばれている国のある町）に生まれたが、ふつうイタリア人と思われている。それは彼が一生の大半をローマの数学教授として過ごしたからである。彼の「万物の理論」は当時きわめて影響力が大きく、『大英百科事典』（エンサイクロペディア・ブリタニカ）の一八〇一年版は、この理論の紹介に一四ページさいていた。しかしこの事典の第一一版が現われた一九一〇年までにはこの理論は完全に捨て去られたから、ボスコヴィッチ（記述三列以下）の欄には言及もされていない。伝記的な細かい記載がわずかかと、天文学およびその他の物理科学への多くの寄与と、膨大な著作が引き合いに出されている。

ボスコヴィッチの原子説のもっとも独創的な点は、粒子が空間的広がりをもたないことであった。原子は点ですべて同じく、それぞれが質量と慣性（運動量）をもっている。きわめて近距離では、たとえば一〇〇〇分の一インチ（一インチは二・五センチメートル）以下では、ニュートンの原子が引力を示すのに反して、斥力を示す。距離がゼロに近づくにつれ反発力は無限大になるから、二つの粒子が触れることはない。中間の距離では力は引力と斥力が交互にかわる。この力により、安定原子の近代的理論と似たような具合に、粒子の安定な系が作られる。長い距離ではボスコヴィッチの粒子は引力を及ぼし、ニュー

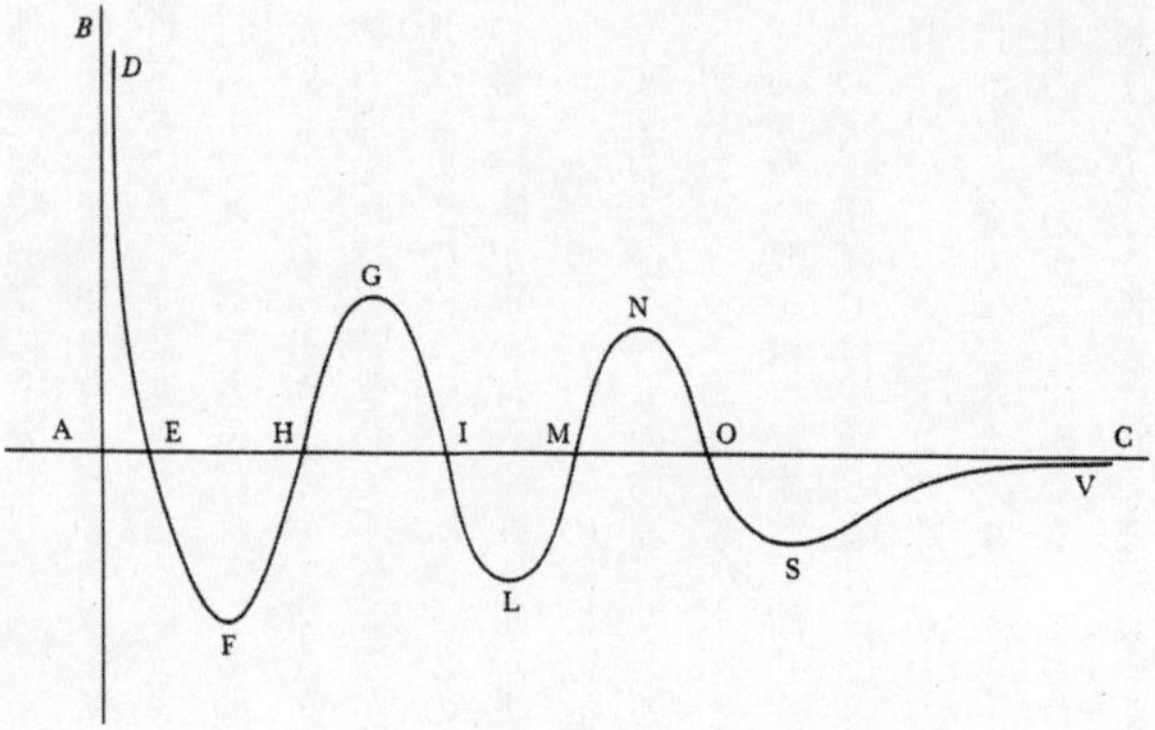

図93　ボスコヴィッチの引力と斥力の図。

トンの重力を生ずる。

ボスコヴィッチはこのような力の変化をばねの力の変化になぞらえた。正常な状態では引力と斥力がつりあう。ばねを縮めれば力は斥力になる。伸ばせば引力になる。しかし原子間にはその性質と大きさが変わるただ一つの力だけが存在し、それはただ一種の原子によって生ずる。これ以上簡単なものがありうるだろうか。今日の物理学者も同じように、簡単さへのあこがれに強い動機を見いだすのである。最近の超対称《スーパーシンメトリー》理論の中には、ビッグ・バンの「前」にはただ一種の場——超重力《スーパーグラヴィティ》——とただ一種の量子化された粒子しかなかった、と考えているものもある。

ボスコヴィッチは、図93に示したようなただ一つの曲線で彼の粒子と力を表わしている。(原注1)横軸は二つの粒子の距離を表わす。縦軸は力の大きさを表わし、水平軸から上へ離れるほど増大する斥力を、下へ離れるほど増大する引力を示している。距離が短くなると斥力は無限大に近づき、距離が長くなると引力はゼロに近迫するのが見られる。

点Dでは二つの粒子は強く反発する。GおよびNではそれほど強くは反発しない。二つの粒子はFで強く引き合う。LおよびSでは引力はそれほど強くない。点Oを超えると引力は質量どうしの積に比例し両者の距離の二乗に反比例して、ニュートンの示したとおりになる。E、H、I、M、Oにおいては力は押す力でも引く力でもない。これらの点では粒子の安定な集合が作られうること、あたかも現代の原子・分子や、小石・太陽・惑星などの物質塊のごとくである。これらの安定点は(図にはその一部しか表わしていないが)もちろん粒子のまわりの想像上の同心球面上にあり、原子のボーア模型の電子軌道を示唆する。

ボスコヴィッチの粒子は空虚(真空)の中で踊る。しかし彼は無限に広がる幾何学の空間と、宇宙の現実の空間とを鋭く区別し、後者は有限の広がりをもち有限個の粒子を含むと信じた。粒子間の力は、斥力であれ引力であれ、瞬間的であって、ニュートンのいう遠隔作用であった。もちろん、ボスコヴィッチは、力が有限の速さで空虚の中を波として伝わるという認識はもたなかったが、力の場の中心としての粒子という視座は、マイケル・ファラデイその他の人びとが場の概念を展開するうえに影響を及ぼした。

ボスコヴィッチ神父はほかにも素晴らしい考えをもっていた。たとえば巨大な距離の彼方で力は再び斥力となり、まるまる一つの宇宙が隣の宇宙と相互作用なしに存在する、と想像していた。そればかりでなく、安定な物質の存在を許す点で力線が交わっていなければ、二つまたはそれ以上の宇宙が貫入しあって同じ空間を占めるかもしれない。宇宙は互いに相互作用をしないのだから、ほかの世界の中を移動してもまったく気がつかないであろう。ここで人は、最終章で出合うスーパーストリング理論の一つに含まれる「影の世界」を思い出す。

今日では、科学史家でもなければボスコヴィッチの超大作『自然界に存在する諸力の単一法則に帰着できる自然哲学の理論』(原注2)(ウィーン、一七五八年)をひもとかない。これは単純性という審美的な大きな魅力をもつ理論が、経験的な支持を受けるよりずっと以前に、洗練された数学でくわしく議論されるという古典的な例である。ボスコヴィッチ神父が注いだ知的努力は価値あるものであっただろうか。簡単に答えることはできない。ある面ではそれは現代の粒子理論を予見しており、のちの理論化の道をたしかに切り開いた。

スーパーストリングを別にすれば、現在の粒子理論は本質的にボスコヴィッチ流である。現代の理論によれば、宇宙のすべての物質は、宇宙の歴史の現段階において粒子の二つの族、クォークとレプトンからできており、両者とも量子場の「点状」の凝縮体である。ボスコヴィッチの原子と同じく、粒子は質量と慣性をもつが、そのほかもちろんボスコヴィッチが予見できなかったスピンやいろいろな荷量のような性質をもっている。粒子が貫入するのを避けるため短距離で斥力を及ぼすというボスコヴィッチの考えは、フェルミオンが重なりあうことを防ぐ斥力と類似している。次の章で見るように、この力は、パウリの禁制律として知られているものと相通じ、物質がつぶれてしまうのを防ぐ。

種々の理由からニュートンは、光は粒子の流れであると信じた。多くの実験から、光はまた波であるかのごとく振る舞う、ということも明らかになった。何の中の波であろうか。ここからごく自然にエーテルの概念が浮かび上がってきた。エーテルは摩擦なく、非圧縮性で、一様な、見えない物質で、透明なジェリーのように全空間に遍在するとされた。絶対運動が観測されうるというのは、当時「停留エーテル」とよばれたこの背景媒質に対してであった。アインシュタインが相対性理論をたててはじめて、物理学者はエーテル概念は不必要だと考えるに至った。もっとも、最近の数十年間に、エーテル概念は「偽の真空」、無の中にゆらぐ仮想粒子が沸きたつ泡として一種の復興を果たしているが。

十九世紀には、粒子の一風変わったいろいろな理論がエーテル概念を開発した。カール・ピアソンの「エーテル噴出」仮説では、粒子が高次元から普通の時空間にポンポン飛び出してくる。これは水素原子がどこからかわれわれの時空間に侵入してくる、という定常宇宙理論を先取りしたものであった。オズボーン・レイノルズ（21章、原注3）は、基本粒子はエーテルの穴だと考えた。

ジュネーブのジョルジュ・ル・サージュその他の人びとは、重力は引力ではなく粒子を押しのける力である、という異説を推し進めた（今日でも変人のよろこぶ説である）。それならばどうして地球は月を引きつけるのか。引力というのは幻にすぎない。二つの物体はエーテルの中に浸透している見えない乱雑運動をしている粒子のかなりの部分を押しのける。これは二つの物体の中間領域に存在する粒子の運動量圧力を低下させ、その結果として地球と月は互いにその方向に押される。これら珍奇な理論のいろいろについて簡潔な説明が、W・W・ラウス・ボールの娯楽数学の古典的著作『数学の楽しみと数学随筆』(*Mathematical Recreations and Essays*) の初期の版の第二三章「物質とエーテルの諸理論」の中に紹介されている。

粒子のエーテル説の中でもっとも興味深くまた人気があったのは、有名なイギリスの物理学者ウィリアム・トムソン（のちケルビン卿）の提出した渦理論である。その渦原子の説は、ホッブス、マールブランシュなどの哲学者によってぼんやりと予感されていたが、一八五八年ドイツの科学者ヘルマン・フォン・ヘルムホルツが渦の研究を公表するまで、確実な数学的基礎が得られなかった。ヘルムホルツは、エーテルに予期されるような一様な（どこでも同じ）、非圧縮性の（密度が変わらない）、摩擦のない液体は、今日ソリトン（孤立波）とよばれる永久的な構造を蔵しうることを証明した。(原注3)

どこかある点で完全流体に回転運動が与えられたと考えてみよう。これはあたかも空気や水がつむじ風や洗面台の底に作る小さな渦巻きのようなものである。渦巻きがらせんを描いて運動すると、小さな渦糸《かし》または渦管《かかん》は利き手型《ハンデッドネス》を獲得することができる。ヘルムホルツが証明したことは、このような渦糸は無限に広がり、流体が無限であれば無限遠まで双方の方向に伸びることができる、ということであった。流体が有限であれば、渦糸の端点は流体表面に至るか、あるいは端点どうし合同してループ（閉じた曲線）かトーラス（ドーナツ型）を作るであろう。

ケルビン卿は、ここに基本粒子の可能なモデルをただちに見てとった。粒子はエーテル完全流体の中に安定に維持される小さなループである。彼はこの瞠目すべき推論を一八六七年の講義「渦原子について」の中で紹介し、原子構造の針金模型でその理論を解説した(原注4)。ケルビンは、原子は小さな見えない渦の輪で、いろいろな振動数で振動し、それが原子のさまざまな性質を与える、と考えた。今日のスーパーストリング理論の通俗版と同様、彼もこの振動を、振動する楽器の弦のさまざまな形になぞらえた。さらに渦輪《かりん》は、いろいろな種類の結び目が作れるから、二つ三つの輪がいろいろな具合につながることもできる。いったん結び目ができたり、つながりができたとすると、それをもとにもどす方法はない。輪の質量・容積・エネルギーは変化しないが、もちろん速度や運動量は変わりうる。創造者がはじめて宇宙を開いたとき、これらの小さなソリトンをつくったのだ、と仮定された。ケルビンはこれらを「結び目性」、「つながり性」とよんでいた。

ケルビンは渦原子について二〇以上の論文を書き、ほかの物理学者の何十という論文がこの理論を議論し検討した。「渦の静力学」(Vortex Statics)と題した論文では、ケルビンは一つの輪がほかの輪と複交差することを示す図を載せている。ピーター・ガットリー・テイト(ヘルムホルツの渦の論文を翻訳したスコットランドの数学者)は、「結び目」(Knots)と題した論文(二巻の『テイト科学論文集』の第一巻に復刻されている)の中で、いろいろな種類の結び目を既知の化学元素と結びつけようとしている。立体異性体は反対の利き手型をもつ結び目として表わされている。

練習問題18 図94は、ケルビンの示唆したように、三つの輪がつながって分子を作る形を示す。このつながりは今日バランタイン・ビールの商標として用いられているが、このつながり方はどこがたいへん異様であるか。

ケルビンは後年いわゆる「渦のスポンジの理論」を展開した。エーテルを非圧縮性と仮定すると、渦原子は粒子のように振る舞うが、量子化された粒子の場のように、全空間に広がるような運動を生ずる。ケルビンはエーテルを(きわめて大きい尺度で)一様な、スポンジのような物質で無数のあらゆる方向に回転する渦運動を含むもの、と想像した。彼は光の輻射をこの模型で説明しようとした。

アイルランドの物理学者ジョージ・フィッツジェラルドは、渦運動のらせん軌道を構成してスポンジ理論を精密化し、正負の電気、南北の磁極や電磁輻射の振動する電場・磁場を説明しようとした。イギリスの物理学者ウィリアム・M・ヒックスは渦輪を、内部に渦運動を包みこむ球に拡張し、ほかの球を「のみこんだ」球によって分子がどう形成されるか示した。

渦原子の理論は熱狂的な支持グループをイギリスとアメリカに得て、世紀の変わり目まで大いに栄えた。テイトは目に見えるような渦輪を作る装置を工夫した。輪はあまりに不思議な振る舞いをしたので、理論を劇的に支持する役に立った。テイトは一八七四年の講演『物理科学における最近の進歩について』(*Lectures in Some Recent Advances in Physical Science*, Macmillan, London, 1885) の中でこの装置の実演を行なっている。以下はその本の改訂第三版からの抜粋である。

図に示すごとく、この装置はきわめて質素な構造をしている。一つの木箱の一端に大きな丸い穴をあけ、他端はとり外してその位置にタオルを強く張る。この

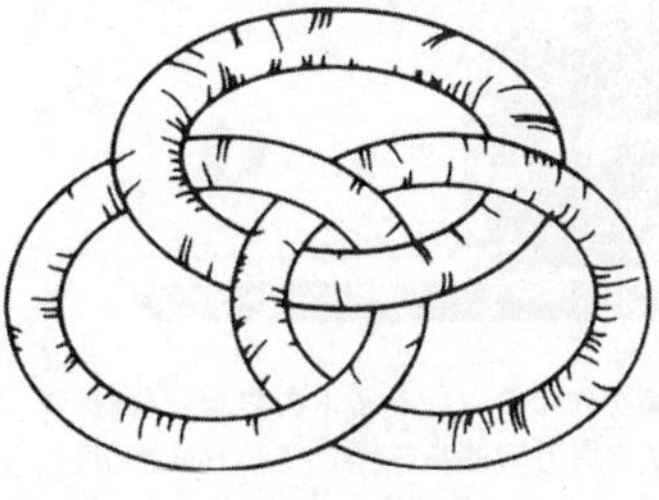
図 94　渦輪からできた分子。

箱から外へ追い出される空気を目に見えるようにするため、箱の底にアンモニアの濃い溶液をまいて、箱をアンモニアのガスで満たす。アンモニアのガスが箱の中にある程度充満したら、その中に塩酸のガスを適量加える。これは箱の中に食塩を入れた皿をおき、その上に市販の硫酸を注げばできる。これら二種の気体は化合して固体のアンモニア塩を作る。したがって、箱から出てくる目に見えるものは単にアンモニア塩の粒子である。粒子はあまりに微小なので流体の摩擦によって浮遊し、あたかも空気中の雲のごとくである。さて穴の反対側（図95参照）の箱の面（タオル）を急にたたいたときのありさまに注意。丸い渦輪が、あたかも独立な固体のように、みずから動いて部屋を横切って運動するのが観察される。

さて一つの渦輪が他の渦輪に及ぼす影響を示そう。ここに示したことを私がトムソンに見せたら、彼はたちどころにその理論をたてた。二つの渦輪が衝突すると、まるで弾性体の輪のように振る舞うのが見られるであろう。衝撃のあとそれらは猛烈に振動すること、まるでゴムの固体の輪のようである。渦輪のこのような振動を、両者を

図95　渦輪を作るP. G. テイトの装置。『物理科学における最近の進歩について』（Macmillan, 1885）296ページより引用。

衝突させずにおこすことも容易である。今まで用いた丸い穴のかわりに、楕円形か、ときには四角でもよい穴でおきかえればよい。円は簡単な渦の平衡の形であるから、円以外の形に作られる簡単な渦は、円を安定な平衡状態の位置とする振動を行なう。

ヘルムホルツがこのような渦糸がもたねばならない性質として示したものは――まず渦糸の芯のいかなる部分も回転していることである。渦糸は、いまここに示したような簡単な形のほかに、無限に多くの形をとることができる。残念ながら、空気や水のような不完全流体では、簡単な円以上に複雑な性質をもつ渦糸を作ることはできないと思われる。理論的には、渦糸に結び目や巻きつきがいくつあってもよいが、残念ながらこのような結び目をもつ渦を煙で作る穴の形を工夫することはできない。もし条件にかなうような穴が工夫できて渦が作られたなら、空気の摩擦が深刻に効いてくるのでないかぎり、渦は円輪と同じくその特徴を完全に保持するであろう。

ヘルムホルツは、このような輪は分割不能、すなわち輪を切ることはできないことを示した。やりたいことを何でもやってみよ。たとえば鋭いナイフの刃をできるだけすばやく動かしてみよ。輪は切れない。輪はただそのまま動き去るか、ナイフのまわりにただよってしまう。輪は文字どおり原子――分割できないものである。誰かが分割できないからではなく、分割しようとしてそれに近づくことすらできない。

ボールは先に引用した本の中で、テイトのと同じような装置を、厚箱の箱の側面に小さな穴をうがって作れることを述べている。たばこや葉巻をくゆらせた煙を箱の中に満たし、箱を閉じ、穴の反対側を軽くたたく。箱の前にロウソクをともすと、煙の輪がそのほうへ動いていって炎を消す。「もし箱が空気だけで満たされていれば」とボールはつけ加える。「輪は見えない。実演はいっそう効果的である。(原注5)」

ケルビン卿はしまいには渦原子に興味を失ったが、電子の発見者サー・J・J・トムソンはそうではなかった。彼は自伝『追憶と追想』(*Recollections and Reflections*, 1937) の中で理論の「スパルタ的単純性」について語り、次のように続けている。

このほか私を魅了したのは、渦糸の性質と、ファラデイが電場を表わすため導入した電力線との類推であった。ファラデイの力線は渦糸と同じく、つくることも消すこともできない。また力線は電荷で終わらなくてはならない。渦糸も液体の表面で終わらなくてはならないから、電荷はまた境界としてはたらくと考えられるであろう。実際、たとえ渦度が物質を表わすことが十分できなくとも、電場の非常に有用な表現となったであろう。

ケンブリッジのJ・C・アダムス教授の海王星発見を記念して、大学は毎年公開論文を募り、アダムス賞を与えてきた。一八八二年の課題は「二つの渦輪の相互作用」であった。トムソンが受賞し、翌年論文は拡充されて著作『渦輪の運動の研究』(*A Treatise on the Motion of Vortex Rings*)になった。この本を読んで渦理論に転向した人も多かった。いろいろな問題の中でも、トムソンは六個を超えない輪だけが安定な分子を作るべくつなぎうると論じた。もっとも、六個のおのおのが小さな輪から複合されていてもよい。残念ながら絵が一つもないので、トムソンのつながりや結びの記述を理解するのは容易でない。

J・J・トムソンは著書『物質の粒子理論』(*Corpuscular Theory of Matter*, 1907)の中でも渦原子を擁護し、一九四〇年世を辞するまでこの理論の推進者であった。『スクリブナー科学者人名辞典』には、彼がこの理論を長く信奉したことを「望みなき努力のもっとも光輝あるエピソード」と評している。ディヴィド・M・ナイトは著書『原子と元素』(*Atoms and Elements*, 1967)の中で次のように注解している。「渦原子が、はじめそう見えたような素晴らしい街道ではなく、行き止まりの小道と判明したことは痛ましい。」

電気と磁気を統一したジェイムズ・クラーク・マックスウェルも、ケルビンの渦仮説は十九世紀の原子の理論のうちもっとも有望であると信ずる点で、物理学者中決して人後に落ちなかった。『大英百科事典』(エンサイクロペディア・ブリタニカ)第九版に載った彼の九ページの論説「原子」は、非凡な原子学説史である。(この論説は彼の『全集』(Cambridge University Press, 1890)の第二巻、四四五〜四八四ページに再録されている。）マックスウェルは、点粒子は振動できないという理由でボスコヴィッチの説を排する。「そのうえ、常識的な距離ではたらく力を除くため原子を用いながら、非常識的な距離ではたらく作用で原子の機能を十全に発揮させるというのは、疑わしい科学的趣向である。」

「また一方」、とマックスウェルは続ける。

ヘルムホルツの渦輪は、トムソンによって原子の現実の姿と想定されたが、いままで考えられた原子のどれよりもよく諸条件を満たしている。まず第一に、その体積と強さという二つの独立な量に対して、定量的に不変である。またその含みの度合い――自分自身の「結び度」とほかの渦輪に対する「つながり度」に関しても、定性的に不変である。同時に、形が無限に変化することができ、分子について周知のようにいろいろな周期の振動が可能である。渦輪に含まれる本質的に異なる性質の数は、それぞれの含みの度合いがきわめて高いということをさしおいても、なお非常に大きい。

しかし哲学的見地からいうと、この理論を推奨する最大の点は、論者が「表面を糊塗するため」まず一つ仮説的な力を入れ、ついで別の力を入れる、といったようなやりくりをせずに、現象を説明するのに成功している点である。渦原子がいったん運動を始めると、すべての性質は絶対的に固定され、基本方程式で完全に表現される原始流体の運動法則によって決定される。ルクレチウスの徒は、立体原子を切ったり曲げたりして結びつけて世界をつくろうとするだろうし、ボスコヴィッチの徒は新しい現象の要求にこたえて新しい力の法則を考えるだろうが、ヘルムホルツやトムソンの開いた道にあえて足跡を印するものは、そのような算段を必要としない。その始源液体は慣性、不変密度、完全な移動度以外の性質をもたず、この流体の運動を追っていく方法は純解析的である。この方法は困難きわまるものであるが、それを克服する光栄もまた格別であろう。

マックスウェルがいかに渦輪理論を讃美し、単に理論を観測とあわせるために粒子の諸性質を決める必要がないことを強調しているか見よ。輪の基本的な構造が与えられれば、その他はいっさい数学解析から決まってしまう。これはのち、スーパーストリング理論の推進者から聞く要望である。

マックスウェルはさらに続ける。

しかし第一の点は、物質の完全な理論のもっとも切実な要求ではないにしても、まず質量、ついで重力を説明することである。質量を説明するのはばかげていると思えるかもしれない。一般に受け入れられているところでは、運動量やエネルギーを受け取れることが物質の本性であって、トムソンですらその始源流体の定義として、それを質量に帰している。しかしトムソンによれば、始源流体は唯一の真の物質であるにもかかわらず、われわれが物質とよぶものは始源流体そのものではなく、むしろ始源流体の運動様式である。渦輪を作るのは運動の様式であって、これがふつう物質そのものに帰す習慣になっている存在の永続性と連続性なのである。始源流体は唯一の真の物質でありながら、その一部を渦輪に変え、かくて分子になる運動様式を賦与せぬかぎり、まったくわれわれの認識の外にある。

もちろん、始源流体ということばでマックスウェルは、当時光波を運ぶものと仮定されていた遍在するエーテルを意味していた。しかし注意してほしい。もし始源流体のかわりに始源場とか偽の真空とか時空間とか、あるいは数学的下部構造ということばをおきかえたら、この一節は今日、粒子物理学者の書いたものになりうるであろう。

アルバート・A・マイケルソンもまた渦原子をひいきにしたすぐれた物理学者の一人であった。著書『光波とその利用』(*Light Waves and Their Uses*, 1903) の中で彼はこの理論を、物質の本性に関する「もっとも有望な仮説の一つ」とたたえている。「この理論は現代科学のもっとも壮麗な一般化の一つであろう。たとえそれが真実でなくとも真実であるべきだとすらいいたくなる——すなわち物理世界のあらゆる現象は、遍在する一つのエーテルの運動のいろいろな様式のそれぞれの表われにほかならない」(原注6)。もう一度、エーテルを上に引用した諸用語でおきかえると、この主張は今日スーパーストリング理論家が行なってもおかしくない。前に引用したテイトの本からの抜粋を次に掲げるが、理論の美しさとそれに必然的に伴う数学的なむずかしさを強調する点で、奇妙に現代的なひびきをもっている。

渦原子のこの概念は、物質の非常に多くの性質を説明できる。しかし不幸にして（おそらく私は幸いにしてというべきであろうが）、物質の本性に関するほかの考え（少なくとも初期の段階では）で出合う数学的むずかしさとくらべものにならない格段のむずかしさが次々とあらわれてきている。

回転する流体の運動は、純数学的見地からは、かくのごとく手のつけられない難問の一つで、ヘルムホルツがかの基本的な主張を行なうまでは、誰もが、いわば一瞥する以上のことはできなかった。これら基本命題は素晴らしいものではあるが、まだ第一段階にすぎない。実際、一つの円形の渦原子がほかの渦原子に衝突するとき何がおこるか調べることは、もし全運動が軸対称でなかったら、ヨーロッパの最良の数学者たちが一生を費やしてなお二、三世代かかるかもしれない。その間に、現在われわれのもっている技法にくらべて格段に強力な数学的方法が、この特別な問題を解く目的で開発されないとしての話であるが。これは疑いもなくやりきれないむずかしさである。しかし、これは今のところ、このきわめて美しい仮説の発展に結びついた唯一の難点である。この種の困難を克服するのは数学者の仕事である。

具合の悪いことに、簡単で洗練された理論は誤りであることが多い。ボスコヴィッチの仕事もそうである。渦原子に関する研究も、見込みのある仮説は巨大な量の巧妙な数学解析をあみ出すことができるが、理論があまり経験的証拠に先行したため数学は現実世界に適用することができなくなってしまったという、驚くべき一例を示している。本書最終章で述べるが、スーパーストリングはケルビンの渦輪と共通するところが多い。スーパーストリングの理論は既知の現象をきわめて広い範囲にわたって説明するはずであるが、理論は今日の粒子加速器で験証できるような予言は何ひとつできない、という悪評を浴びている。新しい実験は理論を受け入れるだろうか、否定するだろうか。スーパーストリングの将来については本書の終わりに想像をたくましくしてみるが、その前に次の章で粒子のスピンという神秘的な性質について概観しておく。

（原注1） 図は次のすぐれた論説から再録した。メアリ・マーシイ・フィッツパトリック修道

女およびアントニエッタ・フィッツパトリック修道女「ロジャー・ジョゼフ・ボスコヴィッチ——現代原子論の先駆者」(Roger Joseph Boscovich: Forerunner of Modern Atomic Theory)(マセマティックス・ティーチャー誌、一九六八年二月号、一六五〜一七五ページ)。

(原注2) ボスコヴィッチの仕事の英訳は一九二二年Open Court社より、J・M・チャイルドのラテン語対訳で出版された。ランスロット・ホワイト編『ロジャー・ジョゼフ・ボスコヴィッチ——その生涯と業績』(*Roger Joseph Boscovich: Studies of His Life and Work*)はFordham University Pressから一九六一年出版された。フィリップス・M・リナルドの「クォークとボスコヴィッチ」(Quarks and Boscovich)(アメリカン・ジャーナル・オブ・フィジックス誌、第四四巻、一九七六年七月号、七〇四〜七〇五ページ)はこの神父の理論がクォークの振る舞いを支配する法則と類似していることに注意を喚起している。

(原注3) ヘルムホルツの論文はクレーレズ・ジャーナル誌、第五五巻、一八五八年、二五〜五五ページに発表され、P・G・テイトの翻訳がフィロソフィカル・マガジン誌、第三三巻、一八六七年六月号、四八五〜五一二ページに掲載された。

(原注4) ケルビンの講演の要旨はエジンバラ王立協会会報、一八六七年二月十八日号、九四〜一〇五ページに掲載された。講演速記はトムソンの『数学および物理学論文集』(Cambridge University Press, 1882-1911)(第四巻、一〜一二ページ)にある。

(原注5) テイトの煙の輪の振る舞いについてはさらにくわしくは、ロバート・ボール「空気中の渦輪について」(On Vortex Rings in Air)(フィロソフィカル・マガジン誌、第三六巻、

一八六八年、一二～一四ページ）およびA・E・ドルベア『運動の様式、あるいは物理現象の力学的概念』（*Modes of Motion or Mechanical Conceptions of Physical Phenomena*, Lee and Shepard, Boston, 1897）の二八～三三ページをみよ。

（原注6）このマイケルソンの見解は、ロバート・シルマンの論説「ウィリアム・トムソン――煙の輪と十九世紀の原子論」（William Thomson: Smoke Rings and Nineteeth-Century Atomism）（アイシス誌、第五四巻、一九六三年、四五一～四七四ページ）の中に引用されている。なおこの論説は渦原子論のすぐれた歴史になっている。

（訳注1）paradigm. もともとは文法ないし言語学の用語で語形変化表（系列）を意味する。しかし、トーマス・クーンが『科学革命の構造』（邦訳・中山茂訳、みすず書房、一九七一年）のなかで、科学者たちが共通に理解している一連の考え方（知の枠組み）の意味としてこの言葉を新しく提唱した。従来の枠組みが根本的に変わるような重大な科学的発見によって、「パラダイムの転換」がおこるとみなす。

33 スピン

スピンは粒子の諸性質のうちでもっとも意味深長でもっとも神秘的なものの一つである。既述のごとく、電子は核のまわりをめぐるとき軌道スピンあるいは軌道角運動量をもつ。電子はまた、原子の中にいても外にいても、固有スピンあるいは固有角運動量をもつ。固有スピンの概念は一九二五年、オランダの物理学者サミュエル・ハウトシュミットとジョージ・ウーレンベックによって導入され、完全には理解されぬまま実験的には疑う余地なく確認された。ディラックは長い道のりを経て、一九二八年粒子に及ぼす特殊相対論の影響としてその概念を説明した。

固有スピンはいわゆる禁制律に関連した神秘を解決した。禁制律はウォルフガング・パウリによって一九二五年に発見され、これによって二十年ほど後彼はノーベル賞を受けた。(原注1)この法則は、二つのフェルミオン（スピン½をもつ粒子）が同じ状態――両者が同じ量子数をもつこと――にあるとき、あまり近くにくることを禁止する。（この法則は整数スピンをもつボソンには適用されない。）たとえば、二つ以上の電子は原子の同じ軌道に入ることはできない。もし二つ電子が入れば、それらは反対向きのスピンをもっている。三つめの電子にはほかの二つの電子のどちらかと同じスピンをもっているはずだから、同じ軌道を占めることはできない。パウリがはじめてこの原理を提出したとき、スピンはまだ知られていなかった。彼はその区別が何を表わすかわからないまま、プラス・マイナスという無意味な量子数を電子に与えた。

パウリの禁制律は強い説明力を発揮した。それは元素の周期表の並び方を説明し、ひいては化学の大半を説明した。それはなぜ原子が引力の結果としてつぶれてしまわないかを、すなわち物質の安定性を説明した。フリーマン・ダイソンはかつて、「神は世界をつくる前に禁制律を発明しなければならなかった」といった。よくいわれることだが、この原理なしには人は家の床をつきぬけて落ちてしまうだろうが、その前にこの原理なしには人も家も存在できない。パウリの原理により、フェルミオンがあまり緊密につめこまれると、フェルミ圧とよばれる強大な圧力が生じ、それ以上堅くつめこむことができなくなる。（この圧力は電荷または磁荷の反発力とは何の関係もない。量子的な波動理論にその基礎がある。）電子のフェルミ圧は、ある質量以下の星が白色矮星の密度を超えて重力崩壊するのを防いでいる。中性子のフェルミ圧は（中性子もパウリの原理に従うフェルミオンである）、中性子星の水準より重い星の崩壊に待ったをかける。禁制律をとり去ってしまうと、すべての星はただちにブラックホールになってしまうだろう。

粒子を小さな球、回転しているコマのように視覚化するのはある場合は有用であるが、粒子は遊戯に使うボールとはまったく似ても似つかぬものであり、固有スピンも自転する惑星や野球のボールやビー玉とかすかに類似するところがあるだけである。おそらく適切でない用語の選択であっただろうが、スピンとよばれるのはそれが角運動量を表わすという理由だけからである。運動量とは質量と速度の積であったことを思い出そう。回転しているコマの角運動量は、スピン軸の方向に沿ったベクトル――その長さがスピンの大きさを表わしその頭がスピンの方向を示す小さな矢――で表現される。コマの角運動量は、慣性モーメントと角スピン（角速度）との積である。

回転するコマの場合は、角運動量はゼロ以上どんな値もとりうる。しかし粒子の場合は、非常に不思議なことが何かおこる。粒子の固有角運動量は $h/2\pi$ の倍数という離散的な値に量子化される。hはプランク常数である。（2πは円周が2πラジアンである事実による。）記号を簡単にするため、基本粒子には固有スピン0、½、1、³⁄₂、2を与える。基本粒子が2より大きいスピンをもちうるかどうか、まだわかっていない。整数スピン（0、1、2）をもつ粒子はボソンである。これはその一般的性質をはじめて発見したインドの物理学者サチェンドラ・ボーズにちなんで命名された。ボソンは20章で述べた伝達粒子である。ボソンは対称粒子あるいはパリティ偶の粒子といわれるが、それは鏡像によって変わらないからである。半整数のスピンをもつ粒子（$\frac{1}{2}$または$\frac{3}{2}$）はフェルミオンである。これはイタリアの物理学者エンリコ・フェルミにちなんだ名前で、フェルミ統計がその性質を決める。もっともなじみ深いフェルミオンは電子、陽子およびクォークである。フェルミオンは奇のパリティをもち反対称といわれるが、それは鏡像によってカイラリティが変わるからである。

スピンは加算的である。その意味は、粒子が結びついて原子や分子など複合粒子を作るとき、全体のスピンは個々の粒子のスピンの和になる、ということである。たとえばパイ中間子は、クォーク一つと反クォーク一つからできているが、スピンはゼロである。二つのクォークの$+\frac{1}{2}$と$-\frac{1}{2}$の固有スピンは足してゼロとなり、さらにクォークどうしは軌道角運動量をもたないからである。陽子はクォーク三重子からなるバリオン（重粒子）であり、$+\frac{1}{2}$か$-\frac{1}{2}$かのスピンをもつ（二つのクォークがある向きに回転し、残りの一つのクォークは反対向きにまわる）。もし原子が電子を定員いっぱいにもてば、各軌道には互いに反対方向のスピンをもつ二つの電子の組が存在してスピンを相殺し、原子のスピンはゼロとなる。

ほかの重要な量子数に荷電スピンあるいはアイソスピンがある。これははじめてウェルナー・ハイゼンベルクが、陽子と中性子を同じ粒子の二つの状態と考えられるように提案した性質である。アイソ空間とよばれる抽象的な内部空間を考え、その中で中性子を「回転」すると陽子になり、陽子を回転すると中性子になる。見かけ上異なる対象を、ある抽象的な空間で「回転」することを要請して同一とみなしうるという簡単な例は以前にもあった。綱を結んで作った利き手型のちがう結び目（かがり結び）、ダイス遊びのサイコロ一対（一つは他の鏡像になっている）は、四次元の空間では同じ物体とみなされる。それぞれの結び目あるいはサイコロをまわすには、綱またはサイコロを四次元空間で回転して三次元空間へもどせばよい。中性子は上向きクォーク一個と下向きクォーク二個からなる。陽子は下向きクォーク一個と上向きクォーク二個からなる。アイソスピンは上向き・下向きの入れかえによって、粒子を他の粒子に変換する。

物理学者は「回転」を広く比喩的な意味に用い、方程式の一部を「かきまぜる」ような任意の対称操作もその中に含ませる。立方体は頂点と面を入れかえれば八面体となり、同じ操作で正十二面体は正二十面体になる。（正四面体はこの交換で変わらない。）超対称の理論では、複雑な架空の超空間（スーパー空間）である「回転」（対称操作）を行なうことによりフェルミオンをボソンに、またその逆に変換する。(原注2)これら架空の「回転」を行なうとき、「実際」には何がおこっているのか誰も知らないが、数学的定式化が説明も予言も行なうのである。さらに深い幾何学的理論がその定式化の背後に見いだされぬかぎり、粒子物理学者は人為的な空間の神秘的な回転に拘束されているのである。

以前学んだように、粒子の普通のスピンは右手の規則で記述される。右手の指を揃え、指の方向が粒子のまわる向きに粒子をくるむように掌をまるめたとき、立てた親指は粒子のスピンベクトルの向き、すなわち回転軸の延長を示す矢の向きを示す。親指が上を向けば粒子は上向きスピンをもつといい。それを正の向きにとる。親指が下を向けば粒子のスピンは下向きで負である。粒子が運動しているとき、カイラリティは次のように定義される。スピンベクトルが粒子の進行方向を向けば、粒子の背後から見たときその回転は時計回りで、粒子は右回りという。点が時計回りにまわりながら前進すれば、その道筋は右巻きのらせんである。スピンベクトルが運動と反対の方向を指せば、スピンは反時計回りで粒子は左巻きという。

電子のビーム（線束）を考えよう。一つの電子のスピンを測れば、等しい確率で左向きあるいは右向きである。ではそのスピンベクトルはどちらを向いているのか。この答えはまったく不思議で目に見えるように述べることはできない。任意に選んだ電子（あるいはスピンがゼロでない任意の粒子）の軸の向きを決める座標系を設定したと考えよう。スピンベクトルはいつも、軸角を測定すべく選ばれた座標軸の正の方向か、その反対の負の方向を示すのである。スピンベクトルは選ばれた座標系の中で平行か反平行である。測定しなければ、スピンベクトルの配位は未知である。粒子が「測定」されないとき、粒子はどうなっているのだろうか。誰もほんとうにはわからない。物理学者は、粒子は「決まった」スピンをもたないという。あるいは上向きスピンと下向きスピンが「重ね合わされている」という。ある意味では、スピンベクトルはどの方向も向いていない。しかし測定の瞬間にスピンは「決定」され、ベクトルは選ばれた座標軸の方向のどちらかに強制的に向けられてしまう。

フェルミオンが磁場の中で回転するとき、この状況はさらに逆説的である。粒子のスピン軸（スピンベクトル）は重力場のジャイロスコープ(訳注1)（回転儀）の軸のように回転する。ジャイロスコープあるいはどんなコマでも回転していれば、その軸を三六〇度回転してもコマは外界に対してもとの位置にもどる。もしコマが上向きのスピンをもっていれば、その軸を三六〇度まわしてもやはり上向きのスピンをもつ。フェルミオンについてはもはやそうでない。スピン軸を二回転、七二〇度回転しなければもとの状態にもどらない。まわしはじめに粒子が上向きスピンをもっていれば、まるまる一回転したとき粒子は下向きスピンをもつ。もう一度上向きスピンの状態にもどすには、さらに完全一回転をしなくてはならない。

フェルミオンのこの特異な性質をより正確に記述するためには、確率をとり入れて考えなくてはならない。電子が上向きスピンから出発したとしよう。スピン軸を三六〇度回転したのち、粒子を測定して上向きスピンで見いだす確率は0である。下向きスピンに見いだす確率は1である。0と1の間で確率は連続的に変わる。軸を一八〇度回転したときはスピンを上または下向きに見いだす確率はそれぞれ½である。五四〇度まわしたのちも、確率はそれぞれ½である。回転を表わす円のほかの点では、確率の比はすべて連続的に変わる。電子のスピンを測れば、上向きあるいは下向きである確率は、一セント銅貨を投げ上げたときの表裏のように、いつも½である。スピンはいつも一定の割合で上下を向くが、その方向はいつも上または下向きである。

スピン0の粒子はどの方向から見ても同じに見え、スピンベクトルがないから回転するわけにもいかない。スピン1の粒子は普通のコマと同じような挙動を示す。軸を一回転すればもとの状態にもどる。余談であるが、そんなに長くもない昔に大きな驚異とされたのは、スピン1の粒子を磁場の中で測ると三つの状態をもつことができるということであった。場の向きに平行、反平行それから垂直の向きである。スピン2の粒子は一八〇度の回転でもとの状態にもどる。これはちょうどトランプの札を机の上におき、中心のまわりに半回転させたのと同じである。

オメガ粒子はスピン3/2をもつ唯一安定な粒子である。フェルミオン同様、二回の完全回転でもとの状態にもどる。スピン3/2をもつ短寿命の共鳴粒子は、多くの原子核あるいはある種の原子と同様、現実に存在する。一般に、スピン3/2の状態は二回の回転でもとにもどるが、三分の二回転ののちもとにもどる特別な3/2状態もある。

もちろんこれらはすべて、回転する物体のわれわれの経験に反するものである。まずはじめに、電子やクォークのような粒子が空間的な構造をもたない点だと考えられるのに、なぜ回転できるのであろうか。答えは、それは適用する抽象的な数学以外、量子の世界でどんな「回転」がそこに「ひきおこされているのか」、誰も知らないからである。しかし、巨視的な物体に対しては七二〇度の回転が物体をもとの状態にもどすのに必要である、という状況がおこりうることを示す数々のおもしろい方法がある。これらの実演は粒子が回転するとき何が実際におこっているか説明するものではないが、フェルミオンのスピンを少しでもわかりやすくする役に立つであろう。

ディラックが最初のモデルを与えた。図96のように、糸をはさみの取っ手にかけ、糸のループの上に立ってはさみをもち上げると、はさみから床に向かって四本のねじれない糸

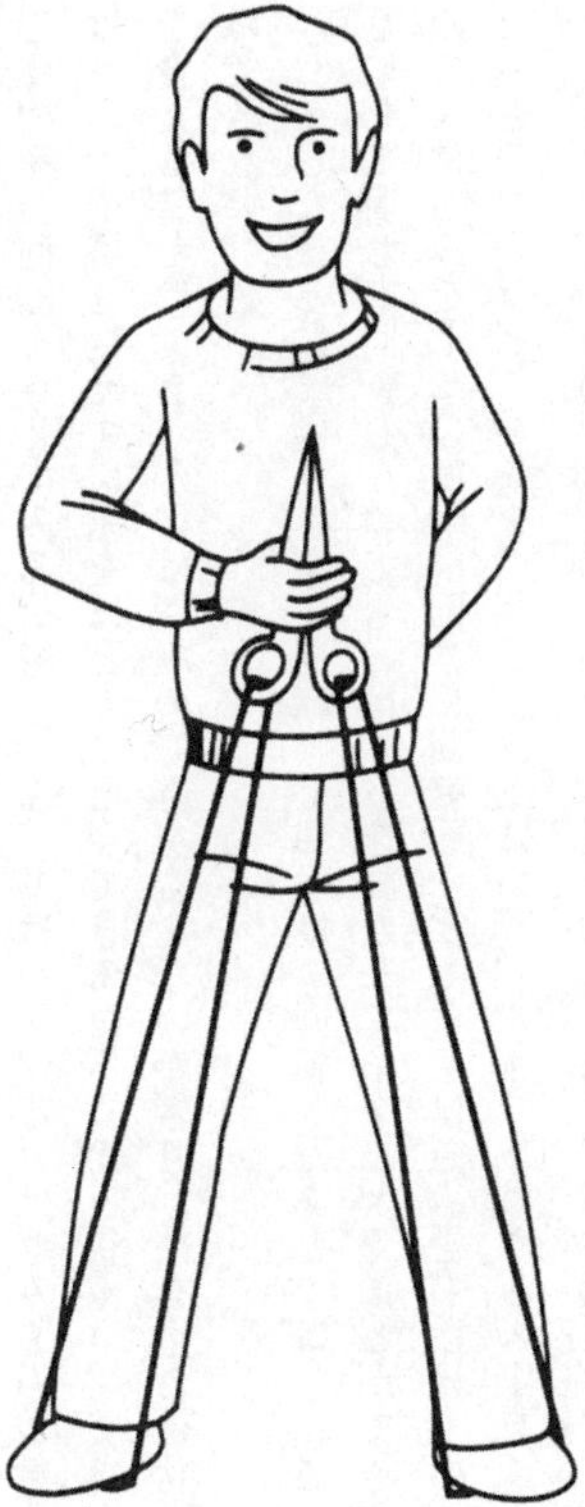

図96　ディラックのはさみのトリック。

が伸びる。はさみはいつも上向きにし、その垂直軸のまわりにどの向きでもよいから三六〇度の完全回転を与えてみる。もちろん、糸はねじれる。はさみをいつも上向きに保ってはさみの姿勢を変えずに糸をほどくことができるだろうか。答えは、できない。ねじれ方を変えることはできるが、はさみの姿勢を変えないかぎり、糸をもとの状態にもどすことはできない。

おかしなことに、はさみを二回転（七二〇度）回転したあとでは、はさみをいつも上向きにして少しも回転しなくても、はさみを動かして糸をほどくことができる。上からながめて、はさみを七二〇度時計回りに回転したとせよ。はさみを右手にもち、左手でねじれたふさの中心をとり、糸をできるだけ上にあげ、ループをはさみの上をくぐらせて右の前《ぜん》膊《ぱく》（前腕）に落とす。はさみを左の手にもちかえ、糸のループが右腕から落ちるようにする。ねじれはとれて糸はもとの状態にもどる。

ディラックのはさみのトリックは、二つ以上の数の糸に拡張できる。糸は任意の種類の物体の個所から、直接部屋の壁や床や天井の任意の点へ伸びていてもよい。物体を任意の軸のまわりに三六〇度回転する。物体が部屋の中で決まった位置にとどまるかぎり、糸をどんなに操作しても――糸は伸縮可能であるとする――もとの状態にもどすことはできない。しかし物体を同じ軸のまわりにさらに一回転するならば、糸のねじれをほぐすことはいつも可能である。(原注3)

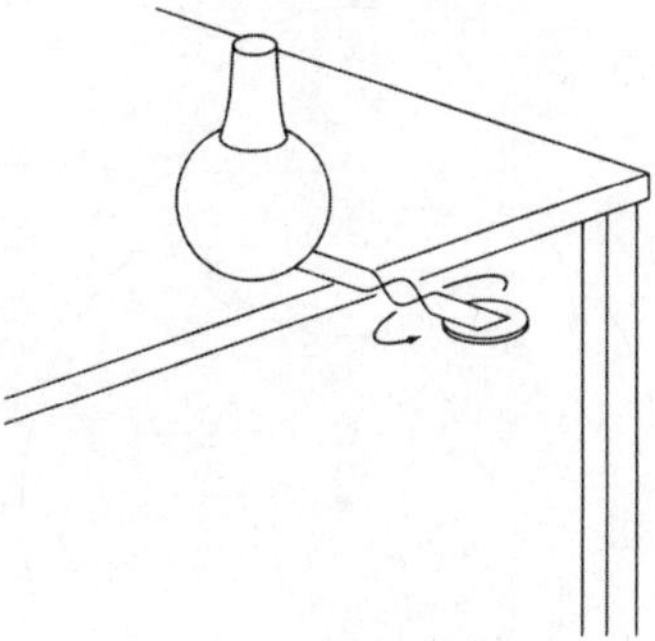

図97　ディラックのはさみのトリックを簡単にしたしかけ。

この章ではスピン½をモデル化する簡単な方法を考えてきた。ある長さのリボンの一端を五〇セント銀貨にはりつけ、他の一端を机の端まで引っ張って何かおもりをおいて固定する。銀貨をリボンの軸と平行に左に一回転（三六〇度）すると、図97のように半分のねじれが二度おこる。銀貨の姿勢を変えずに動かしてリボンのねじれをほどくことができるだろうか。できない。そこでさらに三六〇度回転してリボンに四つの二分の一ねじれを与える。ねじれをほどくためには（その姿勢を変えずに）図に矢で示したように右から左へリボンの下をくぐらせる。魔法のようにねじれはとれてしまうであろう。ここでもまた、一回転はもとの状態とは位相学的に区別される状態を作り出すが、二回転ははじめの状態と位相学的に等価である例を見るのである。

ここに記述したトリックは、もちろん本質的にディラックのはさみのトリックと同じである。次の水をたたえたコップの妙技も同じ趣向である。コップをまっすぐに右手の掌の上におく。掌を上向きに、コップを垂直に保ったまま手を反時計回りに一回転まわす。回転のベクトルは上を向いて

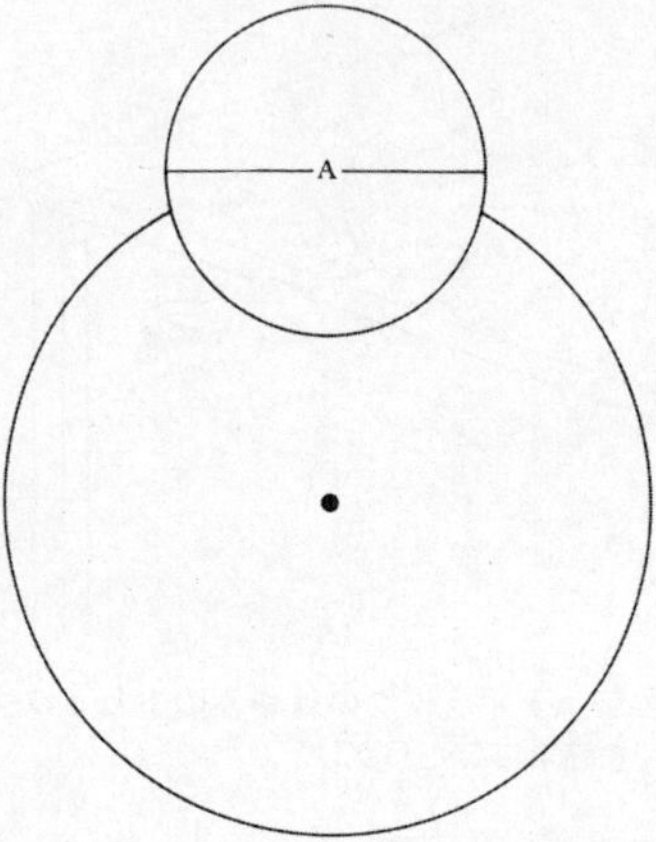

図98　フェルミオンのスピンの別のモデル。

いる。いうまでもないが、手首と腕がいっぱいにねじれている。コップを掌の上で垂直に保ったまま手を頭の上にあげ、コップをさらに一回転する。そうすると腕はもとの位置にもどる。上から見ているとコップは垂直軸のまわりに七二〇度の反時計回りの回転を行なう。ちょっと練習すれば、コップに水を満たしてもこの動きをすることができよう。(原注4)

スコット・キムが私に示唆した興味深い変形は、コップをもった手を固定して指がいつも同じ方向を向くようにし、掌はいつも上向きに、手のかわりに身体をまわすのである。身体と手とコップをもとの位置にもどすには、完全二回転、七二〇度まわらなくてはならない。

ここに球を用いたもう一つのモデルがある。ゴムまりの頂上《てっぺん》に文字Aを書き、その文字を通るように赤道を書く(図98)。一枚の紙の上にゴムまりの直径の二倍の直径をもつ円を描く。まりを円の上にのせ、赤道がいつも円周と接触するようにしながら、まりを円周上半分だけ転がす。まりは円の中心に向かう軸のまわりに、三六〇度回転する。この完全一回転ののち、まりはもとの状態にもどっているだろうか。否、文字Aがさかさになっている。まりを円周のまわりにさらに転がし、出発点にもどってくるようにすると、まりは軸のまわりにさらに三六〇度まわったことになる。さて今度は文字Aもまっすぐになり、まりはもとの位置にもどったことになる。

さらに簡単な例は、二五セント貨二つでモデル化できる。貨幣を卓上に平らにおき、ギザギザのついた面を触れるようにして、一つを他のまわりに回転させる。

練習問題19　一つの二五セント貨がいったんほかの二五セント貨のまわりをまわってきたとき、それが出発点にもどるまでの間にあなたあるいは部屋に対して何回転しているか。

さらにもう一つのモデルは、17章に説明したメビウスの帯のまわりに二回転するまんじ（スワスチカ）である。一回の旅行でまんじは軸のまわりに三六〇度まわるが、形はその鏡像になっている。もう一度まわってくるとさらに三六〇度回転したことになり、もとの形にもどる。フェルミオンのスピンのこのような粗いモデルは、すべてファイバー束（ファイバー・バンドル）とよばれる数学的構造と密接に関係している。ファイバー束は素粒

子理論にある種の応用がある。(原注5)

さて話も終わりに近づいた。次の最後の章では、素粒子理論のいまもっとも新しい話題を概観しよう。

(原注1) パウリの禁制律と「パウリ効果」とを混同してはいけない。ジョージ・ガモフが彼の『物理学の自伝』(*Biography of Physics*, Harper, 1961) に書いているところによれば、理論家は実験をするとき悪評さくさくまことに不器用である。理論家がさわると高価な器械がどこかこわれてしまう。パウリはかくも偉大な理論家であったから、彼がただ実験室にいるというだけで何か不祥事がおこった。ある日、ゲッチンゲン大学の物理研究室の高価な装置が、何の明らかな理由もなく破裂してしまった。「その後の調査によると」、とガモフは話のタネを割っている。「この事件は、パウリがチューリッヒからコペンハーゲンへ乗った汽車が五分間だけゲッチンゲン停車場に止まった、まさにその時刻におこったのであった」。

(原注2) スーパー空間における粒子の仮想的な「回転」は、超対称「鏡面」にうつして仮想的な「反転」をほどこすことと同じであるが、フェルミオン(スピン½)をボソン(整数スピン)に変え、またその逆にボソンをフェルミオンに変えることも行なう。これら想定される仲間粒子は、ビッグ・バンの直後温度が極度に高かったときはおそらく存在したであろうが、きわめて質量が大きいので今日の粒子加速器で手のとどく冷たい低エネルギー領域では

検出できない。次の表はいくつかなじみ深い粒子の名前とスピンを上側に、その超対称な片割れを今日普通に用いられている名前で下側に示した。〔訳注　下側にある超粒子は、フェルミオンには接頭語s（たとえば電子であればelectron→selectron, sはsuperの意）を、またボソンには接尾語ino（光子であればphoton→photino）をつける。したがってs-粒子はボソンであり、-ino粒子はフェルミオンである。〕

光子（1）	フォティノ（½）
重力子（2）	グラヴィティノ（3/2）
クォーク（½）	スクォーク（0）
グルーオン（1）	グルイーノ（½）
電子（½）	セレクトロン（0）
W粒子（1）	ウィノ（½）

（原注3）　ディラックのはさみのトリックの議論については、イーサン・D・ボルカーの「スピノルの架け橋」(Spinor Spannor)（アメリカン・マセマティカル・マンスリー誌、一九七三年十一月号）、M・H・A・ニューマンの「ディラックのひもの問題」(On a String Problem of Dirac)（ジャーナル・オブ・ザ・ロンドン・マセマティカル・ソサエティ誌、一九四二年七月号）および私の『スフィンクスの謎』(*Riddle of the Sphinx*, Mathematical

Associations of America, 1987）第二三章の「ディラックのはさみ」を見よ。

（原注4）このコップの手品の運動は、ケーブルをからみつかせずに急速に回転する不思議な工学的装置の操作にも応用されている。C・L・ストロングのアマチュアの科学欄（サイエンティフィック・アメリカン誌、一九七五年十二月号）の中に記述されている。〔訳注 R・P・ファインマン、S・ワインバーグ著『素粒子と物理法則』（小林徹郎訳、培風館、一九九一年）の中に、コップの手品の図解写真が載っている。〕

（原注5）ハーバード・バーンスタインおよびアンソニイ・フィリップスの共著論文「ファイバー・バンドルと量子論」（Fiber Bundles and Quantum Theory）（サイエンティフィック・アメリカン誌、一九八一年七月号）〔邦訳は、日経サイエンス誌、一九八一年九月号に所収〕を見よ。

（訳注1）gyroscope. 支持台が動いても、軸が自由に向きを変えて常に同じ方向をさすようになっている回転輪よりなる装置。船舶や飛行機の平衡を保ち、方向を決定するのに用いる。

34　スーパーストリング

これらすべての成功にもかかわらず、いまだ量子の発見はひもつきの贈物であることがわかっている。

――ハンス・ライヘンバッハ『科学哲学の興隆』（一九五一年）、第十一章

自然科学の歴史から学びうる最大の教訓の一つは、謙譲の歴史である。たしかに科学は世界の構造について間断なく学んでいるのであろうが、既知のことは未知のことにくらべてきわめてわずかである。今日の科学理論で、いな自然法則ですら、明日修正されるか放棄されるかわからないものはない。「自然の不変原理という大法則は」、とフィリップ・モリソンは「パリティの放棄」（The Overthrow of Parity）という論文（サイエンティフィック・アメリカン誌、一九五七年四月号）の中でこう続けている。「その適用範囲によるものであって、先験的に自明とか普遍的に適用されるといったものではない。基本的な大

原理をますます精密の度を高めて験証することは値打ちのある仕事である。……われわれは刺激的な時代に突入した。」

現在もっとも刺激的な予想の一つは、多くの物理学者がすぐ目の前にあると信じていることだが、なぜすべての粒子がいまあるがごとくであるかを、数学的に美しく説明するような深遠な粒子理論を構築することである。アブラハム・パイスは「粒子」(Particles)と題した論文(フィジックス・トゥデイ誌、一九六八年五月号)の中で、粒子物理学の現状を次のように表現している。「コンサートの始まる少し前のホールに似ていなくもない。壇上には誰かいるがまだ団員が全部は揃っていない。音合わせをしている。何かの楽器が短い素晴らしい一節をかなで、どこかからは即興の一節が、どこかからは調子の合わない音が聞こえてくる。交響曲が始まる瞬間を控えて、期待の感覚がみなぎっている。」

新しい大交響楽の一節をいま聞くことができたとしたら、音楽はまるで狂気のように耳をうつのかもしれない。先に22章で引用した論文(「物理学の革新」、サイエンティフィック・アメリカン誌、一九五八年九月号)の中でフリーマン・ダイソンは、弱い相互作用のパリティ非保存を説明するかもしれないある異端的な粒子理論を、ウェルナー・ハイゼンベルクとウォルフガング・パウリが提唱したときの反響を追憶している。パウリはニューヨークでこの考えを、ニールス・ボーアを含む科学者の一団に向かって講演していた。講演のあとの議論で、若い学者たちはパウリを鋭く批判した。

ボーアは起立して発言した。「あなたの理論は気ちがいじみている、という点では私たちは一致した。私たちが一致しない問題は、この理論が正しいという機会をもちうるほど気ちがいじみているかどうかである。私の感ずるところでは、狂気の度合いがまだ足りないようだ。」

ダイソンはこの論文の中で次のように評している。

「狂気じみている度合いが足りないという反対意見は、素粒子の急進的な新理論に向かって出発した今までのあらゆる試みにあてはまる。風変わりな論文にはとくによくあてはまる。フィジカル・レビュー誌に投稿された気ちがい論文の大部分は採用されないが、それは理解不可能ではなくて可能だからである。理解不可能な論文はふつう掲載される。大改新が現われるときは、ほぼ確実に、整理がつかず不完全で混乱した形で出てくる。発見者自身にとっても半分しかわかっていないだろうし、ほかの人たち誰にとっても神秘以外の何ものでもないだろう。一見して狂気じみたところのない推測には望みがない。」

物理学者ジェレミイ・バーンスタインは、パウリが粒子物理学のすべてをただ一つの方程式で説明すべく自分とハイゼンベルクがたてた珍奇な理論を、コロンビア大学で講演したときに聴衆の中にいた。そのときのくわしいようすはバーンスタインの楽しい自伝『そのもたらした生活』(*The Life It Brings*, Ticknor & Fields, 1987) の中にいきいきと描かれている。バーンスタインは、ボーアが意見を求められたときおこったことを次のように記している。

そのとき、私が今まで見たうちでもっとも非凡な、かつ地上のものとも思えないもっとも感動的な光景がおこったのであった。現代物理学のこの二人の巨匠が長い教卓のまわりを、共通の円軌道を描いてまわり始めたのだった。ボーアが机の前で聴衆に向きあったときは、理論はいまだ狂気の度合いに足らずと繰り返し、パウリが聴衆に対したときは、すでに達したりと主張した。ほかの世界——物理学者でない人びとの世界——の人ならこれをどう見るだろう、といぶかったことを私は覚えている。ダイソンも見解を求められたが、何も発言しなかった。あとで彼は私に、まるで「高貴な動物の死」をみていたような気がした、といった。ダイソンには先見の明があった。パウリは何カ月もたたぬうち、一九五八年五十八歳で事前にはわからなかったガンでなくなった。死の直前、パウリはそのときは「ハイゼンベルクの理論」とよんでいた理論を、たいへん後味の悪いやり方で放棄した。パウリのこの理論に対する短い偏愛こそ、彼がすでに病魔に侵されていたという兆候ではなかったか、とさえ思われたのであった。

増殖を続ける多くの狂気じみた推測のうちで、現在もっとも真剣に受け取られているものが二つある。ロジャー・ペンローズのツイスター理論と、より新しくより流行しているスーパーストリング（超弦）理論である。26章でツイスターについて簡単にふれ、いつの日にかスーパーストリング理論の幾何学的基礎を与えるかもしれない、と示唆しておいた。既述のように、ツイスターは抽象的な幾何学的対象でスピノルと密接な関連をもち、ペンローズが普通の時空間の下のレベルにおいた複素空間でモデル化されている。ツイスター理論にとって少しも驚くことはない見解は、宇宙をそのもっとも基本的なレベルで右と左について非対称とみなす、ということである。

スーパーストリング理論はまさに「気ちがいじみている」。粒子物理学の秀才たちが精力的にこの問題ととりくんでおり、毎月何ダースもの論文が現われ、しかもインクの乾かぬうちに普通は時代遅れになってしまうのである。もしどちらかの理論が、あるいはその混合が、正しい軌道にのっているとわかれば、それはとてつもなく巨大なパラダイムの転換を生ずるであろう。

相対論は本質的に一人の人間によって生み出された。アインシュタインは、宇宙では長さ、時間間隔、固定座標系に対する相対運動の絶対測定はできない、という大胆な推測から出発した。はじめ彼の理論は「特殊相対論」とよばれて一様運動にだけ適用された。ついで彼は信じがたい独創的想像力を発揮して理論を加速運動に拡張した。これは重力の新しい理論を必要とし、一見気ちがいじみた概念は——アインシュタインはこれを等価原理とよんだ――重力と慣性は同じものであるという見解を生んだ。最後の結果は共変性の原理で、観測者の運動いかんにかかわらずあらゆる自然法則は同じ方程式で表現される、というのである。アインシュタイン自身、かつて相対論というより不変論というほうが彼の業績をよりよく表わす、といっている。

スーパーストリング理論はまだこのような大きなもくろみの中に入ってはいない。その歴史は量子力学のつぎはぎ細工を大きくは出ていない。ダイソンの予言者的言辞を借りれば、これは整理のつかない、不完全な、部分的にしかわからない形で出発したのであった。アインシュタインの共変性あるいは等価原理とか、あるいは量子力学の波動と粒子の二重性とかに比較できるような、広範な概念は背後にない。その諸成果にもかかわらず、スーパーストリング理論は、より糸のたくさんのもつれにも似て、その場かぎりのほぐし方ばかりでいずれも一貫した見解に欠けている。実際、このような見解を見つけ出すことこそ、現在のスーパーストリング仮説の主要目標の一つなのである。

ストリング理論の基本的な論点は、いわゆる点状粒子、フェルミオンやクォーク、はわれわれの巨視的な観点でのみ点状に見えるだけだ、ということである。いわゆるプランクの尺度では、粒子は考えられぬほど小さい一次元の線分、あるいは弦《ストリング》（または、ひも）としてモデル化される。はじめは、弦は二つの端点をもつ開いたものか、輪ゴムのように閉じたものか、そのどちらかであると仮定された。現在では、すべて弦は永久に閉じたものとみなす考えがもっとも有望である。ケルビン卿の渦輪との類推は誰でも気がつくであろう。もちろん、ストリング理論は相対論および量子力学と結びついて途方もなく洗練されており、ケルビン卿には手のとどかなかった進歩した面の位相数学やたいへんな量のデータに迫りつつある。

弦の閉線の直径はプランクの長さ10^{-33}センチメートル、1の次に0が三三個並ぶ数分《ぶん》の一センチメートル、と見積もられている。これがどんなに小さいものかは、よく引用されるいい方からかいま見ることができよう。一つの原子を太陽系の大きさに広げたとき、弦の大きさは原子くらいになる。弦は陽子の大きさの一億分の一の一億分の一の一万分の一の大きさである。弦は何かもっと小さいものから「できて」いると考えてはならない。場が何かより基本的なものからできていると考えてはならないのと同様である。ツイスターのような幾何学的対象が弦の下層にある、と判明するかもしれないが、現在のところ弦はこれ以上還元することのできない数学的抽象化の産物である。原子や分子もかつては「現実ではない」数学的実在とみなされていたが、ついには「観測可能」なものになったことはすでによく知っている。これが弦についてもあてはまるかというと、これは誰にも答えられない。現在では、弦を「観測」する方法はとても考えられない。まったく観測できないだろうという見方も可能である。

一九七〇年ごろ南部陽一郎ははじめて、端のある開いた弦はハドロン（陽子・中性子のような強い相互作用をする粒子）の有用なモデルになるかもしれない、と示唆した。ほとんど誰もこの考えを真剣に受け取らなかったが、一九七〇年代にあちこちで南部の考えをいろいろな粒子に拡張する努力が払われた。一時、クォークは開いた弦の端点であると受け取られ、ハドロンの弦の一端にはクォークが、他端には反クォークが存在すると考えられた。この考えは、なぜクォークは単独に分離して観測されないか説明するように思われた。弦の端点は取り去ることはできない。弦を半分に切れば二つの新しい端に二つの新しいクォークが現われる。端を重ね合わせれば――二つのクォークは消滅する。この見解は、バリオンをクォーク三重子でモデル化する必要が生じたためしだいに消えていった。そのとき弦は三つの端をもたねばならないからであった。

カリフォルニア工科大学のジョン・シュワルツとジョエル・シャーク――後者はフランスの才能きらめく若い物理学者であったが後年自殺した（彼は重い糖尿病に侵され憂うつ症の傾向があった）――この二人は弦《ストリング》を超対称理論《スーパーシンメトリー》と結びつけることを考えた。スーパーストリング理論の名前はここに由来する。彼らのスーパーストリングは開いていて質量がなく、巨大な強さの張力をもっていた。スーパーストリングは普通の空間で運動し回転するが、またほかの空間の方向にも振動した。振動はエネルギーを生み、（アインシュタインの教えたように）エネルギーは質量となった。粒子の質量その他の性質は振動するスーパーストリングのいろいろな調和振動数で決まる。これは振動するピアノやギターの弦の調和波に似ている。ほかの物理学者はストリング理論のこの新版に接してどう反応したであろうか。角道夫が啓蒙書『アインシュタインを超える』（本書巻末の文献案内を参照）の中で述べているように、「それは鉛の気球のようにごろんと横倒しになったままであった」。横倒しの一つの理由は、理論は矛盾でみちており、負の確率をもつ「お化け」粒子やら、光よりも速く運動するタキオンやら、歓迎しがたい無意味な存在を含んでいたからであった。

理論はまた無限大の謎に包まれていた。物理の方程式がある変量を無限大の値に導くとき、いつも根本的に正しくない何かが存在する。たとえば、相対論の方程式は物体が光と同じ速さで運動することを許さない。光の速度に近づくと物体の質量は無限大に「ふくれ上がる（発散する）」（物理屋の常套語である）からである。ブラックホールのもっとも恐るべき局面は、もし相対論がそこまで成立するものならば、物質密度と空間曲率が無限大になる特異点が存在することである。無限大を理論から除くことは、量子力学の中でいちばん苦労する仕事になっていた。ふつうこれはくりこみ（再規格化）とよばれる技巧的な方法で行なわれ、無限大はほかの無限大と相殺される。技法は一つ一つ個別的で美しくない。そこで多くの物理学者は、とくに有名なのはポール・ディラックであるが、くりこみはごまかしの方法であっていつかは放棄されねばならない、と一貫して考えている。

一九八四年、ストリング理論は劇的な再生をむかえた。それはシュワルツがロンドンのクイン・メアリ・カレッジのマイケル・グリーンと協同で、スーパーストリング理論から初期の害毒であった難点と矛盾をすべて除去することができた年であった。伝説の不死鳥のように一夜にして理論は灰の中からよみがえり、今日ＴＯＥ（万物の理論）の最有力候補になっている。無限大、お化け粒子、タキオンは魔法のように理論から消え去った。なかでも意義あることには、これが重力を本質的な観点で必要とする最初のＴＯＥであった。ほかのＴＯＥでは重力は「手で」その枠組みの中に入れられた——いうなれば単に重力を残しておくわけにもいかなかったからである。しかしグリーンとシュワルツの新スーパーストリング理論では、アインシュタインの重力理論が等価原理ともどもスーパーストリング理論の中に含まれてしまう。重力子（重力を伝達すると考えられる担体）が存在しなくてはならない。実は弦のもちうるもっとも簡単な振動様式が重力子なのである。

グリーンとシュワルツの提唱した最初の理論はタイプ1とよばれるが、その中には閉じた弦も開いた弦も含まれて一〇次元の時空間の中に浸けられていた。一年後定式化されたタイプ2の理論では、閉じた弦（またはループ）に限られ、SO（32）という群に基礎をおいている。小さなループはねじれ、まわり、振動し、結び目を作ることすらできる。

本書第一版の24章でカルーツァークラインの理論を紹介したとき、私はこれはちょっとした気まぐれの好奇心を出るものではないと考えていた。理論は巧妙ではあるが、重力と電磁力を統合するとか、重力波が縮んだ第五次元をめぐるとき反対の利き手構造をもつへリシティで正負の電荷を説明するとか、とてもありそうもない話だと思った。当時本書を書くため、この理論についてどう思うか量子力学の数人の専門家にたずねる機会があった。しかしこの理論を聞いたことのある人はいなかった。二十年後、この理論は再発見され、縮んだ次元も一つ以上に拡張されているのを知ったときの私の驚きは想像していただけるだろうか。これら拡張されたカルーツァ－クライン理論は初期のGUT（大統一理論）やTOEの中にとりこまれ、したがってスーパーストリング理論にとっても本質的である。

グリーンとシュワルツのタイプ2の理論では、縮んだ空間は六次元で、巻き上げられて時空間の各点に付随している。弦のループは普通の空間で回転し運動することができるが、またなじみ深い三次元空間とは直角な方向に、絵に描くことすらできない、見えない縮まった空間の中で振動する。これらの振動のそれぞれの調和波が、粒子のすべての性質の源になる。

六つのかくれた次元はどんな位相的形状をしていると仮定されるのであろうか。これは熱心に議論されている問題であって、宇宙のいわゆる真空状態の位相構造を探ることと同じである。縮んだ空間は文字どおり何千という位相的にちがった形、一つあるいはそれ以上の穴をもつ超トーラス（ドーナツ状立体）からもっと風変わりな形まである。縮んだ空間が多様体（特異点をもたない連続体）であれば、カラビ－ヤウ多様体という。これはユージン・カラビとシン・タン・ヤウの名前にちなむ。構造が特異点をもてばオービフォールド（orbifold）という。

ループの異なる振動形態が、どんな粒子であるかを決定する。相互作用は二つの形をとる。ループは接合して大きなループになるか、二つまたはそれ以上のループにつまみとられる部分に分かれるかである。相対論では運動する点状粒子は時空間で世界線とよばれる測地線に沿って動く。これは時空間の二点を結ぶもっとも簡単な、もっとも短い経路である。スーパーストリング理論ではループはわれわれの時空間の二次元の面、世界面に沿って動く。

開いた弦の運動は位相学的には一枚の紙と同じ面を作り出す。弦が閉じていると、ループはループの面に垂直な方向に運動し、管のような面を作る。ループが切れて二つのループになると、運動しているループはズボンに似た世界面を生成する。二つのループがとけあって一つの大きなループをつくるときも、同じ「ズボン」面ができる。図99は、接合して分離し、両端にズボン状の面を生ずる二つのループを示す。世界線との美しい類推でいえば、世界面は、運動しているループの二つの位置の間でもっとも小さい面積をもつ。

ファインマン図形——粒子の相互作用を表わす図形——では無限大が生ずるのは点である。ストリング理論の面図形では、点がないから無限大も生じない。弦の相互作用は発散しないから、くりこみ技法も必要でない。（量子論的な揺らぎが世界面にオタマジャクシとよばれる小さな突起を生ずる、という仮定には立ち入らないが許してほしい。）ブラッ

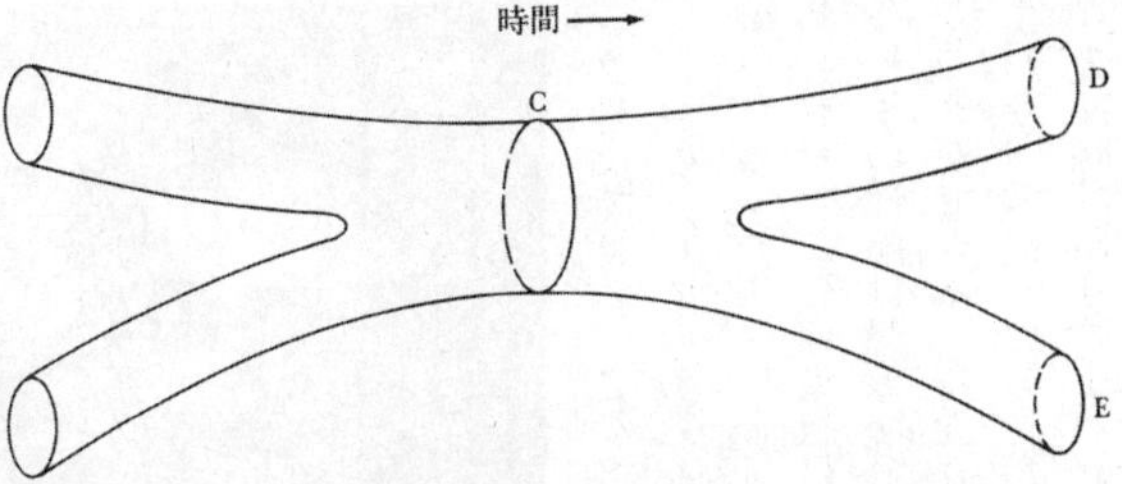

図99　ファインマン図形の二股ズボン・ストリング版。閉線Aと閉線Bが結ばれて閉線Cを作り、それが閉線Dと閉線Eに分離する。「世界面」（動く閉線の作る面）は極小面積をもつ。

クホールの中心の特異点すら消滅してしまう。巨星はつぶれて単にスーパーストリングになる。

しばらくの間、スーパーストリングは一一次元のカルーツァ－クライン空間――いつもの四次元時空と七次元の縮んだ空間――でうまくいっていた。しかしこれは長くは続かなかった。エドワード・ウィッテン（図100）、今日のスーパーストリング理論家の中でもっとも精力的かつ生産的人物、がカイラリティ（粒子・反粒子の間の左・右の区別）は偶数次元の時空間（時間の次元一つに、空間の次元が奇数）でなければ維持できないことを証明した。その証明は、鏡像対称な物体に偶数回反転を行なうと最後の結果はもとの物体と重ね合わすことができる、という事実に基づいている。たとえば、あなたの右の耳に偶数回反転を行なうと、最後の反転の結果は右の耳である。奇数回反転を行なえば左の耳になる。スーパーストリングにとって都合のよいカルーツァ－クライン空間は一〇次元である。

図100　エドワード・ウィッテン。スーパーストリング理論の第一人者。（撮影ロバート・マシューズ、プリンストン大学提供）。

本書の執筆時（一九八九年）、ウィッテンは結び目理論の最近の発展と密接に関連するスーパーストリングの量子場の理論を発表している。この新しい方法が彼の最近の関心の的、ツイスターとどう関係しているか、（たとえしているにしても）まだ明らかでない。

　スーパーストリングの最近の、かつもっとも人気のある理論はヘテロティック理論である。この名前は二つの前駆理論を混合した組み合わせであることがわかるようにつけられている。この新手法は四人のプリンストン大学の物理学者、デイヴィド・グロス、ジェフリー・ハーヴェイ、エミール・マーティネク、ライアン・ロームによって進められた。この四人組はプリンストン・弦楽四重奏団《ストリング・クワルテット》とよばれている。これ以上風変わりな粒子の理論は想像することもできまい。ループの中のさざ波は二つの方向に伝わっていくことができる。左巻きのフェルミオンを生ずる振動数をもつさざ波は時計回りの方向にまわり、六次元の縮んだ空間の中で振動する。右巻きのボソン（伝達粒子）はループのまわりを反時計回りにまわり、その振動は二二次元の縮んだ次元の中に入りこむ。ボソンとフェルミオンは互いに他と干渉することなく二つの方向でループのまわりをまわる。フェルミオンが「住む」一〇次元（時間を含む）は「現実の」空間と考えられる。ボソンは二六次元（時間を含む）の空間に住んでいる。そのうち六次元は縮んだ「現実の」次元、四次元は普通の時空間、ほかの一六次元は「内部空間」――すべてうまく運ぶように作りあげた数学的構造物である。ソリトン（孤立波）の意味を拡張すれば、さざ波を位相学的ソリトンとみなすことができる。これは位相的な「住みか」の内部に永久に閉じ込められている波である。

ここで一ページか二ページを費やして、ヘテロティック理論がどのように粒子のカイラリティや正負の電荷を説明するか、述べてみたいと思う。電子と陽電子が同じ方向にまわるとき、それらは反対の利き手構造をもつらせんとして区別できるだろうか。いろいろな種類の反対荷量にはカイラリティの基礎があるのだろうか、また反対荷量の量子数は弦全体にわたってぼかされているとしかいえないのだろうか。このような問題についてスーパーストリングの書物はあまりに不透明であって私にはわからない。そのうえ、私にわかるようにこういう問題を論じてくれようという専門家にあえないでいる。どうか誰か、よくわかっている人が、たとえばサイエンティフィック・アメリカン誌に、スーパーストリング理論における反転の正確な役割について啓蒙的な論文を書いてもらえないだろうか。

魔法の数四九六がストリング理論ではくりかえし現われる。開いたストリング理論では、グリーンとシュワルツが一六種の荷量を弦の端につけるのに四九六とおりの組み合わせを見いだした。ヘテロティックな閉じたストリング理論では、同じ一六種の荷量が四九六種のボソンを生ずる。ごくわずかの例外を除いてすべて非常に大きい質量をもつので、今日の衝突型加速器のような低エネルギーの段階では検出できない。この数は、SO（32）群（開いたストリング理論の基礎）と $E_8 \times E_8$ 群（ヘテロティックなストリング理論の基礎）がどちらも四九六個の生成演算子をもつことからきている。

私は友人の数智論者アービング・ヨシュア・メイトリックス博士に、この神秘な数四九六についてたずねたことがある。彼はこれが三角数で三番目の完全数(訳注1)であることを思い出させてくれた。これは $31 \times 4 \times 4$ に等しく、もう一つ四をかければ $31 \times 4 \times 4 \times 4 = 1984$ となって、これはグリーンとシュワルツがはじめて四九六の意義を見いだした年である。さらに、発見は一九八四年八月であった。八月は八番目の月であり、また 2×4 である。メイトリックス博士は私のメモ帳に次のような奇妙な式を書いてくれた。

$$496 = 1 + 2 + 4 + 8 + 16 + 31 + 62 + 124 + 248$$

ここにはおかしなはずれがある、と彼はいった。級数は各項が順に二倍になっていくのだが、一六から三一へとんでいったん級数がとぎれ、つづいて新しい二倍項級数が続く。

ヘテロティック理論のもっとも不思議な性質は、いわゆる影の物質が存在する可能性をあげていることである。ビッグ・バンのとき六つの次元が巻き上がり（あるいは巻き上がりがビッグ・バンをおこしたのかもしれない）、平行宇宙がつくられたらしい、というのである。32章で、ボスコヴィッチが二つの互いに入りこむ宇宙があり、互いに他と相互作用しないという考えをどうもてあそんだか述べた。これはSFの周知のテーマである。ヘテロティックなストリング理論は、このような平行宇宙が実際に存在するかもしれない、と示唆する。影の世界はまったくわれわれには見えないが、太陽あり惑星あり、そして人すらも存在して完全な形でありうる。しかしその質量はわれわれの世界の質量と相互作用するから、検出することができるかもしれない。おそらく影の物質は、天文学者が銀河の生成やその他宇宙論的な謎をときあかすため必要と信じているかくれた質量を説明する。

　われわれの近くにある影の太陽は、わが太陽系に摂動効果を及ぼす。このような摂動の兆候がないわけではない。天体物理学者はそれが伴星によって生じたと考え、この星をネメシスと名づけてきた。ネメシスは見えない影の太陽でありうるだろうか。それよりももっともらしいのは、影の物質は宇宙のまわりにただよい、遠くにある見えない星になっているという考えである。一部はわれわれの惑星の中心に沈んでいるかもしれない。二つの世界が分裂したとき、影の世界は場も粒子も法則もまったく異なった組み合わせとして分離したのかもしれない。「宇宙の核心にある秘密を誰が知る」とデイトリッヒ・トムソンは影の物質についての論文（サイエンス・ニュース誌、一九八五年五月十一日号）で問いただした。「影が知る」と彼は答えている。「存在するのは影の物質である。」影の世界を真剣に受け入れている物理学者は決して多くはない、とつけ加えておかねばならない。

スーパーストリングは生き残るか、はたまたケルビン卿の煙の輪のように未来科学の風の中で霧散してしまうのか。専門家の意見は分かれている。ウィッテンはスーパーストリング理論を「美しく、素晴らしく、いかめしく――そして奇妙な」とよんでいる。彼は、次の五十年間はその詳論と含意の探求に捧げられるであろう、と予言し、これは学問上量子力学にも比すべき発見であると考えている。

スチーヴン・ワインバーグもまた熱狂的な超弦家である。「スーパーストリング理論は重力が重要になる尺度で物理を理解する唯一の希望である」と彼はいう。「そのうえ、理論は美しい。私はアインシュタインとエディントンが一般相対論に対してもったと同じ感じをスーパーストリング理論に対してもっている。」偉大なるマレイ・ゲルマンも、市場に出ている唯一の壮大なTOEとしてスーパーストリングに祝福を与えている。

角道夫は著書『アインシュタインを超える』を次のように始めている。「雷のような大改革が現代物理学の基礎をゆるがしている。われわれの宇宙とは何かについて、新鮮で絢爛とした理論が、温存された陳腐な概念を急速にくつがえしつつあり、息をのむような美しさとみやびさをもつ新数学でおきかえつつある。」

一般の物理学者ばかりでなく、とくに高い尊敬をかちえている物理学者の中にも反対の声がある。故リチャード・ファインマンは懐疑的であった。オランダのジェラルド・トフーフトはスーパーストリング理論をテレビのコマーシャルにくらべている――華やかな宣伝と実質のなさ。「それは普通の意味の理論ではない」、とジュリアン・シュインガーはいう。「もし計算できるならものごとはこう進むだろう、という審美的かつ感情的な輝きにすぎない。」

ハワード・ジョージャイはストリング理論を「道楽の数理神学」とよぶ。ロバート・クリーズとチャールス・マンは彼らの素晴らしい歴史書『セカンド・クリエイション』(訳注2)(*The Second Creation*, Macmillan, 1986)の中で、ワインバーグがハーヴァード大学で弦の講演をしたときのようすを書き留めている。講演の前に、ジョージャイは次のように黒板に書いておいた。

テキサスからもどった
スチーヴン・ワインバークは
とんでもない余分な次元をもってきた
でも余分な次元はすべて
小さすぎてわからない

図101　シェルダン・リー・グラショウ。スーパーストリング理論に反対する第一人者。（©リック・フリードマン/ブラック・スター、1984）。

小さな玉の中に巻き込まれていた

シェルダン・グラショウ（図101）は電磁力と弱い力の統一理論で中心人物であったが、一貫してもっとも攻撃的な批判者である。その非難はいろいろなところに現れているが、ごく最近では彼がベン・ボーヴァといっしょに書いた自伝『相互作用』（訳注3）（*Interactions*, Warner, 1988）の最終章、デイヴィスとブラウンの編んだ対談集『スーパーストリング』（文献案内を見よ）あるいはサイエンス誌（一九八八年五〜六月号）の論文「もつれた超ひも」（Tangled in Superstrings）の中にある。何が彼の反論であろうか。

1　理論は経験的験証の域を越えて暴走している。多くの成功した理論は験証される前に定式化された——たとえば一般相対論——というのはほんとうである。しかし少なくともアインシュタインは彼の理論を験証する方法を提示し、理論を確認するため験証が行なわれたのはそう長い後ではなかった。グラショウの意見によれば、スーパーストリング理論の難点は理論がどうやって験証されうるか、示唆もしないことにあるという。いうなれば「たった一つのちいちゃな実験的予言すらない」のである。

予見できない幸運をさておけば、ストリング理論を験証するのに必要なエネルギーは、予見できる粒子加速器の能力をはるかに超えている。物理学者は、未来の加速器とストリング理論が験証できるかもしれない段階の間には、大きなエネルギー領域の「砂漠」が広がっている、という。グラショウはこの広がりは不毛ではない、異国風の花が咲き乱れていることだってあるさ、と考えている。間もなく建設されるであろう超大型衝突加速器（SSC）は、多くのTOEを、スーパーストリングのTOEすらも切り捨ててしまうような驚異を見せるのではないか、と彼は信じている。

グラショウは経験的な証拠から理論に向かう上向きの道と、理論から証拠に向かう下向きの道を区別することを好む。第二の方式は万物の大理論という高みから、「加速器あるいは地上で見られる世俗的な、小さな効果」にまで道をつけてくれる。グラショウは「低い道」、実験的結果から出発して少しずつ理論の高みに登るほうが好きである。

2「スーパーストリング理論は何か自然について訴える高雅な仮説の組み合わせから論理的結果として出てくるものではない」。みやびさの重要な内容の一つは簡単さであるが、さてスーパーストリング理論はほんとうに簡単であろうか。ある意味ではそうだが、ほかの意味ではそうでない。たった一つの粒子（ループ）があり、あらゆる相互作用をループの接合と分離に還元することは、たしかに簡単である。しかし粒子の諸性質を説明する段になると、ストリング理論は——これはツイスター理論でもそうだが——複雑な、互いに矛盾する憶測のかたまりになる。なぜ粒子がもつべき値の質量をもつのか説明しない。寿命も相互作用の強さも説明しない。いろいろな荷量を明確に説明もしない。たとえば、単位の負電荷がどのようにスーパーストリングのループ上に分布しているのだろうか。原理的にはこれらの諸量は理論から計算できるはずだが、実際的には不可能である。美は観測者の眼中にある。スーパーストリング理論家は、アブドゥス・サラムいうところの「光り輝く理論の美」によって目をくらまされているのである。懐疑家は醜い開放端のかたわらに追いやられている。

3　スーパーストリング理論は、なぜ六つの空間次元がビッグ・バンの瞬間に巻き上がったか説明しない。またなぜ、巻き上がった次元は安定に残り、ほかの三つの次元は拡大し時間の次元が進むのか、説明できない。

4　スーパーストリング理論家どうし、縮んだ空間の位相構造について一致した意見をもちえない。既述のごとく何千という形がとれるのである。

スーパーストリング理論のまがうことなき一大偉業は、はじめて重力の量子論をたてたことである。「スーパーストリング理論に思いがけぬ得点を与えなくてはならない」、とグラショウも認めている。しかしその他の点については、たとえば物理学者はいかに楽隊つきの車にとびのりやすいかを研究している「科学社会学」者の主要関心事、としてしか見ていない。「ストリング理論の研究は数学科か、ことによると神学校のほうがむいているのではないか。ピンの頭の上で何人の天使が踊れるのか？　ピンの頭より三〇桁も小さい縮んだ多様体は何次元であるか？　ここに謎がある。信じがたいほど複雑で、発展させるには十年単位の研究がいり、しかも現実の世界ではまずおこらぬ壮大な企画を二つあげよ。答えは宇宙戦争（スター・ウォーズ）とスーパーストリング。」ストリング理論に年月を空費した若い博士たちは、もしストリングの理論がつぶれたらみんな就職できるだろうか、とグラショウは危ぶんでいる。

この点についてグラショウは、デイヴィスとブラウン編の本の中でこう述べている。(訳注4)

多数の私の同僚たちがストリング理論を研究してくれるので私は喜んでいる。というのは結果として彼らが私と離れていてくれているからだ。私が知り私が愛する物理の世界については彼らは何もいおうとしない——これこそ私がストリング諸理論を好まない主な理由なのだ。私はイギリスおよびアメリカで弦を研究している人たちを大いに尊敬している。同時に、この伝染病が――エイズよりずっと伝染力が強いというべきだが――ハーヴァードに入りこまないように、私のできることは何でもする。しかし今まではあまり成功していない。にもかかわらず、ハーヴァードの一部にはまだ上向きの道、実験から理論への道をとろうとする人たちがおり、スーパーストリング的見解を退けている。スーパーストリングは、足もとの地についた世界を扱うために、達成もできない夢のようなエネルギーの上に理論をたてようとしている。

グラショウとポール・ギンスパーグは「スーパーストリングを探すのは絶望か」(Desperately Seeking Superstrings?)(フィジックス・トゥデイ誌、一九八六年五月号)の中で次のように書いている。「実験の着想とデータが間断なく入ってくることだけが、上から下へ向かういくつかの道を一点に交わらせることができる。万物の理論は時間どおりにやってきたのかもしれないが、われわれはまだ、自然があらゆる技巧を出しつくしてしまったという確信がもてない。」彼らはスーパーストリングについて、かつてパウリが理論について述べた有名な評語を引用している。パウリいわく、それは的外れだが「まちがえてすらもいない」。

一九八六年、日本の富山市で開催された「大統一理論第七回ワークショップ」(WOGU)の会議録の中で、グラショウは集会の内容を次の二連対詩《カプレット》にまとめている。

統一される力をあがめよう
ν振動のようなことを信仰して
死ぬはずのないモノジェットを悼むな
カルロ(原注1)がもっといいものをもってくる
富山で七回目のWOGUを開いた
何もかも死んだということばを期待して
深い暗い穴におちた学生はかわいそう
学位論文は単極子か
振動する太陽ニュートリノか
わが太陽は消えたと人のいわぬかぎり
どうして万物はこうなったのか
昔々の重力以外手がかりはない
一七粒子のうちいくつかはクォーク
さらに一七あっていくつかはスクォーク
白鳥座の白鳥に何かおこったとさ
心配するなもうすんだこと

ハーヴァードから見た宇宙は洗面台の泡
計算機をこわして考える時間を作れ
万物の理論は大胆にいえば
弦のオービフォールド以上のもの
指導者たちは老いて硬化して
ヘテロティックなものは信用できない
まだまだあなたはやられちゃいない
本はまだ終わらずウィッテンが最後でない

スーパーストリングは現在とてつもない熱狂のさなかにある。ある見地からすればわずか六種類くらいの理論だが、あらゆる変種を数えあげれば何千にもなる。あるスーパーストリング理論家は、理論は最後にはまったく普通の時空の四次元の中で表現されるであろう、縮んだ次元と内部空間は一時的に有用な技巧にすぎないことがわかるだろう、と考えている。一方、かくれた次元は既知の三つの次元同様現実のものだと考える人もいる。また弦《ストリング》それ自体さえ、単なる抽象になってしまうと考える人もいれば、十七世紀の原子と同じように、弦は比較的直接的な方法によって「観測」されるようなあいまいな境界にしだいしだいに潜りこんでくる、と期待している人もいる。

弦を二次元の膜に拡張する示唆がされているが、数学があまりにもむずかしく醜くなるのでついていける人がほとんどいない。天文学者たちは、彼らが「宇宙のひも《コスミック・ストリング》」とよぶ巨大な長さと質量をもち宇宙を横断してあちこちに織りなされるひもについて、推測をたくましくしてきている。もしこのようなひもが存在するならば――するという証拠はないが――これはスーパーストリングが原始爆発ののち宇宙の膨張によって光年の長さにまで引き伸ばされたものであろうか。

もちろん、ストリング理論が徐々に進歩していろいろな変種や競合する理論が自滅し、ただ一つの理論に向かって発展していくのが望みである。「私の高校の友だちスチーヴン・ワインバーグは、テキサス分遣隊を弦の幌馬車で導いている」とグラショウは書く。「でも一方の足はしっかりと道につけている。彼はストリング理論は近い将来実験室で験証されると感じており、したがってまだ採るべきでも捨つべきでもないとしている。彼が正しいことを祈る。」

私がオズマ問題とよぶものは、以上のような状況でどうなるであろうか。われわれの宇宙に関するかぎり、解決している。右と左の区別はどの銀河にいる知的存在にも、パルス状の信号で伝えられる。われわれの宇宙のニュートリノは三つとも永久に左回りである。左の意味を別の銀河にいる知性に伝えるには、パリティを保存しない実験を記述するだけでよい。

「両手利きにしてくれるなら右腕をあげる」といった人について古い笑い話がある。どういうわけか多くの物理学者は、宇宙を両手利きにするよう力を貸したいようである。すでに見たように、これは本質的に異なった二つの方法で行なうことができる。その一つは、はじめ宇宙は両手利きであるとしてのちに対称性の破れとして利き手型を導入する。もう一つの方法は、どこかはじめにいろいろな宇宙の集合を考え、その半分は右利き手型で半分は左利き手型であるとする。チャールス・パースがかつて述べたように、不幸にして宇宙は黒すぐりの実ほど多くない。われわれはただ一つの宇宙しか知らないから、このような疑問は永久に答えられないものかもしれない。

ペンローズは、神——またそのほうがよければ自然——が、両手利きであると仮定する必要がなぜあるのか、と問うた。なぜ存在の基礎地盤が、たとえばミケランジェロの「ピエタ」より対称性がよくなくてはならないのか。ミケランジェロはほかの形になるようにピエタを彫ることもできたはずである。ほかの形として像を鏡にうつしたようになっていてさえよかったのである。それでも同じように美しかったろう。「ピエタ」の左右像が存在しないことでなぜうろたえないのだろうか。母なる自然が片頰につけぼくろをつけてはいけないのだろうか。完全な左右対称は、ほかの対称性も同じことだが、非対称より巨匠《オールド・ワン》にはより醜くより退屈に感じられたのであろうか。

すでに見たごとく、まんじ（卍、カギ十字）のような非対称形は、単にひっくりかえすだけで別の形になる。ガラスとびらの一方から歩いてくれば OUT を TUO と読むことができる。おそらくわれわれの宇宙では、そしてほかの宇宙でも、その時空につかまえられている観測者に対してのみ利き手型があるのである。高次時空間に住む巨匠はどんな非対称な宇宙も別の遠近法で観察し、それが別の形をとると見ることができる。

われわれが知り愛するわが宇宙では、スチーブン・ホーキングその他が主張するように、物理学はひもの一端に急速に近づきつつあるのだろうか。物理の全基礎法則が知られ、一組の高雅な方程式に統一される日に近づいているのだろうか。たぶんそうだろう。しかしすぐれた物理学者たちは以前こう予言している——新しい発見のみがまだ探険していない地下室のはねドアを開くのだ。

「最終的な解析においては、何ものも理解を超える」と、トーマス・ハックスレイ（『ダーウィンニアナ』(*Darwiniana*, 1893)）は書いている。「科学の全目的は、単に基本的に理解できないものをできるだけ少数個に還元することだ。」しかし問題は、新しい発見は理解を超えるものの数をいつも増やしていることである。

私の直観はグラショウのそれに共鳴する。気ちがいじみた理論が訂正され磨き上げられ、もはや気ちがいじみたとはいえなくなり、簡単でほとんど必然的になり、粒子の現在の無秩序がみごとな秩序への道を示すようになったのち、このような理論のほんとうの成功とは、いっそう深いレベルで理論が破綻することだと思う。アインシュタインがいったように、神に悪意はないのであろうが、巨匠《オールド・ワン》の精妙さは、猿の脳よりはややましな脳をもつわれわれが、いっさいの神秘を理解しうるほど低いレベルであろうか。

私は、科学がいつかあらゆるものを見いだすであろうと信ずる思想の徒には属さない。このような見解は、私には単純な心性の思い上がりとしてびっくりさせられるばかりである。そんな人びととどう話しあえるのか困惑するばかりである。たしかに、ウィリアム・ジェイムズの有名な隠喩をかりていうならば、リフィ川の魚の心を超えた彼方にダブリンの街があるように、私たちの心の及ぶ範囲を超えたはるか彼方に、存在に関する真理があるのである。

「人は小さなものだ」、とカルノス王はロード・ダンセイニの芝居『神々の笑い』の中でいう。「夜はとても大きく驚異に満ちている。」

(原注1) カルロ・ルビアは、電弱ゲージボソン$W^{\pm}$およびZ^{0}粒子を発見したグループを指導した有名なイタリアの実験家。

(訳注1) (1) 米俵を積むときのように最上段に一俵、次の段に二俵、その次の段に三俵……と積んでいくと、n段積んだあとで俵の総数は$n(n+1)/2$, $n=1, 2, \cdots$ となる。これを三角数

という。n が 31 のとき三角数は 496 となる。

(2) 自然数 n の正の約数（1および n を含む）の和が $2n$ に等しいとき、n を完全数という。$n = 496 = 2^4 \cdot 31$ のとき約数は 1, 2, 4, 8, 16, 31, 62, 124, 248, 496 であるから、この場合、本文の算式は 496 が完全数であることを示す。

（訳注2） 邦訳書『セカンド・クリエイション——素粒子物理学を創った人々』鎮目恭夫、林一、小原洋二訳、早川書房、一九九一年。

（訳注3） 邦訳書『クォークはチャーミング——ノーベル賞学者グラショウ自伝』藤井昭彦訳、紀伊國屋書店、一九九六年。

（訳注4） 著者が巻末の文献案内にあげている本のひとつで、邦訳書は『スーパーストリング』出口修至訳、紀伊國屋書店、一九九〇年。

問題の解答

20章　パリティ

問題14(14ページ)　さかずきを全部上向きにすることも、全部下向きにすることも不可能である。はじめに、上向きのさかずきが奇数個あるから、もし、下向きのさかずきを二つひっくり返すと、上向きのさかずきの数が二つだけ多くなる。したがって、上向きのさかずきの総数は奇数のままである。上向きのさかずきをひっくり返すと、上向きのさかずきの数が二つだけ減ることになり、やはり上向きのさかずきの総数は奇数のままである。上向きのさかずきと下向きのさかずきを一つずつひっくり返すと、上向きのさかずきを一つ減らして、一つ増やしているのだから数は変化しない。したがって、さかずきを二個ずつひっくり返していたのでは、上向きのさかずきを偶数にすることは不可能である。また、さかずきの数は全体で六、つまり偶数であるから、さかずきをすべて上向きにすることもできない。同様にして、全部を下向きにすることも不可能である。

21章　反粒子

問題15（42ページ）　テラー博士と反テラー博士が「右手」で握手を交わした、という文は、次の四とおりに解釈することができる。

・どちらも、自分が右だと思っているほうの手をさし出す。（これを写真にとったとすると、テラー博士が右手を出し、反テラー博士は左を出しているという図になる。）

・両方とも、われわれが右手といっているほうの手を出している。この解釈に従うと、詩はわれわれの見地から書かれたことになる。

・どちらも、反地球でいうところの右手を出した。この解釈では、詩は反見地から書かれたことになり、次いでおこる爆発は反クライマックスである。

・どちらも、自分にとっては左手だが、相手にとっては右手であるほうの手を出す。これは四つのうちでもっともこじつけがひどい解釈である。

22章　パリティの破れ

問題16（63ページ）　この実験の観察はゆきとどいていなくてはいけない。たとえば、電磁石のまわりに巻いてある電線を流れる電流の方向もきちんとわかっていなければならない。この方向と、電線がどちら巻きのらせんになっているかによって、できた電磁石のどちら側が、通常われわれがいう北極であるかが決まるからである。電子のほとんどがコバルトの原子核の南極から放射されていれば、映画の像は反転していない。逆に北極から放射されていれば、映画は反転している。

問題17（70ページ）　陰陽のシンボルの三次元空間版は野球のボールである。これは左右対称になっている。デンマーク人の詩人であり発明家であるピエット・ハインは、もっとよい例として、同じ形をした、非対称の楕円三つで区分けられた球の表面を考えることを提唱した。弾力のあるものでできた立方体を想像してほしい。この立方体の左と後ろの面を赤く、上と右の面を白く、手前と低面を青く塗るのである。こうしておいてこの立方体をどんどん膨らませていく。そしてとうとう球形になるまで膨らます。三色に色分けされた各部分は、陰陽の巴《ともえ》のように互いに隣接しあいながら、しかも全体のパターンは非対称を形成する。ピエット・ハインはこの模様をイン・ヤン・リーとよんだらいいと提唱している。

32章　初期の物質の理論

問題18（260ページ）　三つの輪は互いに離れ離れにはなれないが、かといってどの輪も二つがつながっているわけではない。どの輪でもよいから一つを取り去ると、他の二つは簡単に離れてしまう。

33 章　スピン

問題19（285ページ）転がっている二五セント硬貨はちょうど二回転したはずである。

旧版への訳者あとがき

これは、マーティン・ガードナー（Martin Gardner）著の*The Ambidextrous Universe*（Basic Books, Inc., 1964）を翻訳したものである。原著には、*Left, Right, and The Fall of Parity*という副題がついている。

紀伊國屋書店からその翻訳出版の相談を受けたのは昨年の夏であった。実はそのときまで、こんな本があるとは知らなかった。さっそくところどころを拾い読みしてみると、実に面白い。まず鏡にうつる像の話からはじめて、最後に、原子核の崩壊現象に関して、それまで金科玉条であったパリティ保存の法則が凋落する話にいたるまで、われわれの周囲にあるほとんどすべての左右の問題が、あとからあとから登場してくる。サイコロの目の書き入れ方、左から読んでも右から読んでも同じになる回文（A man, a plan, a canal—Panama!）、音楽のカノン形式、右利きの人と左利きの人、洗面器の底の栓をぬくとできる水の渦、植物の蔓の巻き方、貝殻の巻き方、左水晶と右水晶、左旋性と右旋性の砂糖、立体異性体、電流と磁界、原子構造、反粒子、β崩壊と、息もつかせない。すっかり感心してしまった。そしてこれは日本語に直して広く皆さんに読んでいただく価値が充分にあると思ったので、私も翻訳を引き受ける決心をした。ただ、三百頁もあるので、一人でやるのにはちょっと骨が折れると思ったが、幸いにも、若い友人の小島弘君が興味をもち、協力してくれることになったので安心した。だいたい半分ずつを分担し、互いに原稿を検討しながら、仕事は順調に進んで、でき上がったのがこの本である。

この本の内容は実にユニークだと思う。ともかくこれだけ広い方面にわたることがらを、左右という点にしぼって書くというのだから、並大抵のことではない。原著者のガードナーという人は、アメリカの有名な科学雑誌 *Scientific American* に関係の深いライターである。著書も多い。自分自身研究者ではないが、学問の結果を充分に咀嚼したうえで、それを自分のものとし、誰にでも興味をもたせるような読みやすい形に書き表わすということに、特別の才能をもっている。この本の中には、専門家からみればあるいは多少物足りないところがあるかも知れないが、それはこういう種類の本としては仕方のないことである。一言にいって見事というより他はない。

学問の結果をバラバラにして蒸留水のようにして見せてくれるのもいいが、この本のような行き方も捨て難いと思う。これこそ知的な面白さというものなのであろう。それにつけても私は、ガードナーのような、単なる物知りの解説者ではないライターが、日本にはほとんどいないことを残念に思う。またそのような本も少ない。私はこの本がそういうものの一つの例として、ある役目を果たしうることを願う。

一九七一年一月

坪井忠二

新版への訳者あとがき

本書はMartin Gardner著 *"The New Ambidextrous Universe"*（Third Revised Edition, W. H. Freeman & Com., New York, 1990）の完訳である。原著は第一版が一九六四年、増補第二版が一九七九年に出版された。この改訂第三版までには、初版から四半世紀の年月を経ている。初版の翻訳は、坪井忠二先生と小島弘さんの共訳で一九七一年に紀伊國屋書店から刊行され、今日まで二十三刷を重ねて、同書店のロング・セラーのひとつになっている。原著初版の副題は「左と右とパリティ非保存」、改訂第三版の副題は「対称性と非対称性、鏡の反射像からスーパーストリングまで」となっており、著者の意企がどこにあるか窺い知ることができよう。改訂第三版本は初版本にくらべ章にして一〇章、と大幅に増えているが、これは時間反転の不変性とその破れを中心に、時間の対称性が新たに問題にされているからである。

坪井先生は一九八二年世を去られた。私は一度だけ先生にお目にかかったことがあるが、そのときも語学教育の話がでたと記憶している。しかし、先生が当時の語学教育振興会の若きスタッフ小島さんと一緒に訳された初版本の翻訳を知るようになったのは、ほぼ一年前のことである。紀伊國屋書店出版部の水野寛さんの依頼を受け、小島さんと増補改訂部分を訳出することになった。小島さんは、今は月に一度は太平洋を往復する精気溢れるビジネスマンである。

原著第三版にはさりげなく書き直された個所がたくさんあり、改めて旧訳全体に目を通さなければならなかった。旧訳部分はできるだけもとのスタイルを保つように心がけたが、新旧訳の統一をとるため、旧訳の訳語を改めたところも少なくない。特に第一九章（マッハのショック）では、どういうわけか著者は、電子の運動方向を基準にして動電気の作る磁場を記述している。これは、電流の向き（電子の運動方向とは反対）とその作る磁場の向きの関係、に慣れている我が国の読者の感覚になじまない。新訳では、（数個所を除き）すべて電流の向きを基準にして文章を書き直した。

本書の性格については、坪井先生が旧訳の「訳者あとがき」に述べられているとおりであって、科学読本として抜群の秀作のひとつである。増補分を含めて言えば、「空間と時間の対称性とその破れ」について、幅広い教養を持つ一知識人が、身辺の日常経験から現代物理学の最先端概念に至るまで、古今東西の話題を自在にとりあげて縦横に語りつくす、といった趣きがある。敢えて言うなれば、幸田露伴や南方熊楠の作物《さくぶつ》に触れるような興奮を感ずるであろう。

訳注は大部分水野さんの助言に拠った。特に、著者が引用しているたくさんの書物や論文や記事のうち、日本語に翻訳されているものの所在は、水野さんが編集者のこだわりを十分に発揮して、たんねんに調べてくれた結果である。水野さんは学生時代、本書の旧訳を読んで感銘を受けられたという。このたび再び読者代表として、訳者らにきびしいしかし適切な助言を与えてくれたことに対し、改めて感謝する次第である。

一九九二年四月

藤　井　昭　彦

ちくま学芸文庫版への訳者あとがき

本書は、マーティン・ガードナー著、"The New Ambidextrous Universe"（Third Revised Edition, W. H. Freeman & Co., New York, 1990）の完訳です。原著は第一版が一九六四年、増補第二版が一九七九年に、そして第三版は約二十年後の一九九〇年に刊行されました。訳本は、一九七一年に紀伊國屋書店から出版され、何度かの増刷を経て一九九二年に新版として出版されました。この本は、その新版を筑摩書房が文庫版として出版したものです。

自然界に多くみられる左と右の対称、非対称から説き起こし、素粒子のレベルにまでぐいぐいと展開、当時最先端である宇宙論までを、分かりやすく説明しています。初版が出版されてから今までには、新しい事実の発見や新しい理論の展開などがありました。著者が「第三版へのまえがき」の中で述べているように、「論文は、それが発表されるころにはもう陳腐化している」ものです。この三十年の間に、科学技術の研究は長足の進歩を遂げ、人類は何回も宇宙への飛行ミッションを実現し、今も、日本人を含む何人かの宇宙飛行士が国際宇宙ステーションでの活動に携わっています。しかし、今、改めて読み返しても、章ごとに次から次へと展開するエピソードに引き込まれ、少しも色褪せていません。よって、本書の文庫化に際しては、それらの新たな発見、新説等で影響を受ける部分の補足についても、読者の探究心に委ねるとして、あえて訳註などを加えることは行いませんでした。

初版から約半世紀が経ち、坪井忠二先生も、藤井昭彦先生も既に他界された今、この書物が文庫版として発刊されることは、とても意義深いものと思います。今般の刊行にあたっては、若島正先生の解説を得て、さらに理解が深まる工夫がなされました。末筆ながら、このような書物の訳出に参加させてくださった坪井先生、藤井先生に、改めて感謝申し上げるとともに、企画から校閲まで一手に担当された筑摩書房の伊藤大五郎さんに心からお礼を申し上げる次第です。

二〇二〇年十一月　　小島　弘

さらに興味をもつ方への文献案内

17章　第四次元

以下はカントの左と右に関する見解について言及している本や論文を、古い順にあげたものである。

D. F. Pears, "The Incongruity of Counterparts," in *Mind*, vol. 61, January 1952, pp. 78-81.

Bernard Mayo, "The Incongruity of Counterparts," *Philosophy of Science*, vol. 25, April 1958, pp. 109-115. Pears への返答。

Peter Remnant, "Incongruent Counterparts and Absolute Space," *Mind*, vol. 72, July 1963, pp. 393-399.

Vilma Fritsch, *Left and Right in Science and Life*. この本は一九六四年にはじめてドイツで出版されたが、これは本書第一版が世に出た年である。英訳は一九六八年ロンドンで Barrie and Rockliffe から刊行された。

Johnathan Bennett, "The Difference between Right and Left," *American Philosophical Quarterly*, vol. 7, July 1970, pp. 175–191.

John Earman, "Kant, Incongruous Counterparts and the Nature of Space and Space-Time," *Ratio*, vol. 13, June 1971, pp. 1–18.

Graham Nerlich, "Hands, Knees, and Absolute Space," *Jounral of Philosophy*, vol. 70, June 1973, pp. 337–351. スカラーの一九七四年の論文（以下を見よ）の批判といっしょに、ネルリッヒの *The Shape of Space*, Cambridge University Press, 1976, 第2章に再録されている。

N. J. Block, "Why Do Mirrors Reverse Right/Left but Not Up/Down? *Journal of Philosophy*, vol. 71, May 16, 1974, pp. 259–277.

Lawrence Sklar, "Incongruous Counterparts, Intrinsic Features, and the Substantiviality of Space," *Journal of Philosophy*, vol. 71, May 16, 1974, pp. 277–290.

Don Locke, "Through the Looking Glass," *Philosophical Review*, vol. 86, January 1977, pp. 3–19.

Jill Buroker, *Space and Incongruence*, Reidel, 1981.

Chris Mortensen and Graham Nerlich, "Spacetime and Handedness," *Ratio*, vol. 25, June 1983, pp. 1–13.

Martin Curd, "Showing and Telling: Can the Difference between Right and Left Be Explained in Words?" *Ratio*, vol. 16, June 1984, pp. 63–69.

István Hargittai and Magdolna Hargittai, *Symmetry through the Eyes of a Chemist*, VCH

Publications, 1987.

István Hargittai, ed., *Symmetry Unifying Human Understanding*, Pergamon, 1987.

James Van Cleve, "Incongruent Counterparts and Things in Themselves," *Proceedings of the Sixth International Kant Conference*, G. Finke and Th. M. Seebohm, eds., Pennsylvania State University/University Press of America, 1988.

Brynan Bunch, *Reality's Mirror: Symmetry in Life, Space, and Time*, Wiley, 1989.

James Van Cleve and Robert Frederick, eds., *The Philosophy of Right and Left: Incongruent Counterparts and the Nature of Space*, Kluwer Academic Publishers.

26章　反物質

ツイスター理論について信頼のおける概説を行なったものに『スピノルと時空間』（*Spinors and Space-Time*, Vol. 2, Cambridge University Press, 1984 and 1986）がある。これはペンローズとウォルフガング・リンドラーが編纂した二巻にわたる書である。より手短な入門書ならば、S・A・ハゲットとK・P・トッドの『ツイスター理論入門』（*An Introduction to Twistor Theory*, Cambridge University Press, 1985）がある。同じ出版社から、まもなくR・S・ウォードとR・O・ウエルズ・ジュニアの書、『ツイスター幾何学と場の理論』（*Twister Geometry and Field Theory*）が刊行される予定である。もう少し通俗的なところでは、デイヴィド・ピートの『スーパーストリングと万物の理論の探求』（*Superstrings and the Search for the Theory of*

Everything, Contemporary Books, 1988)〔邦訳書『超ひも理論入門』(上・下) 久志本克己訳、講談社ブルーバックス、一九九〇年〕がある。この書では、スーパーストリングとツイスターとの結合の可能性が、中心的なテーマとなっている。ツイスター理論の分野で今もっともおもしろい仕事が、アラン・チューリングの伝記で一般にもよく知られているアンドリュー・ホッジスによって行なわれている。

ペンローズ自身によるツイスター理論に関する書物は、以下の専門書、あるいは一般書である。

"Twistor Theory: Its Aims and Achievements," in *Quantum Gravity*, C. J. Isham, Penrose, and D. W. Sciama, eds., Oxford University Press, 1975.

"Twistors and Particles: An Outline," in *Quantum Theory and the Structures of Time and Space*, L. Castell, M. Drieschner, and C. F. von Weizsäcker, eds., Allanheld, 1977.

"Is Nature Complex?" in *The Encyclopedia of Ignorance*, Ronald Duncan and Miranda Winston-Smith, eds., Pergamon, 1977.

"A Googly Graviton?" in *Advances in Twistor Theory*, L. P. Hughston and R. S. Ward, eds., Pitman Press, 1979.

"Twisting Round Space-Time," *New Scientist*, vol. 33, May 1979, pp. 734-737.

"Twistor Algebra," *Journal of Mathematical Physics*, vol. 8, 1987, pp. 345-366.

ツイスター理論に関する一般書で最近のものとしては、ロバート・フォアワードの「新事実を紡ぐ――アインシュタインの世界に新しいひねりを加える理論家ロジャー・ペンローズ」(Spinning New Realities: Theorist Roger Penrose Gives Einstein's Universe a New Twist)(サイエンス誌、第八〇巻、一九八〇年十二月号、四〇～四九ページ)と、アイソニー・リバーシッジのインタビュー記事「ロジャー・ペンローズ」(Roger Penrose)(オムニ誌、一九八六年六月号、六七ページ以降)を参照されたい。

非周期的にしか平面を埋めることのない二つの形態のペンローズの有名な発見と、擬結晶の非周期的構造との驚くべき関連性については、拙著『ペンローズ、はね上げ戸の暗号に迫る』(*Penrose Tiles to Trapdoor Ciphers*, W. H. Freeman and Company, 1988.〔邦訳は「ガードナー数学ギャラリー」として『落し戸暗号の謎解き』、『ペンローズ・タイルと数学パズル』、『メイトリックス博士の生還』の三分冊となっている。一松信訳、丸善〕)を参照されたい。

〔訳注　これ以外に、ペンローズ著"The Emperor's New Mind: Concerning Computers, Minds, & the Laws of Physics," Oxford University Press, 1989. がある。邦訳は『皇帝の新しい心』林一訳、みすず書房、一九九四年〕

34章　スーパーストリング

すでに発表されているスーパーストリングに関する標準的な参考書としては、マイケル・グリーンとジョン・シュワルツの『スーパーストリング理論』(*Superstring Theory*, Cambridge

University Press, 1987）を参照のこと。本書の執筆時において発表されていたスーパーストリングに関する一般向けの入門書は以下の三冊である。

P. C. W. Davies and J. Brown, eds., *Superstring: A Theory of Everything?* Cambridge University Press, 1988.〔邦訳書『スーパーストリング』出口修至訳、紀伊國屋書店、一九九〇年〕

Michio Kaku and Jennifer Trainer, *Beyond Einstein: The Cosmic Quest for the Theory of Everything*, Bantam, 1987.〔邦訳書『アインシュタインを超える』久志本克己訳、講談社ブルーバックス、一九八八年〕

David Peat, *Superstrings and the Search for the Theory of Everything*, Contemporary Books, 1988.〔邦訳書『超ひも理論入門』（上・下）久志本克己訳、講談社ブルーバックス、一九九〇年〕

以下は、スーパーストリングに関して書かれた一般向けの書を古い順に並べたものである。

"Anomaly Cancellation Launches Superstring Bandwagon," *Physics Today*, July 1985, pp. 17–20.

Mitchell Waldrop, "Strings as a Theory of Everything," *Science*, vol. 229, September 20, 1985, pp. 1251–1253.

John Schwarz, "Completing Einstein," *Science* 85, November 1985, pp. 60–65.

Robert Crease and Charles Mann, "The Gospel of String," *The Atlantic*, April 1986, pp. 24–29.

J. I. Merritt, "Toward a Theory of Everything," *Princeton Alumni Weekly*, April 9, 1986, pp. 24–25.

Michael Green, "Superstrings," *Scientific American*, September 1986, pp. 48–60.〔邦訳「超弦理論」日経サイエンス誌、一九八六年十一月号に所収〕

Dietrich Thomsen, "A High Strung Theory," *Science News*, vol. 130, September 13, 1986, pp. 168–169.

Gary Taubes, "Everything's Now Tied to Superstrings," *Discover*, November 1986, pp. 34–56.

K. C. Cole, "A Theory of Everything," *New York Times Magazine*, October 18, 1987, pp. 20 ff.

John Schwarz, "Superstrings," *Physics Today*, November 1987, pp. 33–44.

Sheldon Glashow, "Tangled in Superstrings," *The Sciences*, May–June 1988, pp. 22–25.〔邦訳「超ひもに絡まって」、『グラショウ教授が語る素粒子物理に未来はあるか』一七四―一八一頁、本間三郎訳、丸善、一九九四年に所収〕

解説　マーティン・ガードナー讃

若島正

　初めにお断りしておくが、わたしの職業は小説読みであり、本書『自然界における左と右』の物理学的な内容に関してはまったくの門外漢である。その点については、新版および旧版の訳者の方々が書いておられるあとがきをお読みいただくことにして、そちらではあまり触れられていない、著者のマーティン・ガードナーとはどういう人なのか、彼はどういう仕事をしたのか、そして彼が書くものにはどんな特徴があるか、という点について、ここでは書いていきたい。

　まず、著者の略歴をごく簡単に整理しておこう。マーティン・ガードナーは一九一四年一〇月二一日に、オクラホマ州タルサで、三人兄妹の長男として生まれた。父親は地質学で博士号を持つ、石油採掘事業に携わっていた人間であり、母親は幼稚園で先生をしていた経験のある女性だった。ほんの幼い頃、ガードナーは母親が読み聞かせてくれた『オズの魔法使い』で文字を憶えた。彼が『オズ』のシリーズに生涯変わらない関心を持ち続けたのは、そうした幼少体験が原点になっている（その逆で、彼が『アリス』物のおもしろさを知ったのはずっと後になってからの話で、幼い頃には怖い本だと思っていたという）。

当初、ガードナーは物理学者になりたいという希望を持っていたが、シカゴ大学に入学後、物理学から哲学に転向した。驚くべきことかもしれないが、大学に在籍していたあいだに受講した理系の授業は自然科学概説の一科目だけだったという。当時のシカゴ大学は、科目の履修がきわめて自由で、必修単位は自然科学、生物科学、社会科学、人文学のそれぞれ概説が合わせて四科目だけだった。単位取得とは関係なく、学生は好きな科目を受講することができた。どんな分野にも足を踏み入れることができる、こうした自由な雰囲気も、後のガードナーの下地を作ったと考えられる。

大学を卒業後、彼はシカゴ大学の広報課に勤め、第二次大戦中は兵役で海軍に入隊した。除隊後すぐに、『エスクァイア』誌に投稿した短篇小説が掲載され、しばらくその雑誌で短篇作家として糊口をしのいでから、本格的に物書きになる決意をしてニューヨークに移り、隔月刊で出ていた『ハンプティ・ダンプティ』という子供向け雑誌の編集者になった。そこで勤務した八年のあいだに、『サイエンティフィック・アメリカン』誌に投稿した記事が掲載され、それがきっかけになって、同誌で「数学ゲーム」の常設欄を担当することになった。べつに数学ゲームが専門でもなかったガードナーは、記事を書くためにニューヨークじゅうの本屋をまわって、数学ゲーム関連の本を買い集めたという。わたしたちが知る「マーティン・ガードナー」は、このとき誕生したのである。

『サイエンティフィック・アメリカン』誌の名物になったガードナーの「数学ゲーム」欄は、一九五七年一月号から一九八〇年一二月号まで、二四年間の長きにわたって連載された。記事の総数は二八八本。このコラムを引き継いだのは、数多い愛読者の一人であり、一九七九年の著作『ゲーデル、エッシャー、バッハ――あるいは不思議の環』が大好評を博してピュリッツァー賞および全米図書賞を獲得した、ダグラス・ホフスタッターだった。なお、この「数学ゲーム」の連載すべてを集めたものが、『完全版マーティン・ガードナー数学ゲーム全集』全15巻として日本評論社から翻訳刊行が進行中である。

ガードナーを有名にしたのはこの「数学ゲーム」の連載だったが、もうひとつ、彼の名を不朽のものにしているのは、ルイス・キャロルの『不思議の国のアリス』と『鏡の国のアリス』に注釈をほどこした詳注版である。従来、子供のための読み物と思われていた『アリス』は、そこに隠されたジョークや言葉遊びが多く、注釈を付ける価値がある。ガードナーはこの企画をある編集者に提案し、『アリス』の愛読者であり彼が講義を聴講したこともある哲学者バートランド・ラッセルが適任者だと教えた。しかしラッセルが依頼を断ってきて、その編集者に「きみがやったらどうだい?」と言われ、ガードナーは自分でやることになったらしい。

そうして一九六〇年に出版された『詳注アリス』(*The Annotated Alice*)は、六〇年代以降に世界中で巻き起こったアリス・ブームの先駆けになり、『アリス』が大学での教材として用いられるほどの内容を持った作品であることを認めさせた。そしてまた、この「詳注版」という形式の書物はこの『詳注アリス』からよく見られるようになり、ガードナー自身も『詳注スナーク狩り』(一九六二)、『詳注老水夫行』(一九六五)『詳注ブラウン神父の童心』(一九八七)などを著している。ガードナー以外にも、この時期にはウィリアム・S・ベアリング=グールドの『詳注シャーロック・ホームズ』(一九六七。『シャーロック・ホームズ全集』の題名で東京図書から邦訳出版)、アルフレッド・アペル・ジュニアの『詳注ロリータ』(一九七〇)があるが、いずれもガードナーの『詳注アリス』の存在なくしては考えられない。

『詳注アリス』は大きな反響を呼び、読者から多くの手紙が舞い込んだ。そこから生まれた新しい注釈を新たに加える作業を、彼は二〇一〇年に亡くなるまで続けた。出版からちょうど半世紀、まさしくこれがガードナーの生涯の仕事になった。そのあいだに、『増補版詳注アリス』(一九九〇)、『決定版詳注アリス』(一九九九)と二冊の増補改訂版が出て、さらには彼の死後、『不思議の国のアリス』の出版後一五〇周年となる二〇一五年に、記念豪華版が出版された。この豪華版は、『詳注アリス完全決定版』として亜紀書房から邦訳が出ている。

ガードナーは、言ってみれば、昔気質の職人だった。彼が集めたデータは、読んだ本の中でこれはと思うような一節に出会うと、それを鋏で切り取り、3インチ×5インチのカードに糊で貼り付けるという、原始的な作業によって作成された。いまならコピペが当たり前だが、彼は自称するとおり「鋏と糊」の人間だったのである。彼の仕事部屋に設置されたキャビネットに収められている、その膨大なカードが彼だけに意味のあるデータベースになった。切り取られた書籍には、スコット・フィッツジェラルド『偉大なギャツビー』の貴重な初版本まであったという。

原稿はすべて手動のタイプライターによって書かれた。ワープロすら導入されなかった。やりとりもすべて手紙であり、電子メールも使わなかった。インターネットによる検索もめったに使わなかったらしい。講演やインタビューなどという人前に出ることを極度に嫌ったが、見知らぬ読者からの問い合わせにも労を惜しまず手紙を書いた。

昔気質という部分は、彼の活動範囲にも表れている。その広範な活動のあり方を知るのに最適の本は、およそ半世紀にわたって大量に書きつづけたエッセイ群の中から選んだ、*The Night Is Large: Collected Essays, 1938-1995*（一九九六）だろう（このタイトルは、ロード・ダンセイニの戯曲『神々の笑い』から採られていて、本書の最終章で最後の一文にも使われていることにご注目）。この選集は七部構成になっていて、そのそれぞれは「自然科学」「社会科学」「擬似科学」「数学」「芸術」「哲学」「宗教」と題されている。これを見ただけでも、「擬似科学」というパートだけはさておけば、人間のあらゆる知的な営みが網羅されているという印象を受けるのではないか。その意味で、彼は昔風の「ジェネラリスト」であった。ありとあらゆるジャンルの本を読み、そこで見つけたものを彼個人の思索の糧にするという姿勢を生涯貫き通した。知識および職業が高度に専門化していき、ジェネラリストがスペシャリストに駆逐されていくという現代社会の流れから見れば、ガードナーは奇跡的な存在のように映る。それぞれの分野の専門家たちから見れば、ガードナーの仕事は素人っぽく映ったに違いない。しかし、ガードナーは糧として得た知識を、個人的な喜びだけにとどめずに、さらに多くの人と分かち合うという仕事に誇りを持っていた。その点で、彼は真のプロフェッショナルなジェネラリストだったのである。そのように呼べる人は、この世の中で数少ない。

ガードナーはアメリカで称揚される「セルフ - メイド・マン」、すなわち腕一本で地位を築いた、叩き上げの人間だった。この点で、学界とは無縁でありながら、二〇世紀前半のアメリカの文壇で大物として鳴らした、批評家エドマンド・ウィルソンになぞらえる評もある。ガードナーはひたすら物書きであり続けた。「ひとつのことを理解するのにいちばんいい方法は、それについての本を書くことだ」と言っていたように、彼はある話題について書くときはまず文献を漁り、それを自分の頭で咀嚼しようとした。学者が書く啓蒙書というものは、しばしば上から目線になる。一般読者がどこでつまづくか、読んでいてどこに理解の困難さをおぼえるか、それがわからないからである。ガードナーの本にはそれがない。なぜなら、ガードナーは一般読者と同じ立場でその対象を理解しようとしているからである。わたしたちはガードナーと一緒に、扱われている領域を探索することができる。それは決して、険しい高山に登るような苦行ではない。ゆるやかな坂道をゆっくりと歩み、しばらく立ち止まっては、道端のあちらこちらに咲いている珍しい花に目をやりながら、気がついてみると想像もしなかったような眺望が眼下に開けている、そんな楽しい体験である。

ガードナーの本は、他人の本からの引用あるいは紹介を集めた、パッチワークにすぎないという意見もあるかもしれない。実際、彼の「数学ゲーム」でも、彼のオリジナルな創作と呼べるものは数少ない。しかし、彼の関心領域の広さが如実に表れている、そのパッチワークの模様が独特であって、ガードナーの本はどれを読んでもすぐにガードナーとわかる。つまり、本そのものがガードナーの世界なのである。

それは本書『自然界における左と右』を読み終えた読者にはすでに自明のことだろう。読者を思索へと導くための思考実験や練習問題が豊富に取り入れられていることも本書の特徴の一つだが、自然科学のみならず、すでに挙げた「芸術」「哲学」「宗教」といった人文学の領域に属する話題も頻繁に登場するのが大きな特徴で、たとえば第16章「生命の起源」では神をめぐる議論が展開される（ガードナーは無神論者ではなく、既成の宗教が唱える神とは別の「神」を信じていた）。そして、わたしのような小説読みにとっては嬉しいことに、『アリス』や『オズ』のシリーズというガードナーが愛してやまない作品群がここでも登場するし、推理小説やSFといった大衆小説のジャンルに属するものもしばしば言及され、さらにはウラジーミル・ナボコフの『ロリータ』や『淡い焔』、ジェイムズ・ジョイスの『ユリシーズ』に『フィネガンズ・ウェイク』まで出てくる。いずれも、ガードナーが愛読したものだと思っていただいて間違いない。

本書が広く読まれた証拠として特筆すべきは、ウラジーミル・ナボコフとのやりとりだろう。本書の初版の第17章「第四次元」で、ガードナーはナボコフの『淡い焔』から詩の二行を引用して、注釈ではそれが詩人「ジョン・フランシス・シェイド」の作品から取ったものだとだけ書いて、『淡い焔』に登場する架空の詩人シェイドをあたかも実在する人物であるかのように扱い、さらに索引でもシェイドの名前だけを項目として挙げ、ナボコフの名前をわざと出さなかった（ただし、邦訳には索引が付いていない）。このガードナーの悪戯が、どうやらナボコフの目にとまったらしい。ナボコフは『淡い焔』の次に発表した大作『アーダ』の中で、逆にその個所を引用し、それが「架空の哲学者マーティン・**ガーディナー**」の『自然界における左と右』からの引用だとした。これはジョークをジョークで返したナボコフの悪戯であり、そのあたりの事情は本書の新版に付けられた注釈で説明されている。

また、本書にも言及されている英国の詩人W・H・オーデンは、『自然界における左と右』を一九六五年のベスト本の一冊に選んだ。英国の小説家ジョン・ファウルズは、一九世紀ヴィクトリア朝と現代をつないだ代表作『フランス軍中尉の女』（一九六九）の中で、その最終章に当たる第61章の冒頭に、本書の第15章「生命の起源」から「進化とは単に偶然（無作為的な突然変異）が自然の法則とうまくかみ合ってはたらくということによって、よりよく生存に適した生命形態が創造されていく過程のことなのである」という一節を引用して、それをエピグラフとして置いた。さらに、シュルレアリスムの画家として有名なサルバドール・ダリは『自然界における左と右』の愛読者で、アメリカを訪れた機会にガードナーに面会を求めたほどだった。そのときダリはウルトラ・ヴァイオレットと自称する女優の卵を連れてきて、彼女の伝記を書いてほしいとガードナーにたのんだが、ガードナーは丁重に断ったという（後に彼女はアンディ・ウォーホルの愛人になった）。

最後には、ジェイムズ・ジョイスに登場してもらおう。本書にも言及がある『フィネガンズ・ウェイク』には、「マーティン・ハルピン……アントリムの谷出の老庭師」（柳瀬尚紀訳）という一節がある。原文では **Martin** Halpin, an old **gardener** from the Glens of Antrim だが、ここにはどういう偶然か、マーティンとガードナー（庭師）が一緒に出てきている（さらに付け加えると、Antrim は Martin のアナグラム）。さまざまな遊びのなかでもとりわけ言語遊戯を愛したマーティン・ガードナーは、この途方もない偶然をきっと喜んだに違いない。

人名索引

〔ア　行〕

〔カ 行〕

〔サ　行〕

〔ナ 行〕

〔ハ　行〕

〔ヤ　行〕

〔ラ　行〕

〔ワ　行〕

事項索引

〔ア　行〕

〔カ　行〕

〔サ　行〕

〔タ 行〕

〔ナ　行〕

〔マ　行〕

〔ラ　行〕

〔ワ　行〕

本書は一九九二年五月、紀伊國屋書店より刊行された。

化学の歴史
アイザック・アシモフ
玉虫文一／竹内敬人訳

あのSF作家のアシモフが化学史を？ じつは化学が本職だった教授の、錬金術から原子核までをエピソード豊かにつづる上質の化学史入門。

ガロア理論入門
エミール・アルティン
寺田文行訳

線形代数を巧みに利用しつつ、直截簡明な叙述でガロア理論の本質に迫る。入門書ながら大数学者の卓抜なアイディアあふれる名著。（佐武一郎）

情報理論
甘利俊一

「大数の法則」を押さえれば、情報理論はよくわかる！ シャノン流の情報理論から情報幾何学の基礎まで、本質を明快に解説した入門書。

アインシュタイン論文選
アルベルト・アインシュタイン
ジョン・スタチェル編
青木薫訳

「奇跡の年」こと一九〇五年に発表された、ブラウン運動・相対性理論・光量子仮説についての記念碑的論文五篇を収録。編者による詳細な解説付き。

入門 多変量解析の実際
朝野熙彦

多変量解析の様々な分析法。それらをどう使いこなせばいい？ マーケティングの例を多く紹介し、ユーザー視点に貫かれた実務家必読の入門書。

公理と証明
彌永昌吉
赤攝也

数学の正しさ、「無矛盾性」はいかにして保証されるのか。あらゆる数学の基礎となる公理系のしくみと証明論の初歩を、具体例をもとに平易に解説。

コンピュータ・パースペクティブ
チャールズ&レイ・イームズ
和田英一監訳
山本敦子訳

バベッジの解析機関から戦後の巨大電子計算機へ――。コンピュータの黎明を約五〇〇点の豊富な資料とともに辿る。イームズ工房制作の写真集。

地震予知と噴火予知
井田喜明

巨大地震のメカニズムはそれまでの想定とどう違っていたのか。地震理論のいまと予知の最前線を明快に整理し、その問題点を鋭く指摘した提言の書。

ゆかいな理科年表
スレンドラ・ヴァーマ
安原和見訳

えっ、そうだったの！ 数学や科学技術の大発見大発明大流行の瞬間をリプレイ。ときにニヤリ、ときになるほどとうならせる、愉快な読みきりコラム。

位相群上の積分とその応用
アンドレ・ヴェイユ
齋藤正彦訳
ハールによる「群上の不変測度」の発見、およびその後の諸結果を受け、より統一的にハール測度を論じた画期的著作。本邦初訳。（平井武）

シュタイナー学校の数学読本
ベングト・ウリーン
丹羽敏雄／森章吾訳
中学・高校の数学がこうだったなら！　フィボナッチ数列、球面幾何など興味深い教材で展開する授業十二例。新しい角度からの数学再入門でもある。

問題をどう解くか
ウェイン・A・ウィケルグレン
矢野健太郎訳
初等数学やパズルの具体的な問題を解きながら、解決に役立つ基礎概念を紹介。方法論を体系的に学ぶことのできる貴重な入門書。（芳沢光雄）

算法少女
遠藤寛子
父から和算を学ぶ町娘あきは、算額に誤りを見つけ声を上げた。と、若侍が……。和算への誘いとして定評の少年少女向け歴史小説。箕田源二郎・絵

原論文で学ぶ
アインシュタインの相対性理論
唐木田健一
ベクトルや微分など数学の予備知識も解説しつつ、一九〇五年発表のアインシュタインの原論文を丁寧に読み解く。初学者のための相対性理論入門。

医学概論
川喜田愛郎
医学の歴史、ヒトの体と病気のしくみを概説。現代医療で見過ごされがちな「病人の存在」を見据えつつ、「医学とは何か」を考える。（酒井忠昭）

ガウス　数論論文集
ガウス
高瀬正仁訳
成熟した果実のみを提示したと評されるガウス。しかし原典からは考察の息づかいが読み取れる。4次剰余理論など公表した5篇すべてを収録。本邦初訳。

初等数学史（上）
フロリアン・カジョリ
小倉金之助補訳
中村滋校訂
厖大かつ精緻な文献調査にもとづく記念碑的著作。古代エジプト・バビロニアからギリシャ・インド・アラビアへいたる歴史を概観する。図版多数。

初等数学史（下）
フロリアン・カジョリ
小倉金之助補訳
中村滋校訂
商業や技術の一環としても発達した数学。下巻は対数・小数の発明、記号代数学の発展、非ユークリッド幾何学など。文庫化にあたり全面的に校訂。

複素解析　笠原乾吉

複素数が織りなす、調和に満ちた美しい数の世界とは。微積分に関する基本事項から楕円関数の話題までがコンパクトに詰まった、定評ある入門書。

初等整数論入門　銀林浩

「神が作った」とも言われる整数。そこには単純に見えて、底知れぬ深い世界が広がっている。互除法、合同式からイデアルまで。（野﨑昭弘）

算数の先生　国元東九郎

7164は3で割り切れる。それを見分ける簡単な方法があるという。数の話に始まる物語ふうの小学校高学年むけの世評名高い算数学習書。（板倉聖宣）

新しい自然学　蔵本由紀

科学的知のいびつさが様々な状況で露呈する現代。非線形科学の泰斗が従来の科学観を相対化し、全く新しい自然の見方を提唱する。（中村桂子）

ゲーテ地質学論集・鉱物篇　ゲーテ　木村直司編訳

地球の生成と形成を探って岩山をよじ登り洞窟を降りる詩人。鉱物・地質学的な考察や紀行から、新たなゲーテ像が浮かび上がる。文庫オリジナル。

ゲルファント　やさしい数学入門　座標法　ゲルファント／グラゴレヴァ／キリロフ　坂本實訳

座標は幾何と代数の世界をつなぐ重要な概念。数直線のおさらいから四次元の座標幾何までを、世界的数学者が丁寧に解説する。訳し下ろしの入門書。

ゲルファント　やさしい数学入門　関数とグラフ　ゲルファント／グラゴレヴァ／シノール　坂本實訳

数学でも「大づかみに理解する」ことは大事。グラフ化＝可視化は、関数の振る舞いをマクロに捉える強力なツールだ。世界的数学者による入門書。

幾何学入門（上）　H・S・M・コクセター　銀林浩訳

著者は「現代のユークリッド」とも称される20世紀最大の幾何学者。古典幾何のあらゆる話題が詰まった、辞典級の充実度を誇る入門書。

和算書「算法少女」を読む　小寺裕

娘あきが挑戦していた和算とは？　歴史小説『算法少女』のもとになった和算書の全問をていねいに読み解く。（エッセイ　遠藤寛子、解説　土倉保）

解析序説　小林龍一／廣瀬健／佐藤總夫

自然や社会を解析するための、「活きた微積分」のセンスを磨く！ 差分・微分方程式までを丁寧にカバーした入門者向け学習書。（笠原晧司）

確率論の基礎概念　A・N・コルモゴロフ　坂本實訳

確率論の現代化に決定的な影響を与えた『確率論の基礎概念』に加え、有名な論文「確率論における解析的方法について」を併録。全篇新訳。

雪の結晶はなぜ六角形なのか　小林禎作

雪が降るとき、空ではどんなことが起きているのだろう。自然が作りだす美しいミクロの世界を、科学の目でのぞいてみよう。（菊池誠）

物理現象のフーリエ解析　小出昭一郎

熱・光・音の伝播から量子論まで、振動・波動にもとづく物理現象とフーリエ変換の関わりを丁寧に解説。物理学の泰斗による名教科書。（千葉逸人）

ガロワ正伝　佐々木力

最大の謎、決闘の理由がついに明かされる！ 難解なガロワの数学思想をひもといた後世の数学者たちにも迫った、文庫版オリジナル書き下ろし。

ブラックホール　佐藤文隆　R・ルフィーニ

相対性理論から浮かび上がる宇宙の「穴」。星と時空の謎に挑んだ物理学者たちの奮闘の歴史と今日的課題に迫る。写真・図版多数。

はじめてのオペレーションズ・リサーチ　齊藤芳正

問題を最も効率よく解決するための科学的意思決定の手法。当初は軍事作戦計画として創案されたが、現在では経営科学等多くの分野で用いられている。

数学をいかに使うか　志村五郎

「何でも厳密に」などとは考えてはいけない」――。世界的数学者が教える「使える」数学とは。文庫版オリジナル書き下ろし。

数学をいかに教えるか　志村五郎

日米両国で長年教えてきた著者が日本の教育を斬る！ 掛け算の順序問題、悪い証明と間違えやすい公式のことから外国語の教え方まで。

通信の数学的理論
C・E・シャノン／W・ウィーバー
植松友彦訳
IT社会の根幹をなす情報理論はここから始まった。発展いちじるしい最先端の分野に、今なお根源的な洞察をもたらす古典的論文が新訳で復刊。

数学という学問Ⅰ
志賀浩二
ひとつの学問として、広がり、深まりゆく数学。数・微積分・無限など「概念」の誕生と発展を軸にその歩みを辿る。オリジナル書き下ろし。全3巻。

数学という学問Ⅱ
志賀浩二
第2巻では19世紀の数学を展望。数概念の拡張によりもたらされた複素解析のほか、フーリエ解析、非ユークリッド幾何誕生の過程を追う。

数学という学問Ⅲ
志賀浩二
19世紀後半、「無限」概念の登場とともに数学は大転換を迎える。カントルとハウスドルフの集合論、そしてユダヤ人数学者の寄与について。全3巻完結。

現代数学への招待
志賀浩二
「多様体」は今や現代数学必須の概念。「位相」「微分」などの基礎概念を丁寧に解説・図説しながら、多様体のもつ深い意味を探ってゆく。

シュヴァレー リー群論
クロード・シュヴァレー
齋藤正彦訳
現代的な視点から、リー群を初めて大局的に論じた古典的著作。著者の導いた諸定理はいまなお有用性を失わない。本邦初訳。（平井武）

現代数学の考え方
イアン・スチュアート
芹沢正三訳
現代数学は怖くない！「集合」「関数」「確率」などの基本概念をイメージ豊かに解説。直観で現代数学の全体を見渡せる入門書。図版多数。

若き数学者への手紙
イアン・スチュアート
冨永星訳
研究者になるってどういうこと？現役で活躍する数学者が豊富な実体験を紹介。数学との付き合い方から「してはいけないこと」まで。（砂田利一）

飛行機物語
鈴木真二
なぜ金属製の重い機体が自由に空を飛べるのか？その工学と技術を、リリエンタール、ライト兄弟などのエピソードをまじえ歴史的にひもとく。

集合論入門　赤攝也

「ものの集まり」という素朴な概念が生んだ奇妙な世界、集合論。部分集合・空集合などの基礎から、丁寧な叙述で連続体や順序数の深みへと誘う。

確率論入門　赤攝也

ラプラス流の古典確率論とボレル-コルモゴロフ流の現代確率論。両者の関係性を意識しつつ、確率の基礎概念と数理を多数の例とともに丁寧に解説。

現代の初等幾何学　赤攝也

ユークリッドの平面幾何を公理的に再構成するには？　現代数学の考え方に触れつつ、幾何学が持つ面白さも体感できるよう初学者への配慮溢れる一冊。

現代数学概論　赤攝也

初学者には抽象的でとっつきにくい〈現代数学〉。「集合」「写像とグラフ」「群論」「数学的構造」といった基本的概念を手掛かりに概説した入門書。

数学と文化　赤攝也

諸科学や諸技術の根幹を担う数学、また「論理的・体系的な思考」を培う数学。この数学とは何ものなのか？　数学の思想と文化を究明する入門概説。

微積分入門　W・W・ソーヤー　小松勇作訳

微積分の考え方は、日常生活のなかから自然に出てくるもの。∫や lim の記号を使わず、具体例に沿って説明した定評ある入門書。（瀬山士郎）

新式算術講義　高木貞治

算術は現代でいう数論。数の自明を疑わない明治の読者にその基礎を当時の最新学説で説く。「解析概論」の著者若き日の意欲作。（高瀬正仁）

数学の自由性　高木貞治

大数学者が軽妙洒脱に学生たちに数学を語る！　60年ぶりに復刊された人柄のにじむ幻の同名エッセイ集を含む文庫オリジナル。（高瀬正仁）

ガウスの数論　高瀬正仁

青年ガウスは目覚めとともに正十七角形の作図法を思いついた。初等幾何に露頭した数論の一端！　創造の世界の不思議に迫る原典講読第2弾。

高橋秀俊の物理学講義
高橋秀俊
藤村靖
ロゲルギストを主宰した研究者の物理的センスとは。力について、示量変数と示強変数、ルジャンドル変換、変分原理などの汎論四〇講。（田崎晴明）

物理学入門
武谷三男
科学とはどんなものか。ギリシャの力学から惑星の運動解明まで、理論変革の跡をひも解いた科学論。三段階論で知られる著者の入門書。（上條隆志）

数は科学の言葉
トビアス・ダンツィク
水谷淳訳
数感覚の芽生えから実数論・無限論の誕生まで、数万年にわたる人類と数の歴史を活写。アインシュタインも絶賛した数学読み物の古典的名著。

常微分方程式
竹之内脩
初学者を対象に基礎理論を学ぶとともに、重要な具体例を取り上げ、それぞれの方程式の解法と解について解説する。練習問題を付した定評ある教科書。

数理のめがね
坪井忠二
物のかぞえかた、勝負の確率といった身近な現象の本質を解き明かす地球物理学の大家による数理エッセイ。後半に「微分方程式雑記帳」を収録する。

一般相対性理論
P・A・M・ディラック
江沢洋訳
一般相対性理論の核心に最短距離で到達すべく、卓抜した数学的記述で簡明直截に書かれた天才ディラックによる入門書。詳細な解説を付す。

幾何学
ルネ・デカルト
原亨吉訳
哲学のみならず数学においても不朽の功績を遺したデカルト。『方法序説』の本論として発表された『幾何学』、初の文庫化！（佐々木力）

不変量と対称性
今井淳／寺尾宏明／
中村博昭
変えても変わらない不変量とは？ そしてその意味や用途とは？ ガロア理論や結び目の現代数学に現われる、上級の数学センスをさぐる7講義。

数とは何かそして何であるべきか
リヒャルト・デデキント
渕野昌訳・解説
「数とは何かそして何であるべきか？」「連続性と無理数」の二論文を収録。現代の視点から数学の基礎付けを試みた充実の訳者解説を付す。新訳。

数学的に考える　キース・デブリン　冨永星訳

ビジネスにも有用な数学的思考法とは？　言葉を厳密に使う、量を用いて考える、分析的に考えるといったポイントからとことん丁寧に解説する。

代数的構造　遠山啓

群・環・体など代数の基本概念の構造を、構造主義の歴史をおりまぜつつ、卓抜な比喩とていねいな計算で確かめていく抽象代数学入門。（銀林浩）

現代数学入門　遠山啓

現代数学、恐るるに足らず！　学校数学より日常の感覚の中に集合や構造、関数や群、位相の考え方を探る大人のための入門書。（エッセイ　亀井哲治郎）

代数入門　遠山啓

文字から文字式へ、そして方程式へ。巧みな例示と丁寧な叙述で「方程式とは何か」を説いた最晩年の名著。遠山数学の到達点がここに！（小林道正）

オイラー博士の素敵な数式　ポール・J・ナーイン　小山信也訳

数学史上最も偉大で美しい式を無限級数の和やフーリエ変換、ディラック関数などの歴史的側面を説明した後、計算式を用い丁寧に解説した入門書。

不完全性定理　野﨑昭弘

事実・推論・証明……。理屈っぽいとケムたがられる話題を、なるほどと納得させながら、ユーモアたっぷりにひもといたゲーデルへの超入門書。

数学的センス　野﨑昭弘

美しい数学とは詩なのです。いまさら数学者にはなれないけれどそれを楽しめたら……。そんな期待に応えてくれる心やさしいエッセイ風数学再入門。

高等学校の確率・統計　黒田孝郎／森毅／小島順／野﨑昭弘ほか

成績の平均や偏差値はおなじみでも、実務の水準とは隔たりが！　基礎からやり直したい人のために伝説の検定教科書を指導書付きで復活。

高等学校の基礎解析　黒田孝郎／森毅／小島順／野﨑昭弘ほか

わかってしまえば日常感覚に近いものながら、数学挫折のきっかけの微分・積分。その基礎を丁寧にひもといた再入門のための検定教科書第2弾！

高等学校の微分・積分
黒田孝郎／森毅／小島順／野崎昭弘ほか
高校数学のハイライト「微分・積分」！その入門コース『基礎解析』に続く本格コース。公式暗記の学習からほど遠い、特色ある教科書の文庫化第3弾。

エキゾチックな球面
野口廣
7次元球面には相異なる28通りの微分構造が可能！フィールズ賞受賞者を輩出したトポロジー最前線を臨場感ゆたかに解説。（竹内薫）

数学の楽しみ
テオニ・パパス
安原和見訳
ここにも数学があった！石鹸の泡、くもの巣、雪片曲線、一筆書きパズル、魔方陣、DNAらせん……。イラストも楽しい数学入門150篇。

相対性理論（下）
W・パウリ
内山龍雄訳
アインシュタインが絶賛し、物理学者内山龍雄をして、研究を措いてでも訳したかったと言わしめた、相対論三大名著の一冊。（細谷暁夫）

物理学に生きて
W・ハイゼンベルクほか
青木薫訳
「わたしの物理学は……」ハイゼンベルク、ディラック、ウィグナーら六人の巨人たちが集い、それぞれの歩んだ現代物理学の軌跡や展望を語る。

調査の科学
林知己夫
消費者の嗜好や政治意識を測定するとは？集団特性の数量的表現の解析手法を開発した統計学者による社会調査の論理と方法の入門書。（吉野諒三）

ポール・ディラック
アブラハム・パイスほか
藤井昭彦訳
「反物質」なるアイディアはいかに生まれたのか、そしてその存在はいかに発見されたのか。天才の生涯と業績を三人の物理学者が紹介した講演録。

インドの数学
林隆夫
ゼロの発明だけでなく、数表記法、平方根の近似公式、順列組み合せ等大きな足跡を残してきたインドの数学を古代から16世紀まで原典に則して辿る。

幾何学基礎論
D・ヒルベルト
中村幸四郎訳
20世紀数学全般の公理化への出発点となった記念碑的著作。ユークリッド幾何学を根源まで遡り、斬新な観点から厳密に基礎づける。（佐々木力）

素粒子と物理法則
R・P・ファインマン／S・ワインバーグ
小林澈郎訳
量子論と相対論を結びつけるディラックのテーマを対照的に展開したノーベル賞学者による追悼記念講演。現代物理学の本質を堪能させる三重奏。

ゲームの理論と経済行動Ⅰ（全3巻）
ノイマン／モルゲンシュテルン
銀林／橋本／宮本監訳
今やさまざまな分野への応用いちじるしい「ゲーム理論」の嚆矢とされる記念碑的著作。第Ⅰ巻はゲームの形式的記述とゼロ和2人ゲームについて。

ゲームの理論と経済行動Ⅱ
ノイマン／モルゲンシュテルン
阿部／橋本訳
第Ⅰ巻でのゼロ和2人ゲームの考察を踏まえ、第Ⅱ巻ではプレイヤーが3人以上の場合のゼロ和ゲーム、およびゲームの合成分解について論じる。

ゲームの理論と経済行動Ⅲ
ノイマン／モルゲンシュテルン
銀林／橋本／宮本監訳
銀林／下島訳
第Ⅲ巻では非ゼロ和ゲームにまで理論を拡張。これまでの数学的結果をもとにいよいよ経済学的解釈を試みる。全3巻完結。

計算機と脳
J・フォン・ノイマン
銀林／宮本訳
柴田裕之訳
脳の振る舞いを数学で記述することは可能か？　現代のコンピュータの生みの親でもあるフォン・ノイマン最晩年の考察。新訳。
（中山幹夫）

数理物理学の方法
J・フォン・ノイマン
伊東恵一編訳
多岐にわたるノイマンの業績を展望するための文庫オリジナル編集。本巻は量子力学・統計力学など物理学の重要論文四篇を収録。全篇新訳。
（野﨑昭弘）

作用素環の数理
J・フォン・ノイマン
長田まりゑ編訳
終戦直後に行われた講演「数学者」と、「作用素環について」Ⅰ～Ⅳの計五篇を収録。一分野としての作用素環論を確立した記念碑的業績を網羅する。

フンボルト　自然の諸相
アレクサンダー・フォン・フンボルト
木村直司編訳
中南米オリノコ川で見たものとは？　植生と気候、緯度と地磁気などの関係を初めて認識した、ゲーテ自然学を継ぐ博物・地理学者の探検紀行。

新・自然科学としての言語学
福井直樹
気鋭の文法学者によるチョムスキーの生成文法解説書。文庫化にあたり旧著を大幅に増補改訂し、付録として黒田成幸の論考「数学と生成文法」を収録。

電気にかけた生涯　藤宗寛治

実験・観察にすぐれたファラデー、電磁気学にまとめたマクスウェル、ほかにクーロンやオームなど科学者十二人の列伝を通して電気の歴史をひもとく。

科学の社会史　古川安

大学、学会、企業、国家などと関わりながら「制度化」の歩みを進めて来た西洋科学。現代に至るまでの約五百年の歴史を概観した定評ある入門書。

πの歴史　ペートル・ベックマン　田尾陽一／清水韶光訳

円周率だけでなく意外なところに顔をだすπ。ユークリッドやアルキメデスによる探究の歴史に始まり、オイラーの発見したπの不思議にいたる。

やさしい微積分　L・S・ポントリャーギン　坂本實訳

微積分の基本概念・計算法を全盲の数学者がイメージ豊かに解説。版を重ねて読み継がれる定番の入門教科書。練習問題・解答付きで独習にも最適。

フラクタル幾何学(上)　B・マンデルブロ　広中平祐監訳

「フラクタルの父」マンデルブロの主著。膨大な資料を基に、地理・天文・生物などあらゆる分野から事例を収集・報告したフラクタル研究の金字塔。

フラクタル幾何学(下)　B・マンデルブロ　広中平祐監訳

「自己相似」が織りなす複雑で美しい構造とは。その数理とフラクタル発見までの歴史を豊富な図版とともに紹介。

数学基礎論　前原昭二　竹内外史

集合をめぐるパラドックス、ゲーデルの不完全性定理からファジー論理、P=NP問題などのより現代的な話題まで。大家による入門書。（田中一之）

現代数学序説　松坂和夫

『集合・位相入門』などの名教科書で知られる著者による、懇切丁寧な入門書。組合せ論・初等数論を中心に、現代数学の一端に触れる。（荒井秀男）

不思議な数eの物語　E・マオール　伊理由美訳

自然現象や経済活動に頻繁に登場する超越数e。この数の出自と発展の歴史を描いた一冊。ニュートン、オイラー、ベルヌーイ等のエピソードも満載。

工学の歴史　三輪修三

オイラー、モンジュ、フーリエ、コーシーらは数学者であり、同時に工学の課題に方策を授けていた。「ものつくりの科学」の歴史をひもとく。

関数解析　宮寺功

偏微分方程式論などへの応用をもつ関数解析。バナッハ空間論からベクトル値関数、半群の話題まで、その基礎理論を過不足なく丁寧に解説。（新井仁之）

ユークリッドの窓　レナード・ムロディナウ　青木薫訳

平面、球面、歪んだ空間、そして……。幾何学的世界像は今なお変化し続ける。『スタートレック』の脚本家が誘う三千年のタイムトラベルへようこそ。

ファインマンさん 最後の授業　レナード・ムロディナウ　安平文子訳

科学の魅力とは何か？ 創造とは、そして死とは？ 老境を迎えた大物理学者との会話をもとに書かれた、珠玉のノンフィクション。（山本貴光）

生物学のすすめ　ジョン・メイナード＝スミス　木村武二訳

現代生物学では何が問題になるのか。20世紀生物学に多大な影響を与えた大家が、複雑な生命現象を理解するためのキー・ポイントを易しく解説。

現代の古典解析　森毅

おなじみ一刀斎の秘伝公開！ 極限と連続に始まり、指数関数と三角関数を経て、偏微分方程式に至る。見晴らしのきく、読み切り22講義。

ベクトル解析　森毅

1次元線形代数学から多次元へ、1変数の微積分から多変数へ。応用面と異なる、教育的重要性を軸に展開するユニークなベクトル解析のココロ。

対談 数学大明神　森毅　安野光雅

数楽的センスの大饗宴！ 読み巧者の数学者と数学ファンの画家が、とめどなく繰り広げる興趣つきぬ数学談義。（河合雅雄・亀井哲治郎）

線型代数　森毅

理工系大学生必須の線型代数を、その生態のイメージと意味のセンスを大事にしつつ、基礎的な概念をひとつひとつユーモアを交え丁寧に説明する。

新版 数学プレイ・マップ　森　毅

一刀斎の案内で数の世界を気ままに歩き、勝手に遊ぶ数学エッセイ。「微積分の七不思議」「数学の大いなる流れ」他三篇を増補。（亀井哲治郎）

フィールズ賞で見る現代数学　マイケル・モナスティルスキー　眞野元 訳

「数学のノーベル賞」とも称されるフィールズ賞。その誕生の歴史、および第一回から二〇〇六年までの歴代受賞者の業績を概説。

思想の中の数学的構造　山下正男

レヴィ＝ストロースと群論？　ニーチェやオルテガの遠近法主義、ヘーゲルと解析学、孟子と関数概念……。数学的アプローチによる比較思想史。

熱学思想の史的展開1　山本義隆

熱の正体は？　その物理的特質とは？　『磁力と重力の発見』の著者による壮大な科学史。熱力学入門書としての評価も高い。全面改稿。

熱学思想の史的展開2　山本義隆

熱力学はカルノーの一篇の論文に始まり骨格が完成した。熱素説に立ちつつも、時代に半世紀も先行していた。理論のヒントは水車だったのか？

熱学思想の史的展開3　山本義隆

隠された因子、エントロピーがついにその姿を現わす。そして重要な概念が加速的に連結し熱力学が体系化されていく。格好の入門篇。全3巻完結。

数学がわかるということ　山口昌哉

非線形数学の第一線で活躍した著者が〈数学とは〉をしみじみと、〈私の数学〉を楽しげに語る異色の数学入門書。（野崎昭弘）

カオスとフラクタル　山口昌哉

ブラジルで蝶が羽ばたけば、テキサスで竜巻が起こる？　カオスやフラクタルの非線形数学の不思議をさぐる本格的入門書。（合原一幸）

数学文章作法 基礎編　結城浩

レポート・論文・プリント・教科書など、数式まじりの文章を正確で読みやすいものにするには？『数学ガール』の著者がそのノウハウを伝授！

数学文章作法　推敲編　結城浩
ただ何となく推敲していませんか？　語句の吟味・全体のバランス・レビューなど、文章をより良くするために効果的な方法を、具体的に学びましょう。

数学序説　吉田洋一／赤攝也
数学は嫌いだ、苦手だという人のために。幅広いトピックを歴史に沿って解説。刊行から半世紀以上にわたり読み継がれてきた数学入門のロングセラー。

ルベグ積分入門　吉田洋一
リーマン積分ではなぜいけないのか。反例を示しつつ、ルベグ積分誕生の経緯と基礎理論を丁寧に解説。いまだ古びない往年の名教科書。（赤攝也）

微分積分学　吉田洋一
基本事項から初等関数や多変数の微積分、微分方程式などを、具体例と注意すべき点を挙げ丁寧に叙述。長年読まれ続けてきた大定番の入門書。（赤攝也）

私の微分積分法　吉田耕作
ニュートン流の考え方にならうと微積分はどのように展開される？　対数・指数関数、三角関数から微分方程式、数値計算の話題まで。（俣野博）

力学・場の理論　L・D・ランダウ／E・M・リフシッツ／水戸巌ほか訳
圧倒的に名高い「理論物理学教程」に、ランダウ自身が構想した入門篇があった！　幻の名著「小教程」がいまよみがえる。（山本義隆）

量子力学　L・D・ランダウ／E・M・リフシッツ／好村滋洋／井上健男訳
非相対論的量子力学から相対論的理論までを、簡潔で美しい理論構成で登る入門教科書。大教程2巻をもとに新構想の別版。（江沢洋）

幾何学の基礎をなす仮説について　ベルンハルト・リーマン／菅原正巳訳
相対性理論の着想の源泉となった、リーマンの記念碑的講演。ヘルマン・ワイルの格調高い序文・解説とミンコフスキーの論文「空間と時間」を収録。

新 物理の散歩道　第2集　ロゲルギスト
ゴルフのバックスピンは芝の状態に無関係、昆虫の羽ばたき、コマの不思議、流れ模様など意外な展開と多彩な話題の科学エッセイ。（呉智英）

ちくま学芸文庫

新版《しんぱん》 自然界《しぜんかい》における左《ひだり》と右《みぎ》 下《げ》

二〇二一年一月十日 第一刷発行

著者 マーティン・ガードナー
訳者 坪井忠二（つぼい・ちゅうじ）
藤井昭彦（ふじい・あきひこ）
小島弘（こじま・ひろし）

発行者 喜入冬子
発行所 株式会社 筑摩書房
東京都台東区蔵前二―五―三 〒一一一―八七五五
電話番号 〇三―五六八七―二六〇一（代表）

装幀者 安野光雅
印刷所 星野精版印刷株式会社
製本所 加藤製本株式会社

乱丁・落丁本の場合は、送料小社負担でお取り替えいたします。
本書をコピー、スキャニング等の方法により無許諾で複製することは、法令に規定された場合を除いて禁止されています。請負業者等の第三者によるデジタル化は一切認められていませんので、ご注意ください。
© Chuji TUBOI/Akihiko FUJII/Hiroshi KOJIMA 2021 Printed in Japan
ISBN978-4-480-51017-4 C0140